LLOYD GEORGE Y
CYMREIG: ARV

Lloyd George

Y Cenedlaetholwr Cymreig: Arwr ynteu Bradwr?

Emyr Price

Argraffiad Cymraeg cyntaf—1999

ISBN 1 85902 687 7

Dymuna'r cyhoeddwyr gydnabod cymorth
Adrannau Cyngor Llyfrau Cymru.

Argraffwyd gan
Wasg Gomer, Llandysul, Ceredigion

I Irfon, Iolo ac Angharad
ac i Ron Davies a'i ragflaenwyr
yn y Swyddfa Gymreig, Jim Griffiths,
Cledwyn Hughes a John Morris
a'u cefnogwyr am gadw fflam
Cymru Fydd ynghynn
i'r unfed ganrif ar hugain.

Cynnwys

Lluniau

Hoffai'r awdur a'r cyhoeddwyr gydnabod cymorth Gwasanaeth Archifau Gwynedd, a Llyfrgell Genedlaethol Cymru am ganiatâd i ddefnyddio'r lluniau hyn.

Rhagair

Yn ei gyflwyniad i'w gyfrol *The Young Lloyd George* (1973) fe nododd John Grigg: 'The last word will never be written on Lloyd George or on any part of his career. With the passage of time new facts will emerge, new explanations and interpretations will be offered.'

Mewn cyfrolau ac erthyglau ar ôl hyn, mae haneswyr fel K. O. Morgan, B. B. Gilbert, W. R. P. George a J. Graham Jones wedi cloriannu ei yrfa gynnar ac yn enwedig ei gysylltiad â mudiad Cymru Fydd a'i berthynas ddadleuol â mater llosg ymreolaeth ffederal i Gymru.

Mae'r gyfrol hon yn ceisio rhoi dehongliad newydd eto ar y cyfnod ymfflamychol hwn o fywyd 'Y Patriot Mwnci' a 'Parnell Cymru'. Mae hynny'n seiliedig ar ailddehongli gwaith yr haneswyr uchod ac ar ffeithiau newydd, yn ogystal â'r gwaith a wneuthum ar gyfer traethawd anghyhoeddedig MA (Prifysgol Cymru) o'm heiddo ac ymchwilio pellach dros ugain mlynedd. Yn wahanol i Grigg, ac i raddau Gilbert a Morgan, ni welaf ymrwymiad Lloyd George i hunanlywodraeth, er ei bragmatiaeth, fel ymarferiad tactegol hunanol a mafericaidd. Credaf iddo arwain yn eofn ac arloesol y deffroad cenedlaethol yng Nghymru rhwng 1886 ac 1896, yn enwedig gyda Chynghrair Cymru Fydd. Gwnaeth hynny'n rhyfeddol o gyson ac emosiynol yn wyneb beirniadu llym arno, yn arbennig gan ei blaid ei hun, a pheryglu ei ddyfodol politicaidd. At hynny, ceisiaf ddangos pa mor arloesol oedd ei ymlyniad wrth achos yr iaith Gymraeg yn y cyfnod hwn—mater y mae'r haneswyr uchod wedi ei ddiystyru.

Gwrthodaf hefyd y farn ymhlith cofianwyr ei yrfa gynnar nad oedd elfennau llafurol cryf i'w grwsâd dros Gymru Fydd. Ceisiaf ddangos, i'r gwrthwyneb, mai ei nod oedd ceisio cyplysu hunanlywodraeth â'r gred ei fod ef yn gyfrwng i greu cymdeithas newydd yng Nghymru yn seiliedig ar amodau gwell i weithwyr a'r difreintiedig.

Nid rhywbeth mympwyol ac arwynebol oedd crwsâd Lloyd George dros achos Cymru Fydd (er mai am ychydig flynyddoedd yn unig y parhaodd) ond achos y credai'n angerddol ynddo. Roedd hefyd yn achos y bu raid iddo ei ollwng yn unig wedi iddo ganfod pa mor amharod yr oedd ei blaid a'i gyd-Gymry i gefnogi ei arweiniad. Dangosir hefyd na fu'r cyfnod hwn o'i yrfa heb ei arwyddocâd yng nghyd-destun hanes Cymru yn yr ugeinfed ganrif a pharhad y galw a fu ymhlith gwahanol garfanau a phleidiau am ddatganoli i Gymru, hyd at 1997.

Nid wyf wedi defnyddio nodiadau godre gyda'r gyfrol hon ond nodaf y prif ffynonellau yn y testun wrth fynd heibio a chynnwys llyfryddiaeth fer ar ddiwedd pob pennod. Gall unrhyw un a fyn hynny, fodd bynnag, ar gyfer y penodau hyd at 1890, ddarllen fy nhraethawd ymchwil MA ar Lloyd George. Anelaf y llyfr hwn yn bennaf at y darllenydd cyffredin, gan obeithio hefyd y bydd derbyniad iddo ymhlith y rhai sy'n bwyta'r academig dost.

Carwn ddiolch i Adran Olygyddol y Cyngor Llyfrau, ac i Dyfed Elis-Gruffydd, Bethan Matthews a staff Gwasg Gomer am eu gwaith gofalus. Diolch yn fawr i Martin Davis am ei waith manwl wrth lunio mynegai'r gyfrol, ac i bawb a'm cynorthwyodd gyda'm hymchwiliadau dros y blynyddoedd i yrfa Dewin Dwyfor. Fel John Grigg a'r haneswyr eraill a ysgrifennodd amdano ef a'i yrfa gynnar, ni allaf innau chwaith honni mai fy nehongliad i yw'r diffiniad terfynol. Wedi'r cwbl, pwy all yn gwbl sicr rifo cyfraniad a champ a rhemp y fath athrylith?

PENNOD 1

Prentisiaeth y Radical a'r Cenedlaetholwr

Cafodd Lloyd George ei fedydd gwleidyddol, yn arwyddocaol, flynyddoedd cyn ei drochfa grefyddol fel Batus bach. Yn ôl arferiad ei enwad, bu raid iddo ddisgwyl tan ei arddegau cyn cael ei fedyddio yn yr afon a lifai gerllaw capel Penymaes, yng Nghricieth, lle roedd ei ewythr Richard Lloyd yn weinidog di-dâl ac anordeiniedig dros braidd fechan 'disgyblion y Crist'.

Cafodd ei fedydd gwleidyddol, fodd bynnag, yn fachgen pum mlwydd oed ym mhentref ei faboed, Llanystumdwy. Yno cludodd faner fuddugoliaethus y Rhyddfrydwr, Love Jones Parry, Madryn, ar ben blaen gorymdaith o Ryddfrydwyr i ddathlu'r gurfa a gafodd y Tori a'r tirfeddiannwr mawr, Douglas Pennant, darpar-farwn y Penrhyn, yn etholiad 1868. Bu'r etholiad, a fu'n garreg filltir yn natblygiad Rhyddfrydiaeth yng Nghymru, yn gyfrwng i Lloyd George ei hun greu gyrfa wleidyddol ugain mlynedd yn ddiweddarach yn yr 80au, gyda math o Ryddfrydiaeth oedd yn llawer mwy radicalaidd a chenedlaethol Gymreig nag eiddo Love Jones Parry. Roedd y profiad bachgennaidd o gludo'r faner, yn bum mlwydd oed, yn siŵr hefyd o fod yn brofiad ffurfiannol yn natblygiad Lloyd George ei hun, ac efallai'n symbolaidd, yn ei daflu i'r dyfnderoedd politicaidd, fel darpar arweinydd, yn ifanc iawn.

Roedd gwleidyddiaeth Ryddfrydol, wrth-Dorïaidd, wrth-landlordaidd yn rhan annatod o'i fagwraeth ac yr oedd gwleidyddiaeth bob tro yn flaenoriaeth iddo dros grefydd. Seciwlarydd modern ydoedd, yn feirniadol o enwadaeth, crefydd gyfundrefnol a ffwndamentaliaeth—un a gredai, gydol ei yrfa, mai'r nod oedd creu cymdeithas ddaearol deg a chyfiawn, ac nid paratoi at Deyrnas Newydd.

O gyfnod ei arddegau cynnar, roedd i'w gysegru ei hun nid yn unig i wireddu amcanion Anghydffurfiol Cymreig, ond, yn llawer pwysicach, i greu cymdeithas newydd, fodern. Er i lawer o'i werthoedd gael eu mowldio gan y gydwybod Anghydffurfiol Gymreig, ni fynnai ei gysylltu ei hun ag agweddau negyddol Ymneilltuaeth na'i phwyslais ar ragoriaethau'r byd a ddaw, ond defnyddio egnïon positif Anghydffurfiaeth i sicrhau gwell byd i'r anghenus a'r difreintiedig.

Er i Lanystumdwy a'i brofiadau bachgennaidd chwarae rhan bwysig ym mowldio ei yrfa, myth yw credu, fel y gwnaeth amryw o'i gofianwyr, mai Llanystumdwy, y pentref dan bawen Ellis Nanney, y Tori Seisnigedig a Sgweiar stad y Gwynfryn, fu'r dylanwad pennaf yn ffurfio ei yrfa gynnar fel cenedlaetholwr Cymreig a radical blaengar. Yn wir, ar ôl iddo ymadael â Llanystumdwy i fynd yn brentis twrnai i dref fyrlymus Porthmadog yn 14 oed y gwir flodeuodd ei werthoedd gwleidyddol ac y crisialodd ei radicaliaeth Gymreig. Ond, serch hynny, bu'r profiadau bore oes a'r anghyfiawnderau a welodd ac a brofodd yn y plwyf yn ddylanwadau sylfaenol arno.

Yno, yn arwain y gad yn bum mlwydd oed yn etholiad 1868, y cyflawnodd ei weithred wleidyddol gyntaf. Wedyn, rai blynyddoedd yn ddiweddarach, yn yr Ysgol Eglwys yn Llanystumdwy ym mhresenoldeb y Rheithor lleol, David Edwards, ac Ellis Nanney ei hun, arweiniodd wrthryfel o hyfdra anghredadwy yn erbyn y ddefod o lefaru catecism yr Eglwys gerbron y Sgweiar a'r Rheithor.

Yn Llanystumdwy hefyd y manteisiodd ar y cyfle i bori'n eang yn llyfrgell gyfoethog ei ddiweddar dad, William George, yr ysgolfeistr deallus a blaengar ei gredo cymdeithasol, a hanai o Sir Benfro. Bu'r llyfrau a ddarllenodd David Lloyd George pan oedd yn fachgen yn Llanystumdwy, megis nofelau Dickens a chlasur Victor Hugo, *Les Miserables*, yn ddylanwad ffurfiannol ar y darpar ddiwygiwr cymdeithasol. Roedd y llyfrau hyn ac eraill a ddarllenai'n awchus yn atgyfnerthu a dyfnhau'r anghyfiawnder crefyddol, politicaidd ac economaidd a welai o'i gwmpas oddi mewn i'r 'blackest Tory parish in the land', ym mhentref ei fagwrfa.

Dengys dadansoddiad o Lanystumdwy yng Nghyfrifiad 1871 o'r rhan honno o'r plwyf enfawr a ffiniai â'r pentref yn neilltuol, sef 'all that part of the parish lying to the East of the Dwyfor and all the village both sides of the Dwyfor', mai cymdeithas ranedig ac anghyfartal oedd magwrfa Lloyd George. Pentref ydoedd a blannodd ynddo ragfarnau a'i cymhellodd i fynnu torri cwys fel pleidiwr y difreintiedig.

Roedd 76 o anedd-dai yn yr ardal—41 ohonynt yn y pentref ei hun. Yn y pentref, dyma oedd galwedigaethau penaethiaid pob teulu—un ysgolfeistr, un ysgolfeistres, un capten llong, un marsiandïwr haidd, un beili fferm, un bwtler, un artist, pedwar tafarnwr, dau of, un saer maen, dau deiliwr, un groser a pherchennog is-swyddfa bost, un crydd cyflogedig—sef Richard Lloyd—yn cyflogi dau ddyn, un cigydd, un gwneuthurwr sanau, un melinydd o ffermwr, a thri o ffermwyr.

Hefyd roedd dau weithiwr rheilffordd, un olchwraig, un chwarelwr, un wraig weddw ac un garddwr. Y grŵp mwyaf niferus o ddigon oedd naw o weision fferm.

Yn y 35 annedd y tu hwnt i'r pentref roedd amryw o weision fferm, crydd, sawl gweddw i weision fferm, rhai chwarelwyr a gweithwyr rheilffordd; ond roedd y mwyafrif yn ffermwyr—amryw ohonynt yn dyddynwyr. Y ffermwr mwyaf ond un oedd George Jones, Abercin, yn ffermio 170 erw ac yn cyflogi pedwar dyn. Yn arwyddocaol, fodd bynnag, Sais, sef Samuel Owen Priestley o Drefan, oedd y prif dirfeddiannwr. Roedd yn Ynad Heddwch, yn cyflogi wyth o weision a morynion ac yn Dori amlwg. Tori ymosodol hefyd oedd y Rheithor, David Edwards, person balch ac uchel-ael oedd yn byw mewn cryn foethusrwydd ym Mron Eifion gyda'i wraig o Saesnes, dwy ferch ddibriod a dau was. Roedd yr ysgolfeistr, David Evans, hefyd yn Dori, ac yn cyflogi un gwas.

Yn adrannau eraill y plwyf, y tu hwnt i'r pentref, roedd y mwyafrif yn ffermwyr ac yn denantiaid i Stad y Gwynfryn, lle teyrnasai Ellis Nanney a'i ddylanwad yn drwm ar y pentref a'r ardal, gyda llawer o'r trigolion yn ddibynnol arno mewn rhyw ffordd am eu bywoliaeth. Yn ymgeisydd seneddol Torïaidd yn ddiweddarach, yn 1880, ac yn wrthwynebydd cyntaf Lloyd George yn is-etholiad 1890, trigai ym Mhlas Gwynfryn yn hen lanc yn 1871, gydag wyth o staff, yn cynnwys bwtler a'r forwyn fach i'w wasanaethu.

Yn ddiamau, roedd cefndir cymdeithasol cynnar Lloyd George, a dylanwad y sgweiar Torïaidd Anglicanaidd yn drwm ar yr ardal, yn anochel yn ei gymell i gyfeiriad Rhyddfrydiaeth. Er bod llawer o'r pentrefwyr yn Dorïaid, fel Robert Williams, Felin Bach, y melinydd lleol, a'r saer maen oedd hefyd yn glochydd yr eglwys, roedd y mwyafrif o'r pentrefwyr yn gapelwyr, tra bod rhai o'r trigolion, fel Richard Lloyd, yn gyflogwyr bach. Yng Nghyfrifiad 1871, fe'i disgrifiwyd fel 'shoemaker employing two men', a'i chwaer, sef mam Lloyd George, fel 'formerly schoolmaster's wife'.

Traethwyd myth gan lawer o gofianwyr cynnar Lloyd George a'i darluniai fel 'the cottage-bred-boy'—'mab y bwthyn'—ond yr oedd sefyllfa'r teulu, er y pwysau mawr arnynt, yn well nag eiddo'r gweithwyr a'r gweision fferm niferus a drigai yn y plwyf. Roedd gan ei fam *annuity* o £46 y flwyddyn a pholisïau cymdeithas adeiladu a alluogodd David a'i frawd, William, i ddilyn cwrs drud, hyd at £80-£100 y flwyddyn, i ymgymryd yn ddiweddarach ag erthyglau cyfreithiol. Roedd Richard Lloyd hefyd yn cyflogi dau weithiwr yn

Richard Lloyd, ewythr Lloyd George, yng Ngarth Celyn, Cricieth, tua diwedd ei fywyd.

ogystal â garddwr yn ei gartref, Highgate, ac fe'i hystyrid ymhlith capelwyr yr ardal yn arweinydd lleol. Byddai'n teyrnasu dros drafodaethau yn yr efail leol, 'senedd y pentref' a chyfarfodydd tebyg yn ei weithdy. Yr oedd cysylltiad teuluol hefyd â rhai o'r tenantiaid ffermydd mwyaf llewyrchus yn yr ardal, fel William Griffith, Betws Fawr.

Er bod sefyllfa gymdeithasol teulu Lloyd George yn gymharol gysurus ac yn wahanol i'r portreadau traddodiadol ohono, mae cofianwyr mwy diweddar Lloyd George, fel John Grigg yn ei gyfrol *The Young Lloyd George* (1974), wedi gor-bwysleisio a gor-ddyrchafu statws cymdeithasol Richard Lloyd a'i chwaer. Honna Grigg: 'The family was probably the best off in Llanystumdwy'. Mae hyn yn nonsens a ffwlbri, fel y mae i Grigg gymharu Richard Lloyd â Hans Sachs, y meistr grefftwr o waith Wagner (tud. 31). Roedd y teulu'n fwy cyfforddus eu byd na'r gweithwyr eraill yn y pentref, ond nid o'u cymharu ag amryw o'r plwyf a oedd â'u busnesau eu hunain neu'n *hangers-on* i stad y Gwynfryn. Roedd Richard Lloyd ei hun hefyd yn talu rhent am ei gartref a'i weithdy ac yr oedd swydd y crydd, erbyn diwedd y 70au, yn fregus iawn, gyda datblygiadau cynhyrchu newydd yn yr arfaeth. Roedd Richard Lloyd hefyd yn gorfod cefnogi ei chwaer a'r plant eraill ar enillion prin ac afreolaidd.

Honna Grigg ymhellach (tud. 22) fod Lloyd George wedi ei eni i'r *élite* Cymreig, sylw sydd eto'n gwbl gamarweiniol. Efallai bod Richard Lloyd yn aelod o'r artistocratiaeth lafur yn Llanystumdwy, neu hyd yn oed o'r *bourgeoisie* bychan pentrefol, ond roedd ymhell y tu allan i gylch cyfrin arweinyddiaeth Rhyddfrydiaeth 'Sefydliadol' Sir Gaernarfon yn y 70au a'r 80au.

O edrych, er enghraifft, ar natur gymdeithasol a *mores* arweinwyr Rhyddfrydol Cymreig, roedd myrdd o wahaniaethau rhyngddynt a Richard Lloyd a'i nai.

Cadeirydd Cymdeithas Ryddfrydol Sir Gaernarfon yn 1884 oedd W. A. Darbishire, Sais a pherchennog chwarel Pen yr Orsedd, Dyffryn Nantlle. Yr ysgrifennydd oedd R. D. Williams, Porth yr Aur, Caernarfon, cyfreithiwr sobr a thrwm, tra bod aelodau eraill y Pwyllgor Gwaith yn hanu o gefndir dosbarth canol, goludog: rhai megis R. Pugh Jones a J. T. Jones, Parciau Mawr, Cricieth—tirfeddiannwr a bargyfreithiwr; Hugh Pugh, Llys Meirion, Caernarfon yn fanciwr a gŵr busnes llwyddiannus, ac O. M. Roberts, Porthmadog yn bensaer. Roedd D. Evan Davies, Pwllheli, yn weinidog Methodus a datblygwr eiddo, a J. Bryn Roberts, y bargyfreithiwr a darpar aelod seneddol newydd etholaeth Eifion, yn Gladstoniad pybyr adain-dde. Roedd D. P. Williams, Llanberis, YH, yn ŵr busnes ac yn chwyrn yn erbyn y wleidyddiaeth newydd ddemocrataidd a ymddangosodd ar ôl y Ddeddf Ddiwygio. Dyn busnes llwyddiannus hefyd oedd T. C. Lewis, Caederwen, Bangor, yn adlewyrchu a thanlinellu'r ffaith mai *élite* dosbarth canol o Chwigiaid a Gladstoniaid *laissez-faire* oedd yn rheoli gwleidyddiaeth Ryddfrydol Sir Gaernarfon pan ymddangosodd Lloyd George ar y llwyfan gwleidyddol ym Mhorthmadog yn ystod ei brentisiaeth gyfreithiol. Prin bod Richard Lloyd yn y 70au a'r 80au cynnar yn aelod o'r *élite* hwn. O blith holl sefydliad Rhyddfrydol y sir, dim ond John Davies, Gwyneddon, banciwr a newyddiadurwr, a Morgan Richards (Morgrugyn Machno), bardd ac asiant chwarel, a ymylai ar fod yn radicaliaid gwrth-*laissez-faire*. Nid oedd unrhyw un o gategori cymdeithasol Richard Lloyd ar y Pwyllgor, heb sôn am weithiwr na chynrychiolydd gweithwyr.

Roedd Richard Lloyd a'i nai yn ddigamsyniol yn *outsiders* y tu allan i gylch cyfrin Rhyddfrydiaeth Sir Gaernarfon wrth i Lloyd George yn 1877 baratoi i adael Llanystumdwy i gychwyn gyrfa gyfreithiol. Roedd ef a'i ewythr hefyd, mewn cyfnod lle roedd enwadaeth yn rhemp, yn *outsiders* crefyddol, yn perthyn i enwad bychan 'y Batus bach'. Dangosid cryn ddirmyg tuag atynt oherwydd bychander eu haelodaeth a'u syniadau radicalaidd o wneud heb weinidog ac o rannu'r casgliad ymhlith yr aelodau oedd yn wael neu'n ddi-waith. Ystyrid hwy'n israddol gan y prif enwadau eraill.

Nid oedd capel gan y Bedyddwyr Campbellaidd yn Llanystumdwy, ac yn ôl Cyfrifiad Crefyddol 1851 yng Nghricieth, lle roedd ganddynt gapel ym Mhenymaes, dim ond 15% o'r eisteddleoedd oedd ganddynt o blith holl gapeli'r cylch, tra bod gan y Methodistiaid 38% a'r enwadau eraill nifer mwy o lawer o eisteddleoedd. Yn gymdeithasol ac yn grefyddol, felly, *outsider* oedd Lloyd George. Yn yr 80au, tra oedd yn canlyn ei ddarpar wraig, Margaret Owen, Mynydd Ednyfed, merch a gafodd addysg mewn ysgol breswyl, merch i deulu Methodistaidd a merch i denant fferm 180 acer, canfu drosto'i hun y gwrthwynebiad oedd i'w gariad briodi Batus bach o safle cymdeithasol annerbyniol yng ngolwg ei ddarpar deulu-yng-nghyfraith.

Y mae K. O. Morgan yn ei ddarlith, *Lloyd George and Welsh Liberalism* (Bangor, 1991), wedi pwysleisio mai *outsider* oedd Lloyd George wrth iddo baratoi i adael Llanystumdwy a bod ei fryd ar ymuno â'r dosbarth canol a choleddu ei werthoedd, 'the aspirations and ambitions of the small-town bourgeoisie', wrth droi ei olygon at

Borthmadog yn niwedd y 70au. Roedd Lloyd George yn sicr yn *outsider*. Ond nid ei brif nod, fel y mae K. O. Morgan yn awgrymu, oedd mabwysiadu gwerthoedd y *bourgeoisie* a reolai wleidyddiaeth Ryddfrydol Sir Gaernarfon.

Wrth iddo ef ei hun godi'n gymdeithasol i blith y dosbarth canol, fel cyfreithiwr, ei fryd oedd cael gwared ar ddylanwad y dosbarth canol sefydlog, Seisnigaidd gwrth-radicalaidd a reolai wleidyddiaeth ei ardal. Ei fwriad, yn wir, oedd trawsnewid Rhyddfrydiaeth gymedrol, swyddogol Brydeinig ei fro a Chymru, a throi ei blaid yn rym radicalaidd a chenedlaethol Gymreig erbyn diwedd yr 80au.

Roedd Lloyd George wedi cael ei ddylanwadu gan ei brofiadau cynnar yn Llanystumdwy o weld tlodi gweithwyr a gweision fferm, ac er ei fod beth uwchlaw eu cyflwr hwy yn economaidd a chymdeithasol, nid oedd y gwahaniaeth rhyngddynt yn enfawr a theimlai'n llawer mwy clòs tuag atynt na'r mandariniaid Rhyddfrydol. Eu brwydr hwy am well byd fyddai ei frwydr ef.

At hynny, o gofio profiad ei ewythr o gael ei guro yn yr ysgol am siarad Cymraeg, a'i brofiad ef ei hun o Seisnigrwydd Ysgol Eglwys Llanystumdwy a snobyddiaeth Plas Gwynfryn, Trefan a Bron Eifion, roedd teimladau o orthrwm cenedlaethol wedi'u meithrin ynddo, er nad oeddynt eto yn y 70au wedi eu crisialu'n syniadau clir. Ymhen amser, byddai'r galw am ddiwygiad cymdeithasol yn plethu â'i alwad am senedd ffederal i Gymru.

Wrth droi ei olygon tuag at Borthmadog, felly, yn 1877-78, roedd yn barod nid i geisio ymuno â'r *élite* gwleidyddol Rhyddfrydol, ond i drawsnewid hwnnw a chreu canolbwynt grym newydd dros radicaliaeth a chenedlaetholdeb. Crisialodd ei syniadau yn yr 80au cynnar ym Mhorthmadog, sy'n tanseilio'r myth mai Llanystumdwy fu'r prif ddylanwad arno yn ystod ei yrfa gynnar, er na ellir wrth gwrs ysgaru dylanwad y profiadau bore oes hynny arno na'u bychanu.

Yn wir, roedd Lloyd George, fel y nododd ei frawd yn ei gyfrol *My Brother and I* (tud. 73), wrth ymadael â Llanystumdwy, wedi ysgrifennu yn ei ddyddiadur, 'Left Llanystumdwy without a feeling of regret, remorse or longing'. Roedd byd newydd yn ymagor o'i flaen yn rhydd o bwysau parhaus Torïaeth dros y plwyf ac yn rhydd o ddylanwad Piwritaniaeth ei ewythr, a chyfle i ŵr ifanc o natur rebelgar gael rhodio'n rhydd. Roedd cyfle hefyd yn nhref fyrlymus Porthmadog i ehangu ei orwelion politicaidd ac i ddysgu'r grefft o wleidydda, heb sôn am grisialu a miniogi ei ddyheadau politicaidd a'i syniadau gwleidyddol.

Lloyd George yn fachgen ifanc 16 mlwydd oed.

Prentisiwyd ef yn dwrnai erthygledig am bremiwm o £180, swm sylweddol i'w deulu, gyda chwmni Breese, Jones a Casson yn y dref. Roedd C. E. Breese yn Rhyddfrydwr amlwg ac yn asiant y Blaid yn Sir Feirionnydd yn y 70au, er mai Rhyddfrydwr Chwigaidd a Seisnigedig ydoedd. Roedd un o gyn-sylfaenwyr y cwmni hefyd, David Williams, Castell Deudraeth, wedi ei ethol cyn hynny yn Aelod Seneddol Rhyddfrydol cyntaf Meirion yn 1868.

Daeth cyfle i Lloyd George yn gynnar iawn helpu Breese wrth iddo drefnu cofrestr etholwyr ym Meirion a chafodd gyfle hefyd i bori'n helaeth yn llyfrgell Breese yn ei gartref yn y Morfa Lodge. Gwleidyddiaeth oedd prif ymgysegriad Lloyd George drwy'i fywyd, nid merched, er iddo ymserchu ynddynt hwythau hefyd. Yn y Port, a'i draed yn rhydd o ddylanwad Piwritanaidd ei ewythr, cafodd gyfle i fercheta am y tro cyntaf, hyd yn oed i arbrofi â hel diod, yn groes i ddaliadau llawer Anghydffurfiwr arall, ac i wrthryfela yn erbyn heddychiaeth ei deulu hefyd. Ond prif bwysigrwydd Porthmadog, rhwng 1877 ac 1885, oedd i'r dref roi iddo'r cyfle i'w brentisio ei hun fel gwleidydd cyffrous newydd a ddeuai erbyn diwedd yr 80au yn bleidiwr Cymru Fydd.

Ar ddechrau blwyddyn 1880, a Breese yn asiant yn etholiad cyffredinol y flwyddyn honno, a W. E. Gladstone yn benderfynol o orchfygu'r Toriaid ac ailffurfio llywodraeth, achubodd Lloyd George ar y cyfle i gynorthwyo Breese gyda chanfasio i'r blaid Ryddfrydol ym Meirion a gwneud yr un modd ym Mhorthmadog a'r cyffiniau. Dyma'i flas melys cyntaf ar wleidydda'n ymarferol.

Yn etholaeth Sir Gaernarfon, wynebai'r ymgeisydd Rhyddfrydol, Watkin Williams, holl rym Toriaidd stad y Penrhyn a'i pherchennog, G. Douglas Pennant. Heblaw am ei waith yn cofrestru a chanfasio, ni chymerodd Lloyd George ran amlwg yn yr ymgyrch ond bu'n gwrando ar araith Watkin Williams ar yr 16eg o Fawrth yn Neuadd y Dref, Porthmadog, gan gyfeirio'n herfeiddiol yn ei ddyddiadur at ei ddiffyg dawn areithio: 'Speech at Town Hall . . . very good . . . but nothing brilliant . . .'

Fodd bynnag, ar ôl buddugoliaeth Williams, nododd ar y 7fed o Ebrill, ddydd y cownt, ei orfoledd o weld gorchfygu Tori o dirfeddiannwr: 'The victory beyond the most sanguine expectations . . . Figures, 3,303 Williams . . . 2,206 Pennant . . . a great blow to landlord terrorism'.

Yn fuan wedyn, yn yr hydref 1880, bu is-etholiad yn Sir Gaernarfon, efo'r perchennog llongau goludog o Lerpwl, William Rathbone, yn sefyll dros y Rhyddfrydwyr yn erbyn sgweiar Llanystumdwy, H. J. Ellis Nanney, dros y Toriaid.

Y tro hwn, ac yntau ond yn ddwy ar bymtheg oed, chwaraeodd Lloyd George ran fwy blaenllaw yn yr ymgyrch, nid yn unig trwy ganfasio a chofrestru a gofalu am y bwth pleidleisio, ond hefyd trwy ysgrifennu yn ystod ac ar ôl yr ymgyrch erthyglau papur newydd, dan y ffug-enw Brutus, yn y papur Saesneg lleol, *The North Wales Express*. Dyma'i brofiad cyntaf o ganfod grym y wasg i bwrpas propaganda—grym a ddefnyddiodd ymhen ychydig flynyddoedd i gipio ei sedd seneddol gyntaf ac erfyn nerthol gydol ei yrfa.

Yn ei erthygl gyntaf, fflangellodd bolisïau'r arweinydd Toriaidd, yr Arglwydd Salisbury. Yn ei ail erthygl, 'A Contest in Caernarvonshire', ei gocyn hitio oedd ei sgweiar lleol, Ellis Nanney, yr ymgeisydd Toriaidd. Wedyn, yn ei drydedd erthygl, dan y pennawd 'Irish Grievances' cyferbynnodd Gymru ag Iwerddon, gan alw am weddnewid daliadaeth y tir yng Nghymru a'i roi yn nwylo'r bobl.

Er na hybodd hyn ei yrfa'n gyhoeddus, gan iddo ysgrifennu dan ffug-enw, bu'n gyfle iddo feithrin ei ddawn newyddiadurol a rhoi'r blas cyntaf iddo o sut i ennill cyhoeddusrwydd. Yn y blynyddoedd cynnar hyn hefyd ym Mhorthmadog cafodd siawns i fywiogi ei radicaliaeth, trwy ei fynych alwadau yng ngweithdy'r gwneuthurwr canhwyllau a'r gweriniaethwr o Fatus Bach, John Roberts. Roedd ef yn gyfaill i Richard Lloyd, yn perthyn i'r un enwad crefyddol gyda'i bwyslais ar ddemocratiaeth a chyfartalwch a diwinyddiaeth ryddfrydig. Roedd Roberts yn radical gwleidyddol, ac yn ei weithdy câi Lloyd George ddrachtio o syniadau gwleidyddion mwyaf progresif y cyfnod, rhai fel Michael Davitt, y sosialydd a'r cenedlaetholwr Gwyddelig; Michael D. Jones, y cenedlaetholwr Cymreig; Ruskin, a Thomas Carlyle. Er na fu Lloyd George yn weriniaethwr dogmatig, bu dylanwad y seiadau hyn efo Roberts yn barhaol arno ac mewn cyfnod pan oedd yn agored i syniadau newydd. Mewn nodyn yn ei ddyddiadur yn y cyfnod hwn, nododd, 'Most admired character in real life—Michael Davitt'.

Erbyn 1881, roedd Lloyd George wedi symud o Borthmadog, lle bu'n lojar, i aros yng Nghricieth lle roedd ei ewythr wedi mudo yr haf blaenorol o Lanystumdwy i dŷ teras o'r enw Morvin House. Teithiai wedyn bob dydd efo'r trên i Borthmadog ond arhosai'n hwyr yno weithiau, nid yn unig i seiadu efo John Roberts ond, ar ôl 1881, wedi iddo basio ei arholiadau *Intermediate* cyfreithiol, er mwyn cael mynychu ei 'senedd' gyntaf, fel aelod o Gymdeithas Ddadlau Porthmadog.

Ymunodd â'r Gymdeithas ym mis Tachwedd 1881 gan siarad am y

tro cyntaf ym mis Ionawr 1882 ar Ddeddf Tir Iwerddon. Yn y papur lleol clodforwyd ei araith gyntaf oll, gyda'r *North Wales Express* yn nodi: 'His argumentative and nervous speech shook the very foundation of the landlords' claim to compensation'.

Parhaodd i fynychu cyfarfodydd y Gymdeithas am flwyddyn arall a chael cryn sylw yn y wasg yn sgil ei berfformiadau'n traddodi ar bynciau llosg radicalaidd a Chymreig y dydd, megis ymestyn yr etholfraint i'r dosbarth gweithiol, mynnu mesurau i ddiwygio'r drefn landlordaidd yng Nghymru, a datgysylltu'r Eglwys Anglicanaidd. Daeth ei befformiadau olaf yn y Gymdeithas yn sesiwn 1882-3, pan anerchodd ar bynciau arwyddocaol iawn. Ar y 18fed o Fawrth, siaradodd yn huawdl dros ymestyn yr etholfraint i gyfeiriad democrataidd gan ddangos ei safbwynt modern, ac wedyn ym mis Tachwedd adlewyrchodd ei genedlaetholdeb cynnar trwy foli Arabi Pasha, arweinydd y mudiad cenedlaethol yn yr Aifft. Mewn adroddiad yn y *Carnarvon and Denbigh Herald* (18 Tachwedd, 1882) clodforwyd ei araith: 'It would undoubtedly have gained praise had it been delivered in the House of Commons'.

Yn sicr, roedd i'r araith ei pherthnasedd personol a Chymreig i Lloyd George, oherwydd yn ei berorasiwn nododd: 'Arabi Pasha is a man who has arisen from amongst the peasants of his country—a man who knew all about their wants because he had felt those wants himself'.

Roedd y cyfuniad o arweinydd cenedlaethol â'i fryd ar wella cyflwr ei bobl, sef yr hyn a gynrychiolai Arabi Pasha, yn atyniadol iawn i'r Lloyd George ifanc.

Er ei fod ar gyrion gwleidyddiaeth yn 1882, yn ei weithgarwch etholiadol cyntaf â'i erthyglau a'r dadlau cyhoeddus, roedd wedi cael prentisiaeth gychwynnol ardderchog a meithrin y ddwy dalent fawr a oedd ganddo, sef areithio oddi ar lwyfan a meithrin y wasg. At hynny, roedd wedi cael cyfle i saernïo ei safbwyntiau gwleidyddol. Yn etholiad 1880, roedd W. E. Gladstone wedi ffurfio gweinyddiaeth arall. Enillodd y Rhyddfrydwyr 29 o'r 33 sedd Gymreig, ac yn ystod y weinyddiaeth hon roedd yr aelodau Cymreig wedi llwyddo i sicrhau rhai deddfau arbennig, gan gynnwys Deddf Cau Tafarnau ar y Sul, yn ogystal â phwyso am ddeddfau megis Datgysylltiad a Diwygio'r Tir ac Addysg Gymreig. Nid oedd yr aelodau Cymreig, fodd bynnag, yn hanner digon Cymreig na radicalaidd yng ngolwg y Lloyd George ifanc. Roedd ef â'i fryd ar newid cwrs yn newisiad Aelodau Seneddol Cymru ac yn eu polisïau.

Yn y cyfnod hwn roedd wedi nodi yn ei ddyddiadur (gweler *The Making of Lloyd George*, W. R. P. George, 1976, tud. 88) pwy oedd ei hoff wladweinyddion: 'Statesmen—Gladstone, Chamberlain and Parnell'. Er ei barch at Gladstone, Joseph Chamberlain, arwr adain chwith y blaid yn yr 80au cynnar, oedd ei eilun yn y cyfnod cynnar hwn o leiaf, ac yr oedd wedi mynegi hynny yn ei areithiau yng Nghymdeithas Ddadlau Porthmadog.

Erbyn trothwy Deddf Diwygio Pleidleisiau 1884, a chyhoeddi wedyn 'Unauthorized Programme' Chamberlain yn 1885 a arddelai bolisïau colectifistaidd cynnar yn beirniadu polisïau *laissez-faire* Gladstone, byddai Lloyd George yn ceisio dangos mai i'r adain chwith y perthynai ef, ynghlwm ag ymrwymiad i *Home Rule* i Gymru i sicrhau'r deddfau Chamberlainaidd. Hynny fyddai'n flaenoriaeth ganddo, yn hytrach na'r polisi Gladstonaidd o roi blaenoriaeth i Senedd Ffederal i Iwerddon. Yn 1882 ac 1883 nid oedd hyn i gyd wedi crisialu yn ei feddwl, er y byddai iddo gyfeirio'n fynych at Chamberlain yn 1882 yn ei ddadleuon ac yn ei ddyddiadur. Roedd y Gymdeithas Ddadlau'n cynnal ei dadleuon yn Saesneg ond, erbyn 1885, roedd Lloyd George wedi cychwyn cymdeithas gyffelyb yng Nghricieth lle byddai'r dadleuon ar bynciau mwy Cymreig, a hynny trwy gyfrwng yr iaith Gymraeg.

Nid gwleidydda oedd popeth ganddo yn y cyfnod hwn, fodd bynnag. Nid oes amheuaeth o gwbl fod Lloyd George yn ŵr ifanc o wir waed coch. Yn wir, canfu'r awdur hwn yn nyddiadur Myrddin Fardd o Chwilog (yn y Llyfrgell Genedlaethol) fod Myrddin wedi bod yn cysuro Richard Lloyd pan oedd ei nai ond 12 oed, oherwydd bod prifathro Llanystumdwy wedi cwyno wrtho bod Lloyd George wedi bod yn ymhél â rhai o'r genethod ar ei ffordd adre o'r ysgol. Yn sicr, ym Mhorthmadog, â'i draed yn rhydd o ddylanwad Piwritanaidd ei ewythr, cafodd sawl carwriaeth â merched lleol, er mawr ofid i'w deulu, er na wyddent am bob un o'i anturiaethau. Yn ddiamau, roedd yn ddengar iawn yng ngolwg y rhyw deg ac yr oedd yn ymwybodol iawn o'r helynt y gallai hynny ei achosi iddo. Mewn nodyn yn ei ddyddiadur ar yr 17eg o Ionawr 1880, rhoddodd rybudd amserol iddo ef ei hun, er na chadwodd ato yn ddeddfol wedyn. Meddai:

> This I know, that the realisation of my prospects, my dreams, my longings for success are very scant indeed, unless I am determined to give up what, without mistake, are indeed the germs of a fast life.

Crwydrai oddi ar y llwybr cul Anghydffurfiol Cymreig hefyd drwy fynychu tafarnau a hel diod, ar achlysuron arbennig. Er enghraifft, ym mis Awst 1882, er iddo eisoes arwyddo llw o lwyr ymwrthodiad Cymdeithas Ddirwestol y Ruban Glas rai misoedd ynghynt, nododd yn ei ddyddiadur, ar y 12fed o Awst, hanes antur go wlyb ar daith gyfreithiol i Feddgelert o Borthmadog, gan ddadlennu natur rebelgar ei gymeriad wrth gicio dros y tresi Ymneilltuol:

> To Beddgelert with 11 o'clock coach—walking, fearfully hot, had my feet and face blistered . . . bathed them in Llyn Dinas: serving writs. Had a glass of port with police officer: had glass of beer before starting from Port with J.B., another at Prince Llywelyn, Beddgelert and a glass of port with some bread and chop at Thomas's house, so that's keeping the Blue Ribbon Pledge grandly!

Ciciodd dros y tresi hefyd yn y cyfnod hwn drwy fynychu gweithgareddau milwrol, y 'Portmadoc Volunteers', yng nghwmni Randall Casson, yn groes i syniadau heddychol ei ewythr, ac achub ar y cyfle yno i hel diod. Fodd bynnag, ni fu Lloyd George erioed yn yfwr mawr ac, yn wir, ni allai fforddio bod felly â dirwest yn un o fuchod sanctaidd Rhyddfrydiaeth Anghydffurfiol Cymru ac yn llwyfan proffidiol i wleidydd ifanc serennu arno. Yn wir, nid y ddiod gadarn na chwaith merched, er ei hoffter ohonynt, oedd ei gariad cyntaf ond, yn hytrach, gwleidyddiaeth; yn fuan ar ôl ei sbri arddegol yn hel tafarnau byddai'n annerch yn huawdl yn ei ardal ar lwyfannau dirwest, ar ddewisiad lleol ac ar fesurau i dynhau rhagor ar y fasnach feddwol.

Yn 1883 ac 1884, fodd bynnag, bu raid iddo roi'r gorau i wleidydda, dros dro, tra oedd yn canolbwyntio ar ei arholiadau terfynol fel cyfreithiwr. Roedd pwysau mawr arno i lwyddo er mwyn iddo allu ennill ei fara beunyddiol ac am fod ei deulu yn wynebu'r gost o dalu am erthyglau ei frawd iau, William. Roedd hynny ar adeg pan oedd Richard Lloyd wedi ymddeol a heb fod fawr ddim arian ar ôl gan y teulu.

Ym mis Mai 1884, er mawr ryddhad iddo, clywodd ei fod wedi pasio yn dwrnai yn y trydydd dosbarth, o'i gymharu â'r dosbarth cyntaf a gafodd ei frawd, William, yn ddiweddarach. Ychydig cyn sefyll yr arholiad, ysgrifennodd yn ei ddyddiadur fod ei fryd ar fynd i Lundain ar ôl pasio'n dwrnai, i sefydlu busnes yno, gan fynegi cryn ddiflastod at fywyd yn ei fro ei hun. Ysgrifennodd:

> I am inclined for a London career—a fellow may make a successful career down there and amass a tidy, though not a large fortune; but as for any higher object—fame—London is the place for that. If I were to

> pursue my great ambition, to be eminent as a public speaker in Wales, that would be almost an impossibility. For one thing, there are so many good, excellent speakers already. Another thing, I would have to speak in Welsh so that my reputation would after all be confined to this stinted Principality: á la Londres.

Gwnaeth Lloyd George y sylwadau hyn pan oedd dan straen mawr wrth wynebu ei arholiadau terfynol a phan oedd ei garwriaeth gyda chantores leol, Lisa Jones, wedi dod i ben a hithau wedi priodi'r cerddor lleol, J. Lloyd Williams. Mae cofianwyr Lloyd George, gan gynnwys W. R. P. George a hefyd John Grigg, wedi gweld y sylwadau hyn fel arwydd o'r cychwyn cyntaf fod ei fryd ar yrfa Brydeinig. Meddai Grigg (tud. 43):

> He started with a broad outlook . . . he always cared about Wales, but only in the context of United Kingdom and Imperial politics. His apparent preoccupation with Welsh affairs during the first phase of his career reflects a shrewd eye for tactics rather than a parochial mentality.

Gwir ei fod yn 1884 wedi galw Cymru 'this stinted Principality', a gwir fod ei lygaid ar sedd seneddol yn San Steffan, ond y mae Grigg yn cyfeiliorni wrth honni mai tacteg yn unig oedd ei ymlyniad cynnar at Gymru; yn wir, roedd yr ymroddiad hwnnw yn fuan ar ôl 1884 i gynnwys ymlyniad hir ac argyhoeddedig at Senedd Gymreig. Mae'n wir bod ei olwg ar sedd yn San Steffan, ond dyma'r unig lwyfan oedd ar gael iddo ymladd am senedd bwerus Gymreig ac o fewn hualau Imperialaidd neu Brydeinig roedd yn coleddu safbwynt a ystyrid gan fwyafrif helaeth y Cymry yn eithafol. Nid *parochial mentality* oedd ei genedlaetholdeb chwaith ond, yn hytrach, golwg chwyldroadol a phellgyrhaeddol ar y modd y dylai Cymru gael ei rheoli a'r math o gymdeithas brogresif, fodern a ddeilliai o gael hunanlywodraeth. Yn wir, yn fuan ar ôl hyn, byddai'n galw am blaid annibynnol Gymreig wedi ei modelu ar blaid filwriaethus Parnell yn Iwerddon.

Ar ôl pasio'n gyfreithiwr yn 1884, fodd bynnag, parhaodd am chwe mis yn dwrnai gyda Breese, Jones a Casson ym Mhorthmadog, er ei fod yn anhapus yno â Seisnigrwydd y swyddfa, y cyflog bach a'r diffyg annibyniaeth iddo fel gwas cyflog. Eto i gyd neilltuodd ei holl amser hamdden i wleidydda, gan greu enw cyhoeddus iddo'i hun yn yr ardal fel radical Cymreig a 'thwrnai'r bobl'.

Rhoddodd y drydedd Ddeddf Diwygio 1884 gyfle euraid iddo apelio at y pleidleiswyr newydd a chreu enw iddo'i hun fel eu hamddiffynnydd, yn arddel syniadau colectifistaidd Chamberlain ynghlwm ag ymlyniad newydd at Gymru. Golygai hyn fynd yn llawer pellach na galw yn unig am yr hen raglen Gymreig o ddiwygiadau megis dirwest, datgysylltu a thegwch i denantiaid ffermydd.

Yn sgil yr ymestyniad i'r etholfraint yn 1884-5, roedd cynnydd sylweddol i'r bleidlais yn Sir Gaernarfon gan greu tair etholaeth yn lle dwy. Yn gymdeithasol ac yn economaidd, hefyd, roedd y sir yn dir ffrwythlon i radical newydd ei fraenaru. Dangosai Cyfrifiad 1881 fod y sir yn gylch bychan o gyfoethogion a pherchenogion chwareli ar ris uchaf cymdeithas, dosbarth canol sefydlog o wŷr busnes a grwpiau proffesiynol islaw iddynt, is-ddosbarth canol o grefftwyr bach a gwŷr busnesau bychain oddi tanynt, gyda thrwch y boblogaeth yn ddosbarth gweithiol sgilgar ac ansgilgar.

Dangosai'r Cyfrifiad fod 1,400 o ddynion yn cael eu cyflogi mewn gwaith proffesiynol a 600 yn yr uwch-alwedigaethau masnachol. Dyma grynswth y dosbarth canol. Roedd gan lawer o'r dosbarth canol isaf hefyd eu busnesau eu hunain; er enghraifft, roedd cannoedd o siopwyr yn y sir, 219 tafarnwr, 528 gof a phum *pawnbroker.* Dyma haenau isaf y dosbarth canol.

Roedd y dosbarth gweithiol yn fwy niferus. Cyflogid dros 900 mewn gwaith tŷ; 3,109 yn y diwydiant adeiladu; 354 ar y rheilffyrdd a 500 yn gweithio ar y ffyrdd. Roedd 1,213 o forwyr a 160 o bysgotwyr. Y mwyafrif, o ddigon, oedd yr 8,408 o chwarelwyr llechi a'r 1,184 o chwarelwyr ithfaen. Roedd 2,868 o lafurwyr a 217 o fwynwyr plwm. Dosberthid gweddill y dosbarth gweithiol trefol i wahanol alwedigaethau eraill.

Yn yr ardaloedd gwledig roedd 2,925 o ffermwyr, ac er na wahaniaethwyd rhwng y perchenogion a'r tenantiaid yn y Cyfrifiad, byddai'r mwyafrif yn denantiaid i berchenogion stadau mawr y sir. Y grŵp mwyaf o ddigon, fodd bynnag, yn y pyramid gwledig oedd y 4,602 o weision ffermydd, gan danlinellu pa mor niferus oedd y dosbarth gwaith yn drefol ac yn amaethyddol. Ar un pegwn eithaf cymdeithas, fodd bynnag, roedd 14,868 o bobl yn y categori 'Property, Rank and not by any special occupation'—y mwyafrif ohonynt yn oedrannus, yn anabl neu'n ddi-waith—ac ar y pegwn arall roedd y lleiafrif breintiedig—uchelwyr cyfoethog, Seisnigedig megis teuluoedd y Faenol a'r Penrhyn, gyda'u dylanwad ar dir, diwydiant a busnesau yn nhrefi'r sir.

Er bod Lloyd George, i raddau, wedi ymuno â haen isaf y dosbarth canol yn yr 80au, yr oedd ei gysylltiadau a'i gydymdeimlad â'r dosbarth gweithiol gwledig a mân-drefol. Nid oedd ganddo chwaith, fel y dangoswyd ynghynt yn y bennod hon, fawr i'w ddweud wrth y dosbarth canol Seisnigedig a reolai wleidyddiaeth y sir.

Gyda'r ymestyniad i'r bleidlais, roedd Lloyd George, dan ddylanwad polisi Chamberlain, wedi cael ei hudo gan waith y sosialydd Americanaidd Henry George a'i gyfrol, *Progress and Poverty*. Roedd am weld y blaid Ryddfrydol yn coleddu polisïau'r chwith a apeliai at yr etholwyr newydd, er bod canran helaeth o'r dosbarth gwaith heb y bleidlais. Byddai'n troi ei sylw at bolisïau radicalaidd a heriai rôl y tirfeddianwyr mawr a'r cyfalafwyr cyfoethog a cheisio hefyd wanychu dylanwad a breintiau'r mwyaf goludog o'r dosbarth canol.

Cyn Deddf Diwygio a Deddf Ailddosbarthu Etholaethau, 1884-5, dwy etholaeth oedd yn Sir Gaernarfon—etholaeth y sir lle na phleidleisiai ond 6.2% o'r boblogaeth, ac etholaeth Bwrdeistrefi Caernarfon lle pleidleisiai 14.2% o'r boblogaeth. Yn sgil y newid, crëwyd etholaethau Eifion (de'r sir) ac Arfon (y gogledd), gan gadw hen etholaeth Bwrdeistrefi Caernarfon. Yn sgil Deddfau 1884-5, bu cynnydd mawr yn etholrestr etholaethau'r sir, ond cynnydd bychan yn unig yn y bwrdeistrefi. Fodd bynnag, roedd y drefn newydd yn her i'r Lloyd George ifanc dorri trwodd yn wleidyddol. Roedd am ganolbwyntio ar fesurau traddodiadol megis Dirwest a Datgysylltiad. Roedd hefyd am alw am fesurau penodol i'r dosbarth gwaith—er enghraifft, hawliau i undebau llafur, rhyddfreinio'r prydlesoedd, dod â thir i feddiant cyhoeddus a chymunedol, a deddfau i wella amodau gwaith. Ei obaith oedd ennill lle iddo'i hun fel pleidiwr yr etholwyr newydd a diwygiwr cymdeithasol modern. Roedd hynny, yn anochel, yn golygu crwsâd a fyddai'n digwydd yng nghyd-destun ei gefndir Cymreig ac ar gefndir o ddeffroad cenedlaethol a fyddai'n ei arwain i gyplysu radicaliaeth â Chymreictod, yn wir â chenedlaetholdeb asgell-chwith.

Ni laesodd ddwylo ym mis Mai 1884, wrth geisio creu enw iddo'i hun fel diwygiwr a ffigur cyhoeddus. Nemor bythefnos ar ôl pasio'n dwrnai, ddiwedd Mai, ymddangosodd gyda'i ewythr, Richard Lloyd, gerbron Festri Cricieth i brotestio yn erbyn penderfyniad Bwrdd Claddu'r ardal, dan bawen y Torïaid lleol, i ffafrio claddedigaethau Anglicanaidd yn y fynwent drefol. Rai misoedd yn ddiweddarach, diddymwyd y Bwrdd Claddu, a'i fwyafrif Torïaidd, a gosod Bwrdd newydd Anghydffurfiol yn ei le. Lloyd George oedd cyfreithiwr cyntaf y Bwrdd hwnnw. Byddai ei arbenigedd yn y maes hwn, ymhen rhai blynyddoedd, yn dod ag ef i sylw cenedlaethol ledled Cymru, gydag Achos Claddu Llanfrothen.

Ym mis Gorffennaf 1884, gwnaeth ei ymddangosiad cyntaf mewn llys barn gerbron yr Ustus Gwilym Williams ym Mhorthmadog, lle ymladdodd nifer o achosion llwyddiannus yn ystod y misoedd canlynol. Yn yr un cyfnod, yn y Llysoedd Cofrestru Pleidleisiau yn y sir, ymddangosodd gyda R. D. Williams, cyfreithiwr ac Asiant Rhyddfrydol Bwrdeistrefi Caernarfon, i ymladd llu o geisiadau i gofrestru etholwyr newydd. Roedd 'Cyfreithiwr y Bobl' yn plethu'r gyfraith yn gelfydd â gweithredu politicaidd.

I'r aelod o Gymdeithas Ddirwestol y Ruban Glas, a dorasai reolau'r Gymdeithas honno'n llawen rai blynyddoedd ynghynt, bu'r platfform gwrth-ddiota hefyd yn llwyfan proffidiol yn 1884. Bu'n annerch nifer o gyfarfodydd mawr yn yr ardal ar ran yr *UK Temperance Alliance*, gyda'r areithydd dirwestol enwog, H. J. Williams, Plenydd, a'i ddirprwy, y cenedlaetholwr radical a'r Undebwr Llafur, D. R. Daniel. Ef oedd un o ffrindiau pennaf Tom Ellis a ddewisid yn fuan yn aelod seneddol Meirionnydd ac a oedd yn un o hoelion wyth y mudiad cenedlaethol, Cymru Fydd, a fyddai'n cael ei sefydlu yn 1886. Honnai Plenydd mai ef a lansiodd yrfa gyhoeddus Lloyd George, a hynny mewn cyfarfod dirwest yng Nghricieth ym mis Medi 1884, er bod Lloyd George eisoes wedi ymddangos ar lwyfannau cyhoeddus yng Nghricieth.

Yn ogystal â defnyddio'r cyfryngau hyn ym misoedd Medi a Hydref 1884, trodd Lloyd George unwaith eto at y wasg i hyrwyddo ei yrfa—y tro hwn o dan y ffugenw 'J. Pen' yn y papur wythnosol, *The North Wales Observer and Express*. Y tro hwn, hefyd, gwyddai'r golygyddion yn union pwy oedd y gohebydd cudd a bu hynny'n fodd iddo greu cysylltiadau allweddol ar gyfer y dyfodol. Roedd y tair erthygl a ysgrifennodd yn adlewyrchu radicaliaeth Chamberlain ynghlwm â slant genedlaethol Gymreig arbennig. Roedd y papur yn rhan o stabl newyddiadurol *The Welsh National Newspaper Company* a adwaenid fel Cwmni'r Genedl. Roedd ei brif gyfarwyddwyr, fel W. J. Parry, yr arweinydd undeb, yn amlwg am weld deffroad cenedlaethol yng Nghymru. Byddai papurau'r cwmni hefyd yn profi'n allweddol yng ngyrfa Lloyd George pan fyddai eisiau ymgeisyddiaeth seneddol.

Yn arwyddocaol, yn ei erthygl gyntaf i'r papur ar y 5ed o Fai, canolbwyntiodd ar natur annemocrataidd, Seisnigedig, Gladstonaidd Cymdeithas Ryddfrydol Sir Gaernarfon gan gondemnio ei harafwch i goleddu syniadau newydd Chamberlain. Gwnaeth yr un modd yn ei ail erthygl yr wythnos ganlynol, gan glodfori sosialaeth gymunedol Chamberlain yn yr union wythnos pryd y siaradodd Chamberlain yn gyhoeddus yn y Drenewydd o blaid Datgysylltiad yr Eglwys

Anglicanaidd—y gwleidydd Rhyddfrydol amlwg cyntaf i wneud hynny. Yn ei erthygl olaf ar y 7fed o Dachwedd, bu'n feirniadol unwaith eto o gawcws Rhyddfrydol y sir, ar drothwy'r cyfnod democrataidd newydd ac wrth i etholiad 1885 agosáu. Roedd wedi galw ar i'w blaid radicaleiddio a Chymreigio ei pholisïau fel yr oedd ef ei hun yn barod i geisio chwarae rôl allweddol mewn gwleidyddiaeth, er mor ifanc ydoedd.

Erbyn mis Ionawr 1885, roedd yn barod i ymadael â chwmni Breese, Jones a Casson i sefydlu ar ei liwt ei hun mewn busnes. Roedd ganddo dri nod mewn golwg wrth wneud hyn, sef yr angen am well cyflog, cael annibyniaeth i ddilyn gyrfa wleidyddol, a chyfle i droi oddi wrth y Rhyddfrydiaeth henffasiwn a Seisnigaidd yr oedd y cwmni'n ei chynrychioli. Roedd ei fryd ar hyrwyddo ei yrfa wleidyddol, er i'r ffaith iddo adael Breese, Jones a Casson dan amgylchiadau cas a chynhennus beri gofid i'w frawd, William, a oedd yn gorfod aros yno tra oedd yn cwblhau ei erthyglau twrnai. Nid oedd dim yn mynd i sefyll yn ffordd Lloyd George yn y cyfnod hwn, fodd bynnag, fel y byddai'n cyfaddef i'w ddarpar wraig, mewn llythyr dadlennol. Ar ôl ffrae rhyngddo ef a Margaret Owen, merch fferm Mynydd Ednyfed, Cricieth, dywedodd wrthi yn blwmp ac yn blaen nad oedd hyd yn oed ei serch tuag ati yn debygol o'i atal rhag gwireddu ei brif nod mewn bywyd, sef newid cymdeithas er gwell, fel gwleidydd a diwygiwr cymdeithasol:

> My supreme idea is to get on. To this idea I shall sacrifice everything except, I trust, honesty . . . I am prepared to thrust even love itself under the wheels of my Juggernaut.

Roedd y Juggernaut ar fin cychwyn, wrth iddo wynebu blwyddyn newydd 1885. Er i amryw o'i gofianwyr honni mai uchelgais am rym Llundeinig a Phrydeinig oedd ei nod o'r cychwyn cyntaf, yn ystod degawd cyntaf ei yrfa o 1885 ymlaen, byddai'n rhoi blaenoriaeth i Gymru a hynny ar bynciau llosg dadleuol, amhoblogaidd ac arloesol, yn arbennig yn achos hunanlywodraeth i Gymru. Gwnaeth hynny yn wyneb beirniadu llym arno a chan beryglu ei ddyfodol gwleidyddol. Ffwlbri yw honni, fel y mae cynifer o gofianwyr Lloyd George wedi awgrymu, mai erfyn i dynnu sylw ato'i hun oedd ei ymlyniad wrth safbwynt cenedlaethol Cymreig, a safiad y rhoddai'r gorau iddo cyn gynted ag y deuai i amlygrwydd. Nid tan ar ôl ymdrech hir ac anodd, a Chymru'n gwrthod ei gri arloesol dros Senedd Ffederal yng nghanol y

90au, y trodd Lloyd George ei gefn ar geisio creu mudiad annibynnol Cymreig ar fodel y blaid Wyddelig. Bryd hynny'n unig y bu iddo ollwng mater yr oedd ganddo wir argyhoeddiad ynglŷn ag o, sef trefn Ffederalaidd o lywodraethu Prydain a system o lywodraethu ei genedl ei hun a fyddai'n esiampl i'r byd, fe gredai, o'r dull o reoli gwlad yn deg a chyfiawn. Byddai'r wedd hon ar Gymru'n ei hamlygu ei hun yn fuan ar ôl iddo gychwyn ar ei liwt ei hun fel cyfreithiwr yn 1885 a chreu enw iddo'i hun, yn anghyffredin o ifanc, fel arloeswr gwleidyddol. Byddai cael hunanlywodraeth i Gymru a newid Rhyddfrydiaeth i gyfeiriadau llafurol newydd yn cerdded law yn llaw yn ail hanner yr 80au a thu hwnt, fel rhan o'i grwsâd dros gymdeithas well.

PRIF FFYNONELLAU

Cyfrifiadau 1871 ac 1881: *The North Wales Express*, 1878-1883; *Carnarvon and Denbigh Herald*, 1880-85; *The Cambrian News*, 1880-85; *The North Wales Observer and Express*, 1884-5; *Y Genedl Gymreig*, 1878-1885; *Yr Herald Cymraeg*, 1880-85; *Baner ac Amserau Cymru*, 1880-85.

Llyfrgell Genedlaethol Cymru: Papurau William George a David Lloyd George; Castle Green: MSS 12625, Temlwŷr Da Llŷn

Coleg Prifysgol Bangor: MSS 1125, Papurau R. D. Williams, Porth yr Aur.

Archifau Gwynedd: Papurau Breese, Jones a Casson.

Emyr Price, traethawd MA Prifysgol Cymru 1974, *Lloyd George's Pre-Parliamentary Political Career*, penodau I, II, III am y ffynonellau eraill.

DARLLEN PELLACH

J. H. Edwards, *The Life of David Lloyd George*, cyf. 1 (Llundain, 1913).

W. R. P. George, *The Making of Lloyd George* (Llundain, 1926).

William George, *My Brother and I* (Llundain, 1958).

William George, *Atgof a Myfyr* (Wrecsam, 1948).

John Grigg, *The Young Lloyd George* (Llundain, 1973).

K. O. Morgan, *Lloyd George and Welsh Liberalism* (Bangor, 1991).

H. du Parcq, *Life of David Lloyd George*, cyf. 1 (Llundain, 1912).

Emyr Price, *Y Port a Lloyd George* 1878-1890 (Darlith Clwb y Garreg Wen, Porthmadog, 1995).

PENNOD 2

Y 'Juggernaut' yn cychwyn, ond methu ym Meirion 1885-6

Pan osododd Lloyd George ei blât twrnai yn Stryd Fawr, Porthmadog yn 1885, agorodd pennod newydd yn ei hanes. Ar ôl sefydlu yno, ehangodd ei fusnes i Gricieth, Pwllheli a Blaenau Ffestiniog, er mai bregus oedd y busnes tan i'w frawd, William, ymuno ag ef yn 1887 ac ysgwyddo'r baich i raddau helaeth. Yr oedd Blaenau Ffestiniog yn arwyddocaol iawn, oherwydd oddi yma, yn ystod 1885 ac 1886, y lansiodd Lloyd George ei ymgyrchoedd cyntaf i geisio sicrhau ymgeisyddiaeth seneddol.

Denwyd ef gan Sir Feirionnydd am nifer o resymau. Yr oedd eisoes, fel prentis cyfreithiwr, wedi cael ei anfon yno droeon er 1878 gan C. E. Breese, prif bartner ei gyn-gyflogwyr ac asiant Rhyddfrydol Meirionnydd, i gofrestru etholwyr newydd. Roedd hefyd, yn ystod ei chwe mis olaf gyda Breese a Casson, wedi ymgymryd â nifer o achosion cyfreithiol yn y sir, a ddaeth â chryn sylw iddo yno. Yn ogystal, gwyddai mai dim ond trwy ganolbwyntio ei fusnes yn ardal boblog Blaenau Ffestiniog y gallai lwyddo fel twrnai. Yr oedd y cysylltiad rheilffordd â'r Blaenau hefyd yn gyfrwng iddo deithio yno, a Lein y Cambrian yn hwylus i'w alluogi i fynd yn rhwydd o gwmpas rhannau eraill y sir.

Yn anochel, felly, câi ei dynnu at Feirionnydd—ond yn fwy na hynny roedd holl gefndir y sir a'i sefyllfa wleidyddol a chymdeithasol yn 1885 yn siŵr o ddenu radical fel ef. Gwelai yno argoelion cael gwared â'r Rhyddfrydwyr claear a chymedrol a reolai wleidyddiaeth yr etholaeth, ar drothwy cyfnod cyffrous y 'ddemocratiaeth newydd' a ddeuai yn sgil y drydedd Ddeddf Diwygio Pleidleisiau a'r Ddeddf Ailddosbarthu Etholaethau yn 1884-5. Byddai yr un mor feirniadol o'r cawcws Rhyddfrydol dosbarth-canol ym Meirionnydd am wrthwynebu cenedlaetholdeb Cymreig ag y bu yn ei ymosodiadau ar yr arweinyddiaeth Ryddfrydol yn Sir Gaernarfon yn 1885.

Roedd landlordiaeth yn dal i deyrnasu dros y Feirion wledig yn yr 80au. Roedd dwsin o'r 'Prif Dirfeddianwyr' yn berchen ar 128,593 o 427,810 erw'r sir—33.2% o dir Meirionnydd, stadau enfawr fel y

Rhiwlas a Than-y-bwlch. Islaw'r *élite* hwn roedd 37 o sgwieriaid yn dal rhwng 1,000 a 3,000 o erwau; rhyngddynt hwy a'r haen uchaf o uchelwyr, roeddynt yn berchen ar hanner tir yr etholaeth. Roedd y landlordiaid hyn fynychaf yn Doriaid, yn Anglicaniaid, yn Seisnig neu'n Seisnigedig. Roedd Lloyd George am eu gwaed, er bod ambell deulu fel Dolserau a Chastell Deudraeth yn Rhyddfrydwyr ond o'r adain dde draddodiadol Chwigaidd.

Islaw iddynt, heblaw am yr *yeomen*—96 ohonynt a feddai ar rhwng 300 a 1,000 o erwau—yr oedd mwyafrif y boblogaeth wledig yn bur dlawd. Roedd y rhan fwyaf ohonynt, 1,004, yn dyddynwyr bach â llai nag un erw; 346 yn berchen rhwng dwy a chan erw, a'r gorau eu byd â rhwng 100 a 300 erw. Roedd y mân-berchenogion a oedd â'r bleidlais eisoes, wedi dangos eu lliwiau Rhyddfrydol er 1868 ac wedi uno â thenantiaid oedd â'r bleidlais i gefnogi'r Blaid Ryddfrydol. Y grŵp mwyaf o ddigon yn y pyramid gwledig hwn oedd y 3,004 o lafurwyr amaethyddol, nad oedd ganddynt bleidlais cyn 1884-5.

Ym Meirion wledig, byddai Lloyd George am anelu at ennill cefnogaeth yr etholwyr newydd o blith y grwpiau hyn, yn ogystal â chadw'r tenantiaid a'r perchenogion bach, a oedd eisoes â'r bleidlais, yn ddiogel yn y gorlan Ryddfrydol. Bwriadai apelio atynt drwy bolisïau traddodiadol fel datgysylltiad yr eglwys Anglicanaidd, dileu'r degwm a sicrhau rhenti teg, ond hefyd drwy fesurau mwy pellgyrhaeddol 'Sosialaeth Gymunedol' Joseph Chamberlain, megis cael daliadau tir i weision ffermydd a chydnabod eu hawliau undebol.

Roedd rhagolygon mwy disglair fyth i Lloyd George yn ardaloedd diwydiannol ymchwyddol Meirion yn yr 80au, gyda 25.1% o'r boblogaeth, yn ôl Cyfrifiad 1891, yn gweithio mewn diwydiant, y mwyafrif yn y chwareli llechi. Yma, gallai hyrwyddo mesurau Chamberlain dros ryddfreinio'r prydlesoedd, yn ogystal â mesurau eraill ym myd tai, megis darparu tai cyngor ar rent i bobl yr oedd angen cartrefi arnynt. Argymhellai Chamberlain hefyd ddarparu alotments i weithwyr mewn ardaloedd trefol.

Gyda thwf diwydiant yn y sir, roedd dosbarth canol masnachol a phroffesiynol wedi tyfu yn y prif drefi fel y Blaenau, y Bala a Dolgellau, a'r mwyafrif ohonynt yn Rhyddfrydwyr cymedrol Gladstonaidd. Ni hoffai Lloyd George eu safbwyntiau cymedrol ond, yn eu plith, roedd yna rai â chydymdeimlad radical a chenedlaethol.

Cyn 1885, y dosbarth canol masnachol a phroffesiynol a'r perchenogion gwledig, da eu byd, a reolai wleidyddiaeth y sir. Er bod gan rai chwarelwyr bleidlais er 1868, lleiafrif bychan oeddynt ac nid oedd ganddynt, chwaith, unrhyw rym politicaidd yn uchel-rengoedd Rhyddfrydol yr etholaeth. Yn wir, yn etholiad 1880, dim ond 3,469 o boblogaeth o 52,038 (6.7%) oedd â phleidlais beth bynnag. Nid oedd ym Maniffesto'r Aelod Seneddol Rhyddfrydol, Samuel Holland, yn etholiad 1880, ddim sôn am unrhyw fesur budd a lles na mesur uniongyrchol ddosbarth gweithiol, dim ond polisïau a ddilynai'r *party-line* traddodiadol, Rhyddfrydol.

Roedd Cymdeithas Ryddfrydol y sir, y cawcws, yn ddi-feth yn ddosbarth canol neu yn deillio o'r haen dirfeddiannol eithaf da eu byd.

Yn 1885 roedd y Cadeirydd, Dr E. O. Jones, Caerffynnon, Dolgellau, yn feddyg; yr Ysgrifennydd, John Cadwaladr Jones, yn gyfrifydd yn y Blaenau, ac eraill—fel Thomas Jones, Brynmelyn—yn farsiandïwyr bwydydd anifeiliaid. Roedd Aelodau Seneddol y sir er 1868 yn Rhyddfrydwyr cymedrol hefyd—David Williams, Castell Deudraeth yn Anglican a thirfeddiannwr, Samuel Holland yn berchennog chwareli a'r Sgotyn, Henry Robertson, y darpar ymgeisydd ar gyfer etholiad 1885, yn berchennog Stad y Palé, Llandderfel, a gwnaeth ei ffortiwn yn adeiladu rheilffyrdd yng Nghymru a thu hwnt.

Cawcws o *respectable Dummys* y bedyddiodd Lloyd George nhw. Nid oedd ef am weld y cawcws hwn na rhai tebyg iddynt yn rheoli gwleidyddiaeth Meirion na chwaith etholaethau eraill Cymru.

Gydag etholrestr Meirion wedi treblu o 3,469 i 9,333 erbyn 1885, roedd am weld yr etholwyr newydd yn cael eu denu at Ryddfrydiaeth newydd ac at wleidyddion radicalaidd o'r un cefndir ag ef. Roedd cyfle iddo symud Rhyddfrydiaeth y sir i gyfeiriadau newydd ar ffurf 'Sosialaeth gymunedol' Chamberlain, heb sôn am impio ar hyn genedlaetholdeb Cymreig. Nid oedd hi'n syndod o gwbl, felly, iddo droi ei olygon at Feirion yn 1885, gan gofio bod etholaethau newydd Sir Gaernarfon eisoes wedi dewis ymgeiswyr. Roedd ei olygon yn neilltuol ar y Blaenau, lle roedd y bleidlais fawr lafurol i'w chael. Gyda 1,789 ar y rhestr yno yn 1885, dair gwaith mwy nag yn 1880, a llawer ohonynt yn chwarelwyr, dyma'r lle iddo ganolbwyntio arno. Ac yma ac yng ngogledd-orllewin y sir y dechreuodd adeiladu canolbwynt grym iddo'i hun yn 1885, rai misoedd cyn yr etholiad cyffredinol ym mis Tachwedd 1885. Ym mis Gorffennaf, daeth ei gyfle cyntaf i greu enw iddo'i hun gerbron mainc ustusaidd Penrhyndeudraeth.

Ymddangosodd yno o flaen 400 o drethdalwyr yr ardal mewn achos cynhennus a hir. Flwyddyn ynghynt, roedd y trethdalwyr wedi cyflwyno petisiwn gerbron y Fainc Dorïaidd i gyfyngu ar nifer y tafarndai yn yr ardal. Roedd y Fainc wedi gorfod ildio, ond fisoedd wedyn wedi caniatáu ailagor tafarn, y Victoria Inn. Yn y llys honnodd fod trwydded y Vic yn anghyfreithlon, ond ar ôl tair awr o ddadlau ffyrnig Lloyd George caniataodd y Fainc y drwydded. Cyhuddodd y Fainc o ragfarn, gan honni mai aelod o'r Fainc oedd gwir berchennog y dafarn ond bod y cais am drwydded yn enw person arall.

Bu cythrwfl mawr yn y llys ac yn y wasg gyda'r *Dydd*, papur Dolgellau a Meirion, yn neilltuo'r dudalen flaen i'r achos. Roedd Lloyd George ar ben ei ddigon efo'r cyhoeddusrwydd, gan nodi yn ei ddyddiadur: 'Got on I think remarkably well. Never felt more fluent'.

Ymunodd hefyd yn 1885 â Senedd Bethania, Cymdeithas Ddadlau yn y Blaenau, yr oedd ei gweithgareddau'n cael eu hadrodd yng ngholofn wythnosol Ffestinfab, *Yr Herald Cymraeg*. Bu'r papur yn gyfrwng arall i Lloyd George ymestyn ei ddylanwad yn yr ardal, heb sôn am y ffaith bod Ffestinfab yn aelod o gawcws Rhyddfrydol Meirion a'r unig un â chydymdeimlad 'llafurol'. Ond oddi ar lwyfannau cyhoeddus yn y Blaenau y gwnaeth Lloyd George yr argraff fwyaf. Ym mis Ionawr 1885, mewn cyfarfod mawr yn yr *Assembly Rooms* yno, bu'n siarad dros ddiwygio'r deddfau yfed ymhellach, gan nodi'n egotistaidd yn ei ddyddiadur:

> Spoke with much fire and impetuosity and heard general praise of me amongst workmen.

Mewn cyfarfod cyffelyb yno, ym mis Chwefror, rhannodd lwyfan â golygydd *The North Wales Observer and Express*, Abel Jones Parry, gan nodi eto yn ei ddyddiadur mai ei araith ef oedd 'the highlight of the night'.

Cyn etholiad 1885, bu'n siarad yn Sir Gaernarfon ar lwyfannau dirwest, datgysylltiad a phwnc y tir; cafodd gryn sylw yn y wasg a'r dylanwad hwnnw'n treiddio hefyd i Feirion.

Pan ddaeth yr etholiad cyffredinol roedd Lloyd George yn barod i wthio ei syniadau radicalaidd ar etholwyr Meirion gan ddilyn polisi gwrthryfelgar 'anawdurdodedig' Joseph Chamberlain. Byddai'r pwyslais ar alwad Chamberlain am Gynghorau Sirol newydd, democrataidd yn lle'r Sesiynau Chwarter Torïaidd, rhyddfreinio'r prydlesoedd, trethu rhenti ac elw ar dir, a darparu tai cyngor ac alotments i lafurwyr gwledig a threfol. Byddai hyn yn fodd i Lloyd George apelio at yr etholwyr newydd mewn trefi fel Blaenau Ffestiniog ac ardaloedd trefol eraill Meirion, ac yn yr ardaloedd gwledig. Gallai hefyd dynnu sylw at gefnogaeth Chamberlain i Ddatgysylltu'r Eglwys Anglicanaidd mewn araith yn Ninbych yn 1885—y Rhyddfrydwr amlwg cyntaf i addo hynny.

Pan ddaeth yr ymgyrch etholiadol, roedd Lloyd George ar dân dros adleisio'r polisi hwn gan roi iddo wedd cenedlaethol Cymreig. Roedd Lloyd George, ym Meirion yn 1885, i gymryd safiad arbennig yn erbyn ei blaid ei hun; roedd am greu enw iddo'i hun fel gwrthryfelwr radicalaidd a chenedlaethol Cymreig, yn cynrychioli Rhyddfrydiaeth newydd a gysylltwyd ymhen amser â Chymru Fydd, er nad oedd sôn am y mudiad hwnnw yn 1885. Bu'n ddigon doeth, fodd bynnag, i gadw ei droedle yn y gwersyll Gladstonaidd, swyddogol, Rhyddfrydol yn Sir Gaernarfon yn ystod yr etholiad. Ond ym Meirion, roedd yn rebel.

Yno, plymiodd yn syth i ganol cythrwfl mawr ymhell cyn dydd y pôl ar ôl i Morgan Lloyd, y bargyfreithiwr o Drawsfynydd a chyn-Aelod Seneddol Bwrdeistrefi Môn, herio dewis honedig annemocrataidd Henry Robertson, dair blynedd ynghynt, yn ymgeisydd i olynu Samuel Holland yn Aelod Seneddol, dros y Rhyddfrydwyr. Honnodd Lloyd mewn llythyr mileinig at Holland fod Robertson wedi cael ei ddewis yn gyfrinachol ar ofyn Holland, gan glîc o Fonheddwyr Chwigaidd a reolai gawcws y sir. Mynnodd Lloyd ymhellach, gyda'r etholfraint wedi treblu, bod angen ailddewis ymgeisydd yn ddemocrataidd, a chael ymgeisydd newydd. Yna daeth cefnogaeth i alwad Lloyd gan chwarelwyr y Blaenau a Ffestiniog gyda'r Rhyddfrydwyr yno'n enwebu Lloyd fel ymgeisydd yn lle Robertson, a changhennau Harlech a Bermo yn dilyn.

Mewn cyfarfod mawr o chwarelwyr ym Mlaenau Ffestiniog ar yr 20fed o Awst, ar gais D. G. Williams (Tanymarian), Is-Lywydd Undeb Chwarelwyr Gogledd Cymru, gwahoddwyd Lloyd George i siarad yn y cyfarfod o blaid ymgeisyddiaeth rebelgar Morgan Lloyd, er nad oedd Lloyd ei hun yn radical o'r un brethyn â Lloyd George. Nododd Lloyd George yn ei ddyddiadur:

> I back him, not as a supporter of his candidature but as a supporter against the mode of selecting a candidate . . . his views are not half radical enough.

Yn ei araith, defnyddiodd Lloyd George yr achlysur i ymffrostio eu bod yn torri tir newydd, sef cael ymgeiswyr a ddewiswyd gan y bobl, nid gan glîc o Fonheddwyr anatebol nad oedd ganddynt hawl i siarad dros wir Ryddfrydiaeth. Gorffennodd ei araith drwy honni'n ymfflamychol mai dewis twyllodrus oedd Robertson i gynrychioli pobl Meirion.

Ni chymerodd Lloyd George unrhyw ran arall yn ymgyrch Morgan Lloyd, efallai am iddo deimlo ei fod wedi mentro digon yn ei gefnogi, ar goedd gwlad, ar ddechrau'r ymgyrch. Yn wir, roedd yn ofni y gallai Lloyd rannu'r bleidlais Ryddfrydol ym Meirion a rhoi rhwydd hynt i'r Tori adennill y sedd, fel y nododd yn ei ddyddiadur ar ôl y Cownt: 'Glad that Robertson won, rather than lose the election to the Conservatives'.

Poliodd Lloyd yn wael gan ennill 1,907 yn unig o bleidleisiau; y Tori, W. R. M. Wynne, yn cael 2,209 a Robertson ar ben y pôl â 3,784 pleidlais. Roedd Lloyd George, fodd bynnag, wrth uniaethu ag ymgeisydd y chwarelwyr, wedi gwneud lles mawr iddo'i hun ar gyfer y dyfodol. Er ei fod yn ddiamau yn radical ac yn genedlaetholwr, yr oedd hefyd wedi bod yn ddigon hirben a gofalus i gefnogi Rhyddfrydwyr cymedrol iawn ym Mwrdeistrefi Caernarfon yn ystod etholiad 1885, sef Love Jones Parry, y sgweiar afradlon, Chwigaidd o Fadryn, ac yn etholaeth Eifion, J. Bryn Roberts y Gladstoniad sobr a gofalus. Eto, gallai ymfalchïo yn ei ddyddiadur iddo fod yn ei areithiau yno yn bencampwr radicaliaeth 'Anawdurdodedig' Chamberlain:

> Replying to attacks on Chamberlain, pointing out that every Tory mushroom thought he ought to attack Chamberlain . . . I was tremendously cheered . . . I felt I had made another stroke at Criccieth.

Ar ôl Etholiad 1885, wedi iddo ddangos yn eglur mai'r hyn yr oedd ar Feirion ei angen oedd ymgeiswyr seneddol o gefndir Cymreig a apeliai at yr etholwyr newydd, yn hytrach nag ymgeiswyr Seisnig, gwrth-radicalaidd o gefndir ariannog a breintiedig, aeth ati'n ddiymdroi i geisio cryfhau ei afael ar Feirion, yn arbennig yn ardal boblog Blaenau Ffestiniog. Daeth hynny ag ef wyneb yn wyneb â'r sosialydd tir a'r cenedlaetholwr Gwyddelig, Michael Davitt, gwleidydd a rebel yr oedd Lloyd George wedi ei glodfori yn ei ddyddiadur, flynyddoedd ynghynt, yn gryno a phendant fel ei 'most admired character in real life—Michael Davitt'.

Ym mis Chwefror 1886 daeth y cyfle iddo rannu llwyfan â'i arwr ym Mlaenau Ffestiniog. Roedd y sosialydd tir a golygydd *Y Celt*, E. Pan Jones, wedi trefnu taith i'r cyn-garcharor gwleidyddol o gwmpas Cymru i fynnu Cynghrair Tirol a Llafurol Cymreig. Nid oedd y blaid Ryddfrydol yn croesawu uniaethu â Davitt a bu hyd yn oed Thomas Gee a'r *Faner* yn llugoer yn eu hagwedd at y daith. Ond pwyswyd ar Lloyd George i rannu llwyfan â Davitt a'r cenedlaetholwr

Cymreig, Michael D. Jones, Y Bala. Daeth y cyfle oherwydd bod prinder siaradwyr ar gael i ymddangos mewn cyfarfod mor ddadleuol â'r cyfarfod yn y Blaenau. Daeth torf o 1,800 i wrando ar Davitt, fodd bynnag; galwodd yn ei araith am wladoli'r tir a mynnu na ddylid cael unrhyw gyfaddawd â landlordiaeth. Mynnodd hefyd y dylai'r dosbarth gweithiol diwydiannol gael eu rhwydo i'r ymgyrch trwy sicrhau bod y wladwriaeth yn gosod tir ar rent i chwarelwyr a darparu tai ar eu cyfer am renti teg.

Cyn iddo godi i siarad roedd Lloyd George, mewn gwewyr o nerfusrwydd, 'yn cnoi ei ewinedd i'r byw'—ond wedi iddo godi a dechrau llefaru, siaradodd yn huawdl gan ymosod ar y 'Rhyddfrydwyr llugoer' a oedd wedi gwrthwynebu ymweliad Davitt, Rhyddfrydwyr a oedd yn 'cam-gynrychioli' Cymru yn y senedd, fe honnai. Galwodd hefyd ar i gynrychiolwyr ifainc, radicalaidd gynrychioli etholaethau fel Meirion. Roedd yn ddiamau'n hyrwyddo ei achos ei hun, gan ychwanegu bod angen gwyrdroi'r drefn landlordaidd: 'Tra oedd dynion yn llwgu,' meddai, 'roedd y byddigion yn bwydo'u ffesantod gyda bwyd a ddylai fynd i'r bobl'.

Cafodd gymeradwyaeth fyddarol ar ddiwedd ei araith, yn ôl *Y Genedl Gymreig*, a dywedodd Michael D. Jones wrtho'n ddiweddarach y dylai geisio sicrhau ymgeisyddiaeth seneddol er mwyn hyrwyddo'r galw am *Home Rule* i Gymru a radicaliaeth Gymreig. Nododd yn ecstatig yn ei ddyddiadur, ar ôl y cyfarfod:

> My speech gone like wildfire through Ffestiniog—they're going to make me an MP. Michael Jones for it. Long talk with him, Pan Jones and Mr Davitt at the L. and N.W. Railway Hotel—scheming future of agitation—I feel I am in it now.

Yn ddi-os, bu'r cyfarfod yn y Blaenau yn sbardun mawr i hunanhyder Lloyd George gan godi awch arno, yn gyn-amserol efallai, i sicrhau ymgeisyddiaeth seneddol a hynny ar docyn cenedlaethol a radicalaidd Cymreig.

Yn wir fe geisiodd, yn aflwyddiannus, holi rhai Rhyddfrydwyr ym Mwrdeistrefi Caernarfon am gael lle Love Jones Parry yno, gan fod hwnnw naill ai'n feddw neu mewn helyntion gyda merched byth a hefyd. Fodd bynnag, nid yn annisgwyl, at Feirion y trodd ac at y Blaenau'n neilltuol, lle roedd beirniadu mawr ar Henry Robertson yn parhau o hyd ar ôl Etholiad Cyffredinol 1885.

Ym Mlaenau Ffestiniog, cadarnle radicaliaeth y sir, aeth ati i ychwanegu at ei enw fel pleidiwr llafurol drwy annerch, yn Ebrill 1886, Gymdeithas Rhyddfreinio Prydlesoedd Gweithwyr y Blaenau. Dyma bwnc o ddiddordeb arbennig i chwarelwyr yr ardal a oedd wedi eu gorfodi i godi tai ar les ac a oedd yn benderfynol o brynu'r tir y codwyd eu tai arno. Dyma'r union bwnc y gallai Lloyd George ei droi i'w felin ei hun gan gofio bod nifer o Ryddfrydwyr cymedrol, sefydliadol ym Meirion yn dirfeddianwyr; roeddynt wedi elwa o fod yn berchen tir ar les, gyda'r tir a'r tai yn dychwelyd iddynt ar derfyn les ar dai a godwyd gan y bobl gyffredin eu hunain.

Yn yr un mis hefyd, traddododd ddwy araith ar ddirwest yng nghapel y Rhiw ac yn yr *Assembly Rooms* yn y dref, gan fynnu bod angen diddymu hawl 'y dyn ar ei daith' i gael yfed ar y Sul, er gwaethaf Deddf Cau Tafarnau ar y Sul, 1881. Wedyn, ym mis Mehefin 1886, bu'n annerch ar yr un pwnc yng Nghyfarfod Cyffredinol Blynyddol Cymdeithas Ddirwest Meirion, gan gyfarfod yno am y tro cyntaf enaid hoff cytûn o genedlaetholwr a radical, Thomas Edward Ellis, o Gefnddwysarn, Meirion. Byddai Tom Ellis ymhen rhai misoedd yn profi'n faen tramgwydd i Lloyd George yn ei awydd am sedd seneddol ond byddai hefyd, ochr yn ochr â Lloyd George, yn hybu'r deffroad cenedlaethol yng Nghymru ar ddiwedd yr 80au.

Maen tramgwydd mawr arall i Lloyd George yn 1886 fu'r ymraniad mawr yn y Blaid Ryddfrydol dros bwnc llosg *Home Rule* i Iwerddon. Wedi i Gladstone ym mis Mawrth gyhoeddi ei gynllun *Home Rule*, gwrthwynebwyd ef yn ffyrnig gan arwr Lloyd George, Joseph Chamberlain, a ffafriai '*Home Rule All Round*' i wledydd Prydain—polisi y credai Lloyd George ei fod yn llawer mwy manteisiol i Gymru, er bod teyrngarwch mawr i Gladstone yng Nghymru.

Ymddiswyddodd Chamberlain o'r llywodraeth i wrthwynebu Gladstone, ac yn y cythrwfl a ddilynodd bu Lloyd George yn chwarae'r ffon ddwybig. Mae cofnod iddo wrthwynebu cynllun Gladstone yng Nghricieth ym mis Ebrill, ond cefnogodd Gladstone ym Mlaenau Ffestiniog yn ddiweddarach yn y mis hwnnw; ac yna ym mis Mehefin ysgrifennodd at Tom Ellis ei fod 'at Llanbedr a few weeks ago addressing a meeting concerned to support Home Rule'. Yn fwy gwrthgyferbyniol eto, pan sefydlodd Chamberlain ei Undeb Radical yn Birmingham yn ddiweddarach y mis hwnnw, dengys dyddiaduron Lloyd George ei fod â'i fryd ar deithio yno i ymuno â Chamberlain. Collodd ei drên i gadarnle Chamberlain—digwyddiad a fu'n dyngedfennol yn ei hanes, o bosib, oherwydd yng Nghymru 1886, pe byddai wedi ymuno â'r mudiad ac wedi mynd yn y pen draw at yr

Undebwyr Rhyddfrydol, byddai hynny wedi ei anfon i'r diffeithwch politicaidd.

Daeth y cyfyng-gyngor mawr hwn y bu ynddo yn ystod 'Argyfwng *Home Rule* Iwerddon' yn haf 1886 ag argyfwng personol iddo hefyd, a fu'n fodd i'w lesteirio gyda dyfodiad Etholiad Cyffredinol 1886 a ymladdwyd yng nghysgod helynt Iwerddon. Daeth ymgeisyddiaeth Ryddfrydol Meirion yn wag ar drothwy etholiad mawr 1886 gydag ymddiswyddiad Henry Robertson, a phenderfynodd Lloyd George, yn annisgwyl, gynnig amdani er ei deimladau gwrth-Gladstonaidd. Cysylltodd â nifer o Ryddfrydwyr amlwg yn yr etholaeth a llwyddodd i gael cangen Harlech i'w enwebu—er bod ei gyfaill Tom Ellis wedi cael ei enwebu gan nifer fawr o ganghennau, fel hefyd yr oedd Morgan Lloyd, yr ymgeisydd yr oedd Lloyd George wedi ei gefnogi yn Etholiad 1885. O'i gymharu â'r ddau yma, ychydig o gefnogaeth oedd gan Lloyd George.

Cyn iddo orfod wynebu'r Pwyllgor Dewis ym Meirion, fodd bynnag, tynnodd allan o'r ymgyrch am yr enwebiad wedi iddo sylweddoli nad oedd ganddo obaith o ennill ac ar ôl iddo gysylltu â Tom Ellis a deall ei fod ef yn benderfynol o sefyll. Er bod Ellis yn gefnogol i *Home Rule* Gladstone a Lloyd George wedi cefnogi Chamberlain nododd, mewn llythyr at Tom Ellis, ei fod yn tynnu allan o Feirion. Credai, er y gwahaniaeth rhyngddynt, fod Ellis yn cynrychioli'r teip newydd o ymgeisydd cenedlaethol, democrataidd yr oedd ar Gymru ei angen, gan ddweud wrtho yn ei lythyr: 'I am strongly convinced . . . that you are destined to rescue Wales from respectable dummyism'.

Mewn gwirionedd, nid oedd gan Lloyd George obaith o ennill yn erbyn Ellis, a oedd wedi cael enwebiad 14 o ganghennau, ac yntau wedi cael ei enwebu gan gangen Harlech yn unig. Nid oedd ei safbwyntiau gwrth-Gladstonaidd o unrhyw fudd iddo chwaith. Rhaid oedd iddo ildio i Ellis. Wedyn, cyn y dewis terfynol, cefnogodd ef Ellis, y Gladstoniad, yn erbyn Morgan Lloyd, a oedd yn ochri at Chamberlain. Ysgrifennodd lythyr i'r *Cambrian News* ar drothwy'r dewis yn moli Tom Ellis, gan gofio hefyd ei ganmol ei hun ar yr un pryd. Meddai yn ei lythyr i'r wasg:

> I observe that my name was submitted to the Liberal Association as one of the proposed candidates for the representation of the county. Since Mr Robertson's resignation, I have received numerous communications from different parts of the county favourable to my candidature. Having

> however, at the outset, pledged myself to support the candidature of Mr Tom Ellis, Cynlas, I declined to enter the lists . . .
>
> It would appear to me that Mr Ellis possessed beyond any other candidate named, the qualifications essential to constitute an effective Welsh member. Born and brought up amongst the people, he knows their wants. Of their own race and religion, he thoroughly sympathises with their sentiments. Living as they do in democratic times, members of parliament must now represent their constituencies not only on professed opinions but also in real sympathies. This Mr Ellis does. He has, moreover, shown that he possesses the ability to express with vigour and effect any opinions he may entertain.

Enillodd Tom Ellis yr enwebiad ar ôl ymgyrch anodd a checrus wedi i Morgan Lloyd honni bod camymddwyn wedi bod yn nhrefn y pleidleisio. Roedd Lloyd George wedi methu yn ei ymdrech i ennill ymgeisyddiaeth seneddol. Roedd hefyd wedi gweld ei arwr Chamberlain yn cael ei wrthod yng Nghymru yn etholiad 1886. Yn yr etholiad hwnnw, bu'n chwarae'r ffon ddwybig. Er iddo ysgrifennu llythyr o blaid Tom Ellis, ni chymerodd unrhyw ran yn ei ymgyrch ef ym Meirion, a barnu wrth absenoldeb unrhyw gyfeiriad at hynny yn y wasg, er i un o'i gofianwyr, J. Hugh Edwards, honni:

> In various parts of the constituency, he delivered fervid speeches, which kindled the enthusiasm of the audiences and materially contributed to Ellis's victory.

Ni chwaraeodd nemor ddim rhan yn etholaethau Sir Gaernarfon yn yr etholiad chwaith, gan danlinellu ei siomedigaeth o fethu ag ennill ymgeisyddiaeth Meirion ac, efallai, barhad ei gydymdeimlad â safbwyntiau Chamberlain.

Un peth sy'n sicr, roedd y '*Juggernaut*' wedi ei atal ym Meirion yn 1885-6. Dioddefodd siom ac ergyd a barodd iddo nodi yn ei ddyddiadur ar yr 20fed o Fehefin ei fod wedi bod yn or-uchelgeisiol yn ceisio enwebiad seneddol yn 23 oed ac y byddai'n rhaid pwyllo cyn mentro eto:

> I would not be in nearly a good position as regards pecuniary, oratorical or intellectual quality to get to parliament now as say five years hence.

Nid oedd wedi colli'r cyfan, fodd bynnag, er gwaethaf siomedigaethau enbyd y cyfnod hwn. Roedd wedi creu cysylltiadau gwerthfawr ym

Meirion a thu hwnt yn y cyfnod. Roedd wedi cael profiad helaeth o annerch, ymgyrchu a threfnu—profiadau hanfodol iddo i'r dyfodol. At hynny, roedd wedi gorfod ymdopi â siom a'i gwnaeth, yn nodweddiadol, yn fwy gwydn a phenderfynol o greu enw iddo'i hun yn y byd gwleidyddol.

Daeth hefyd, drwy ei gysylltiad â Tom Ellis, yn rhan o dwf y mudiad cenedlaethol a radicalaidd yng Nghymru a gysylltir â Chymru Fydd. Cryfhaodd hyn yr awydd ynddo i droi'r Blaid Ryddfrydol yn blaid newydd a ymgorfforai syniadau a gysylltir â 'Rhyddfrydiaeth Newydd' troad y ganrif, a hynny mor gynnar â diwedd yr 80au, hyd yn oed.

Hefyd, wrth iddo orfod derbyn cyfaddawd yn 1886, pan fu raid iddo, yn anfoddog, droi oddi wrth Chamberlain, yr oedd wedi dysgu bod raid i wleidydd liniaru ei safbwyntiau ar adegau, er mwyn cael y maen i'r wal. Ni fyddai Lloyd George, fodd bynnag, yn ystod ei yrfa gyn-seneddol yn barod i gymryd safbwynt llugoer yn ei gredoau radicalaidd ac economaidd, na chwaith yn ei safiad cenedlaethol. Yn ei etholiad cyntaf yn 1890 ym Mwrdeistrefi Caernarfon y digwyddodd yr unig eithriad i hynny, pan fu'n rhaid iddo leddfu tipyn ar ei radicaliaeth a'i genedlaetholdeb; ond dros dro yn unig y bu hynny

Yn dilyn siomedigaethau Meirion, bu raid iddo droi ei olygon at Sir Gaernarfon yn 1886, i geisio adfer ei obeithion politicaidd, gan wneud hynny'n herfeiddiol.

Ar ôl 1886, roedd Lloyd George yn benderfynol o godi o'r llwch ym Meirion fel ffenics newyddanedig, ac wrth iddo droi ei olygon at Sir Gaernarfon gobeithiai weddnewid gwleidyddiaeth ei ardal a'i wlad yn y blynyddoedd ar ôl i'r Juggernaut gael ei atal, dros dro.

PRIF FFYNONELLAU

Cyfrifiadau 1871, 1881, 1891; Comisiwn Brenhinol y Tir Cymru a Mynwy, 1896; *Sutton Commercial Directory, N. Wales*, 1889; *Y Dydd*, 1885-6; *The North Wales Observer and Express*, 1885-6; *Carnarvon and Denbigh Herald*, 1885-6; *The Cambrian News*, 1885-6; *Y Rhedegydd*, 1885-6; *Y Genedl Gymreig*, 1885-6; *Baner ac Amserau Cymru*, 1885-6; *Yr Herald Cymraeg*, 1885-6; *Y Celt*, 1885-6.

Llyfrgell Genedlaethol Cymru: llythyrau William George a David Lloyd George; llythyrau Tom Ellis.

Gweler eto draethawd MA Emyr Price, penodau III a IV.

DARLLEN PELLACH

I. Gwynedd Jones, 'Merioneth Politics in the mid-nineteenth century', *Journal Merioneth Hist. Soc.*, Vol. V, 1973.

R. Merfyn Jones, *The North Wales Quarrymen* 1874-1922, pennod 3 (Caerdydd, 1981).

Neville Masterman, *Tom Ellis, The Forerunner* (Llandybïe, 1972).

K. O. Morgan, *Modern Wales, Politics, Places and People*, (Caerdydd, 1995).

Emyr Price, 'Lloyd George and Merioneth Politics, 1885-86', *Journal Merioneth Hist. Soc.*, Vol. VII, 1975.

PENNOD 3

Y Gwrth-Ddegymwr a'r Radical Cenedlaethol: Rhyfel y Degwm yn Llŷn ac Eifionydd 1886-8

Anifail gwydn oedd y Lloyd George ifanc. Er iddo ddioddef siom yn 1886 ar ôl methu sicrhau ymgeisyddiaeth seneddol ym Meirion, ac er iddo orfod gollwng ei gefnogaeth i Joseph Chamberlain, nid oedd yn barod i roi'r ffidil yn y to a throi ei gefn ar yrfa wleidyddol. Nid oedd chwaith am ollwng ei amcanion gwleidyddol ymyraethol o newid cymdeithas, er lles y pleidleiswyr newydd a fynnai fesurau economaidd a chymdeithasol budd a lles. Gyda'i gysylltiadau â Tom Ellis a Michael D. Jones yn 1886, roedd hefyd ar drothwy mabwysiadu amcanion cenedlaethol Cymreig o sicrhau senedd ffederal i Gymru, a oedd eisoes ymhlyg yn ei gefnogaeth i '*Home Rule All Round*' Chamberlain.

Roedd anawsterau mawr yn ei wynebu wrth geisio adfer ei amcanion gwleidyddol o sicrhau sedd seneddol, a dilyn llwybrau Tom Ellis fel math newydd o genedlaetholwr radicalaidd a fyddai'n rhoi blaenoriaeth i arddel buddiannau Cymreig. Roedd Lloyd George yn bur dlawd, yn dwrnai ifanc yn ennill arian prin a heb y modd ariannol i ymladd sedd seneddol, heb sôn am ei gynnal ei hun fel Aelod Seneddol di-dâl. Nid oedd yn rhan o *élite* Rhyddfrydol ei ardal chwaith, y dosbarth canol cyfforddus eu byd. At hynny, perthynai fel 'Batus Bach' i'r enwad crefyddol lleiaf yn ei ardal mewn cyfnod pan oedd enwadaeth yn rhemp a'r enwadau mwyaf, fel y Methodistiaid Calfinaidd, yn ddirmygus iawn o enwadau llai a mwy radicalaidd eu credoau, fel enwad Lloyd George. I goroni'r cyfan, byddai'n rhaid iddo wneud ei bolisïau a'i werthoedd arloesol—a'r rheiny'n blethwaith o syniadau cenedlaethol Michael D. Jones a negeseuon sosialaidd Michael Davitt ac E. Pan Jones—yn dderbyniol i Ryddfrydwyr a oedd wedi eu bwydo ar ddogmâu *laissez-faire* yr hen Ryddfrydiaeth, heb sôn am ennill cefnogaeth y pleidleiswyr newydd.

Er gwaetha'r anawsterau hyn, ac er ei fod yn ystod haf 1886 yn teimlo bod cymylau duon yn hofran uwch ei ben, fe ddaeth llinyn arian gobeithiol i oleuo a pharatoi'r ffordd i adfer ei ragolygon politicaidd, nemor fis ar ôl ei fethiant yn etholiad cyffredinol 1886.

Daeth y cyfle iddo godi fel ffenics o'r llwch ym mis Awst 1886, pan gododd ffermwyr Llandyrnog, Dyffryn Clwyd, mewn gwrthryfel yn erbyn y degwm-daliad. Dyma'r ergyd gyntaf a saethwyd yn 'Rhyfel y Degwm', yr helynt arteithiol a ledodd dros y Gymru wledig weddill yr 80au. Byddai Lloyd George yn cymryd rhan allweddol yn lledaeniad y mudiad hwn i'w ardal a thrwy hynny yn adfer ei ragolygon politicaidd a chreu ymwybyddiaeth genedlaethol yng Nghymru.

Bu 'pwnc y degwm' yn fater llosg yng Nghymru er tri degau'r ganrif o'r blaen. Erbyn yr 80au, o ganlyniad i bropagandeiddio parhaus Thomas Gee yn ei wythnosolyn pwerus, *Baner ac Amserau Cymru*, er 1859, a buddugoliaethau mawr y Rhyddfrydwyr yn etholiadau 1885 ac 1886 ac, yn bennaf, oherwydd gerwinder y dirwasgiad amaethyddol yn yr 80au, roedd y mudiad gwrth-ddegymol wedi cyrraedd ei benllanw yn haf 1886 gyda'r gwrthdystiadau cyntaf yn Llandyrnog. Manteisiodd Gee ar y cyfle i sianelu dicllonedd y ffermwyr, yn denantiaid a pherchenogion bach, yn fudiad effeithiol a milwriaethus, drwy sefydlu'r Cynghrair Gwrth-Ddegymol cyntaf yn Rhuthun ym mis Medi 1886. Dyma'r cam cyntaf a arweiniodd at sefydlu 'Y Gymdeithas Er Cynorthwyo Gorthrymedigion y Degwm'.

Tri chonglfaen oedd i'r mudiad, sef cefnogi ym mhob modd cyfansoddiadol a chyfreithlon bob ymdrech i leihau'r degwm; estyn cymorth i bob ffermwr a gollai ei eiddo oherwydd atafaelu ar ei stoc; a sicrhau bod pob aelod yn cael y cyngor cyfreithiol gorau ar bob agwedd ar gyfraith y degwm. Erbyn hydref 1886, roedd y mudiad wedi lledu fel tân gwyllt dros y Gymru wledig ac yn ei sgil cododd seren wleidyddol Lloyd George unwaith eto. Disgynnodd 'Rhyfel y Degwm' fel manna o'r nefoedd i gôl Lloyd George wedi'r haf llwm gwleidyddol a brofodd yn 1886. Sylweddolodd y gallai ddefnyddio'r achos gwrth-ddegymol i greu cynnwrf gwleidyddol yn ei ardal ac yng Nghymru. Byddai'r ymgyrch yn gyfle nid yn unig i ymosod ar landlordiaeth ac Anglicaniaeth, ond hefyd byddai'n gyfrwng i ddyfnhau ymwybyddiaeth genedlaethol y Cymry drwy ddwyn anfri ar yr Eglwys, fel 'Yr Estrones', Eglwys Loegr yng Nghymru. Yn ogystal, rhagwelai y gellid ymestyn yr ymgyrch wrth-ddegymol ymhellach i ymdrin â 'phwnc y tir' yn ei holl agweddau, gan gyplysu'r angen i hyrwyddo gwelliannau, nid yn unig i denantiaid amaethyddol ond hefyd i weision ffermydd ac i'r gweithwyr diwydiannol ym mwrdeistrefi Llŷn ac Eifionydd, sef Pwllheli, Cricieth a Nefyn.

Byddai ei uniaethu ei hun â'r ymgyrch hefyd yn gyfrwng i'w adfer i amlygrwydd cyhoeddus yn Sir Gaernarfon. Yn dilyn etholiad 1886, a fu mor siomedig iddo, roedd yna ddau lwybr seneddol posibl yn agored iddo erbyn haf 1886. J. Bryn Roberts oedd Aelod Seneddol Rhyddfrydol etholaeth Eifion (de Sir Gaernarfon), ac yn fuan wedi etholiad 1886 roedd sibrydion ar led bod y Gladstoniad pybyr hwn yn deisyfu cael ei godi'n Farnwr. Yn etholaeth Bwrdeistrefi Caernarfon hefyd, roedd ymgeisyddiaeth Ryddfrydol wag ar gael wedi i Love Jones Parry, y sgweiar afradlon o Fadryn a gollodd y sedd yn 1886 i'r Tori, Edmund Swetenham, benderfynu ymddeol ym mis Rhagfyr 1886. Pan ymddiswyddodd Jones Parry, daeth galwadau yn y wasg Ryddfrydol am i'r etholaeth ddewis yn ei le ymgeisydd a ymdebygai i'r radical a'r cenedlaetholwr, Tom Ellis, Aelod Seneddol Meirion. Er na chrybwyllwyd enw Lloyd George o gwbl yn y wasg ym mis Rhagfyr 1886, fel olynydd iddo, byddai iddo chwarae rhan flaenllaw yn yr ymgyrch wrth-ddegymol yn gyfle i fraenaru'r tir gogyfer ag ymladd am ymgeisyddiaeth Bwrdeistrefi Caernarfon ymhellach ymlaen. Hefyd roedd drws arall yn gilagored iddo yn etholaeth Eifion.

Nid oedd yn gyd-ddigwyddiad, felly, i'r achos cyntaf o'r gwrth-ddegymu ddigwydd oddi mewn i filltir sgwâr Lloyd George ei hun ac iddo ef, er nad yn gyhoeddus i ddechrau, ond yn hytrach yn llechwraidd, arwain y gad yn y rhyfel degymol. Yn Llangybi a Llanarmon y digwyddodd hynny, ar gyrion plwyf Llanystumdwy, lle roedd llawer o'r ffermwyr yn denantiaid i Ellis Nanney, sgweiar Plas Gwynfryn a darpar wrthwynebydd Lloyd George yn ei is-etholiad cyntaf yn 1890.

Ar y 26ain o Hydref, mewn cyfarfod a gynhaliwyd yn Ysgol y Bwrdd, Llangybi, mynnodd ffermwyr y plwyf ostyngiad o 15% yn y degwm-daliad. Ar ôl peth oedi, ildiwyd i'w cais. Dridiau'n ddiweddarach, bu cyfarfod cyffelyb yn Llanystumdwy pan hawliwyd gostyngiad o 20%—ond cyhoeddodd rheithor y plwyf, David Edwards, a oedd yn byw mewn cryn grandrwydd ym Mron Eifion, na allai gydsynio â'r cais. Penderfynodd y ffermwyr gasglu deiseb i fynnu gostyngiad, ond gwrthododd y rheithor am yr eildro. O ganlyniad, ffurfiwyd Cynghrair Gwrth-ddegymol Llanystumdwy, a arddelai'r arwyddair 'Rhyfel hyd y Carn'. Roedd yn arwyddocaol mai ym mhentref maboed Lloyd George y sefydlwyd y cynghrair cyntaf yn Llŷn ac Eifionydd.

Nid ymddangosodd enw Lloyd George yn yr adroddiadau niferus a gafwyd o'r cyfarfodydd hyn ym misoedd Hydref a Thachwedd, 1886. Eto, gellir dyfalu mai ef oedd yr ysgogydd cudd a wthiodd y cwch gwrth-ddegymol i'r dŵr yn Eifionydd o'r cychwyn cyntaf. Dywed un o'i gofianwyr, Hubert du Parcq, i Lloyd George draddodi ei anerchiad cyntaf yn 'rhyfel y Degwm' yn Ysgol y Bwrdd, Llangybi—cyfeiriad, yn sicr, at y cyfarfod gwrth-ddegymol cyntaf yn Eifionydd ym mis Hydref 1886. Hefyd, Lloyd George oedd y gŵr gwadd yng nghyfarfod cyntaf Cynghrair Gwrth-ddegymol Llanystumdwy a gynhaliwyd yn y pentref ar Ddydd Calan, 1887, ffaith sy'n cadarnhau ei ymyrraeth o'r dechrau yn y gwrthdystiadau yn Eifionydd.

Yn ei anerchiad yn y cyfarfod hwnnw, gwadodd y cyfreithiwr ifanc, yn sgil ymosodiadau arno, nad oedd hawl ganddo i ymyrryd mewn materion rhwng yr Eglwys a'r ffermwyr. Mynnodd fod ganddo berffaith hawl i wneud hynny am fod 'pwnc y degwm' yn fater a effeithiai ar fudd a lles yr holl gymdeithas. Awgryma'r sylwadau hyn ei fod yn awyddus i gyfiawnhau ei ymyrraeth o'r cychwyn cyntaf yn helynt y degwm a'i fod yn amlwg wedi lansio'r ymgyrch yr adeg honno yn llechwraidd a chudd er mwyn creu'r argraff mai protest naturiol o du'r ffermwyr ydoedd yn hytrach na gwaith ei ddwylo ef.

Fodd bynnag, unwaith yr oedd y mudiad wedi cael ei draed tanodd ac yntau wedi ei amlygu ei hun yn rhan o'r frwydr yn Llanystumdwy, aeth ati'n fwriadol wedyn, gydol 1887, i ledaenu'r achos ledled Llŷn ac Eifionydd ac, ar yr un pryd, adfer ei enw fel gwleidydd a fynnai weddnewid gwleidyddiaeth ei fro a Chymru. Bu'n fodd, hefyd, iddo wneud enw iddo'i hun ym mwrdeistrefi deheuol etholaeth Bwrdeistrefi Caernarfon gan anelu, pan ddeuai'r cyfle yn nes ymlaen, at gynnig am yr ymgeisyddiaeth seneddol yno fel radical a chenedlaetholwr Cymreig o'r un stamp â Tom Ellis. Yn wir, bu mewn cysylltiad cyson ag Ellis gydol y gwrthdystio; roedd y ddau ohonynt yn gweld y mater yn fodd i gryfhau'r ymwybyddiaeth Gymreig ac ymestyn yr achos i helpu nid yn unig y ffermwyr, ond hefyd y gweision ffermydd a dosbarth gweithiol masnachol a diwydiannol y Gymru drefol, trwy ffurfio Cynghrair Tirol a Llafurol yn sgil y Cynghrair Gwrth-ddegymol.

Ar ôl cyfarfod y Calan yn Llanystumdwy y daeth gwir ymyrraeth amlwg gyntaf Lloyd George yn yr ymgyrch wrth-ddegymol, a hynny ar y 6ed o Ionawr, 1887, sef diwrnod talu'r degwm yn y plwyf. Ar gais Lloyd George, gwrthododd holl ffermwyr y plwyf dalu'r degwm, er i Ellis Nanney gynnig cymorth ariannol iddynt at y gost. Enynnodd ei arweiniad lid y wasg Dorïaidd, gyda'r papur Torïaidd lleol, *Y Gwalia*, bron â mynd i wewyr wrth ymosod arno. Honnai ei chwaer-bapur, *The North Wales Chronicle*, mai dylanwadau allanol a barodd i ffermwyr arferol ufudd yr ardal wrthod talu'r degwm. Mewn erthygl olygyddol faith a maleisus, 'Eifion yn Ymwyddeleiddio', yn *Y Gwalia*, beirniadwyd ef yn hallt:

> Ymddengys mai rhyw Mr Lloyd George, cyfreithiwr o Griccieth, ydoedd prif arwr y cyfarfod o dan sylw. Nis gwyddis a ydyw y gŵr yn perthyn rhywbeth i'r archddymchwelwr Americanaidd, Henry George, ai peidio; ond gwyddom un peth na chlywsom erioed amdano fel awdurdod ar bwnc y degwm o'r blaen.

Diweddodd yr erthygl gyda sylwadau brathog-sarhaus:

> Y mae yn ddrwg iawn gennym fod rhai o amaethwyr parchus, diwyd a darbodus Eifion yn ymollwng i ffrydlif cyfeiliorniadau yr oes ac yn llyncu yr athrawiaethau Gwyddelig a bregethir gan y Wasg Radicalaidd. Deuant i weld rhyw ddiwrnod mai nid cyfreithwyr ydynt eu ffrindiau gorau.

Ni lesteiriwyd Lloyd George gan feirniadaeth wenwynig y wasg Dorïaidd, ond mwynhâi'r cyhoeddusrwydd a ddeuai yn sgil yr ymosodiadau arno, fel y gyffelybiaeth â Henry George, y diwygiwr tir Americanaidd a fu'n arwr iddo er dechrau'r 80au. Ysgogodd y feirniadaeth ef i ddyblu ei ymdrechion yn erbyn talu'r degwm a lledaenu'r achos i Lŷn ar derfyn mis Ionawr. Mewn cyfarfod gwrth-ddegymol yn Llithfaen, cyd-rannodd lwyfan ag arweinydd pennaf y mudiad yng Nghymru, ac eithrio Thomas Gee, sef John Parry, Llanarmon-yn-Iâl. Rhagarweiniad oedd y cyfarfod hwn i gyfarfod mawr ym Mhwllheli rai dyddiau'n ddiweddarach i sefydlu Cynghrair Gwrth-Ddegymol De Arfon. Yn y cyfarfod hwn, a gafodd sylw mawr yn y wasg Dorïaidd a Radicalaidd, traddododd Lloyd George araith ymfflamychol pan ddywedodd:

> Mae y wlad yn dechrau teimlo ei bod yn bryd i bobl fawr grefydda ar eu cost eu hunain bellach; eu bod yn bryd iddynt gynnal llai o gŵn hela a mwy ar y personiaid—i hepgor un set o fytheuaid er mwyn cadw set arall.

Nid oedd Lloyd George yn barod i lastwreiddio ar ei rethreg, gan hyd yn oed ymosod ar y Frenhiniaeth, ac yn y cyfarfod hwn dewiswyd ef yn ysgrifennydd Cynghrair De Arfon gan y cannoedd o ffermwyr o bob rhan o Lŷn a oedd wedi cael eu denu i Neuadd y Dref, Pwllheli. Penodwyd Tudwal Davies, Brynllaeth, Aber-erch, bardd coronog y brifwyl, a chyfaill clòs i Lloyd George, yn gyd-ysgrifennydd. Yn rhinwedd ei swydd, dyblodd Lloyd George ei ymdrechion dros yr achos gwrth-ddegymol.

Ym mis Chwefror 1887 anerchodd eto gyfarfod yn Llanystumdwy, pryd yr ysgogodd yr aelodau i barhau i wrthod talu'r degwm i'r rheithor, gan ddirmygu ar yr un pryd y rhai hynny oedd wedi ildio a thalu'r degwm. Yn y cyfarfod hwn, ymosododd ar yr Eglwys Anglicanaidd fel 'sefydliad estronol' gan ddatgan na ddylai'r Cymry Anghydffurfiol gyfrannu at ei chadw na chwaith dalu at gynnal ei Phennaeth, sef y Frenhines Victoria. Yng nghwrs ei anerchiad cyhoeddodd: 'Er nad oes gennyf i ddim gwrthwynebiad i Dduw gadw'r Frenhines, credaf fod y wlad yn rhoi mwy na digon at ei chadw'. Nid oedd Lloyd George, felly, yn ofni corddi teimladau gwrth-Seisnig na gwrth-Frenhinol er mwyn lledaenu ei achos yn erbyn y degwm. Fel y gellid disgwyl, ymatebodd *Y Gwalia* yn ffyrnig i'w haeriadau gan honni bod arweinyddion y gwrth-ddegymwyr yn 'cael eu gwneud i fyny o rai nad oeddent yn talu y degwm' a bod 'ffermwyr diniwed Eifionydd yn cael eu harwain gan rai nad oeddynt yn malio botwm corn am eu llwyddiant'.

Er gwaetha'r ymosodiadau hyn gan y wasg Doriaidd, parhaodd Lloyd George i gynhyrfu'r dyfroedd gwrth-ddegymol ym mis Ebrill 1887, pan aeth i gyfraith i hybu'r achos—achos a danlinellai fod 'twrna'r bobol' yn gwybod pob tric yn y llyfr wrth blethu ymgyfreithio a gwleidydda, a hynny ymhell cyn Achos Claddu Llanfrothen flwyddyn yn ddiweddarach.

Yn sgil penderfyniad ffermwyr Llanystumdwy i beidio â thalu'r degwm i reithor y plwyf, David Edwards, roedd yntau wedi ffyrnigo gan wrthod talu ei ddyled flynyddol, sef treth y tlodion, i Festri'r Plwyf. Honnodd wrth Arolygwr y Plwyf, Henry Jones, na fedrai fforddio'r £15 blynyddol am i'r ffermwyr wrthod talu'r degwm iddo. Pwysodd Lloyd George ar Henry Jones i wysio'r rheithor i ymddangos gerbron yr Heddlys Sirol ym Mhwllheli ac, yn naturiol, cynigiodd ymddangos ar ran y plwyfolion a'r Arolygwr Plwyf—cyfle euraid iddo greu stŵr mawr a fyddai'n sicr o ennill cyhoeddusrwydd eang, yn lleol ac yn ehangach, drwy'r wasg.

Ar y fainc ustusaidd eisteddai pedwar o landlordiaid a chlerigwyr amlycaf Llŷn ac Eifionydd a oedd yn enwog am eu gwrthwynebiad i'r gwrth-ddegymwyr. Y Cadeirydd oedd R. Carreg, sgweiar stad Carreg, Llŷn; B. T. Ellis, perchennog Rhyllech, Llŷn; Owen Evans, sgweiar stad Broom Hall, Chwilog, a rheithor Llanengan, y Parchedig Thomas Jones—y pedwar ohonynt yn Doriaid ac yn Eglwyswyr rhonc.

Bwriad Lloyd George oedd gwneud yr achos yn gynnen ffrwydrol rhyngddo ef a'r fainc, yn arbennig felly oherwydd bod torf fawr wedi ymgynnull yn y llys i wrando ar y gweithgareddau. Dadleuodd Cadeirydd y fainc nad oeddent yn barod i ganiatáu'r wŷs a chynnal achos yn erbyn y rheithor oherwydd bod Henry Jones, yr Arolygwr, wedi gwysio David Edwards yn unig a neb arall o blith dyledwyr oedd heb dalu treth y plwyf. Ymatebodd Lloyd George drwy honni mai'r rheithor oedd yr unig un oedd wedi gwrthod talu a bod gweddill y dyledwyr ar fin talu. Yna, wedi i'r Cadeirydd honni mai cymhelliad politicaidd oedd y tu ôl i'r wŷs a bod rhaid dwys ystyried a ddylid ei chaniatáu, defnyddiodd Lloyd George dacteg yr oedd i'w defnyddio'n gyson fel 'twrna'r bobol'. Bygythiodd na châi ei glient fyth gyfiawnder gerbron mainc Doriaidd ac y byddai, o ganlyniad, yn mynd â'r achos i lys uwch. Ar ôl cryn drafod, fodd bynnag, caniatawyd y wŷs ar ôl i'r Cadeirydd rybuddio Henry Jones y dylai bob amser ymddwyn yn ddiduedd.

Trefnwyd y gwrandawiad gogyfer â Phwllheli, bythefnos yn ddiweddarach, lle roedd torf fawr wedi dod ynghyd eto. Ond er siom ddirfawr iddynt, cyhoeddwyd bod y rheithor, David Edwards, wedi talu'r ddyled i'r plwyf. Serch hynny, bu'r achos yn fuddugoliaeth fawr i Lloyd George dros y Fainc landlordaidd ac eglwysig.

Ym misoedd Mai a Mehefin, daeth yr helynt gwrth-ddegymol yng Nghymru i'r berw gyda gwrthdystiadau ymfflamychol ym Mochdre a Llangwm a arweiniodd at erlyn 'Merthyron Llangwm' yn yr Uchel Lys yn Llundain ar gyhuddiadau o derfysg. Croesawai Lloyd George y cynnwrf gan ysgrifennu at ei gyfaill a'i gyd-genedlaetholwr Tom Ellis, Aelod Seneddol Meirion: 'This tithe business is proving to be an excellent lever wherewith to rouse the spirit of the people'.

Gwyddai Lloyd George yn dda sut y gellid defnyddio'r achos i hybu deffroad cenedlaethol yng Nghymru ac, ar yr un pryd, gryfhau ei siawns bersonol ef o geisio sicrhau safle seneddol fel cenedlaetholwr a radical Cymreig o'r un math â Tom Ellis. Yn wir, ym mis Mai, ceisiodd berswadio Ellis i ddod i Lŷn ac Eifionydd i annerch ralïau a drefnasai yno, gan ddatgan wrtho mewn llythyr dadlennol: 'The people are looking to you for the development of a national policy which they are tired of waiting for from their own representatives'.

Methodd Tom Ellis fynychu'r rali arfaethedig, ond ym misoedd Mehefin a Gorffennaf aeth Lloyd George ati i godi'r rhyfel gwrth-ddegymol i'r entrychion yn Llŷn gan danio sawl tyrfa a fyddai'n casglu yn ffeiriau pentymor yr ardal. Yn ffeiriau cyflogi Sarn Mellteyrn ac Aberdaron roedd ei fryd ar gadw'r pair gwrth-ddegymol i ffrwtian. Yn ffair y Sarn, gerllaw pentref Bryncroes, lle roedd y ffermwyr lleol wedi gwrthod talu'r degwm, anerchodd dorf enfawr yn fyrfyfyr, er bod gohebydd o bapurau Gwasg y Genedl yno yn barod i anfon adroddiadau manwl i'r *Genedl Gymreig* a'i chwaer-bapur, *Y Werin*. Yng nghwrs ei araith, honnodd Lloyd George:

> . . . mai Estrones Seisnig wedi ei gwthio ar y Cymry gan y llywodraeth oedd yr Eglwys Wladwriaethol, mai yspail oedd ei gwaddol, nad oedd ei chlerigwyr yn gwneud eu gwaith a'u bod yn waeth na Robin Hood, yr hwn a fyddai'n yspeilio'r cyfoethog i roi i'r tlawd ond yspeilio'r tlawd yr oeddent hwy.

Oherwydd ei araith gynhennus, ymosodwyd arno yn y fan a'r lle gan ddeuawd clerigol, y ficer lleol a'i giwrad, a bu deialog ffyrnig a maith rhwng y clerigwyr a Lloyd George a barhaodd, yn ôl adroddiadau'r wasg, am ddwy awr. Daeth y cyfan i uchafbwynt pan apeliodd Lloyd George ar i'r dorf ymrannu o blaid ac yn erbyn Datgysylltu'r Eglwys, yr hyn a wnaed, yn ôl *Y Genedl Gymreig*, yn ddieithriad yn erbyn yr Eglwys. Cafwyd adroddiadau o'r digwyddiad arbennig hwn yn y Sarn yn *Y Faner* ac yn *Yr Herald Cymraeg* hefyd. Wedyn, rai dyddiau ar ôl hynny, ymwelodd â ffair Aberdaron. Oddi yno anfonodd gohebydd lleol yr wythnosolyn Torïaidd, *Y Gwalia*, adroddiad ffyrnig, ac ar yr un pryd taflodd ddŵr oer dros ymdrechion blaenorol Lloyd George yn y Sarn: 'Dim ond 13 oedd wedi dod ynghyd i wrando arno yn y ffair yn Aberdaron ar ddydd y Jiwbili'.

Roedd Lloyd George ar ben ei ddigon ar ôl yr ymweliadau hyn gan nodi yn ei ddyddiadur, heb unrhyw dinc o ostyngeiddrwydd, ar ôl ei ymweliad â'r Sarn: 'I spoke on the street there with much hwyl . . . crowd appeared to be much impressed . . . I spoke on top of a beer barrel . . . hwyl fawr iawn'.

Mewn cyfarfod tebyg ar ddydd ffair Nefyn ym mis Mehefin 1887, bu mewn ymrafael arall pan ymosododd yn ffyrnig ac yn arwyddocaol ar araith seneddol Aelod Seneddol Torïaidd y Bwrdeistrefi, Edmund Swetenham, yn galw'r gwrth-ddegymwyr yn 'lladron penffordd'. Achubodd Lloyd George ar y cyfle i blesio etholwyr Bwrdeistrefi Caernarfon (oedd yn parhau yn haf 1887 heb ymgeisydd seneddol) drwy alw Swetenham a'i debyg yn amddiffynwyr 'Sefydliad Seisnig a llu o gynffonwyr yn perthyn iddi'.

Tarfwyd ar ei araith gan heclwyr Torïaidd a bu'n rhaid iddo gwblhau'r cyfarfod y tu allan i'r neuadd yr oedd ef wedi ei llogi yn Nefyn ar ddiwrnod y ffair. Ond yn yr awyr agored, llwyddodd i gynnig bod ffermwyr yr ardal (lle cafwyd cryn helynt degymol) yn mynnu gostyngiad o 10% yn y degwm-daliad gan y sgweiar lleol, Wynne Finch, Cefnamwlch. Rhybuddiodd y byddai'r ffermwyr yn gwrthwynebu i'r carn unrhyw ymdrech gan y beilïaid i atafaelu eu heiddo. Yn ystod y mis hwn hefyd, trefnodd gyfarfod ym Mhwllheli i agor cronfa i amddiffyn Merthyron Llangwm.

Daeth y gweithrediadau hyn ag ymgyrchoedd ymfflamychol Lloyd George i ben yn 1887, ac eithrio cyfarfod nodedig gyda John Parry, arweinydd amddiffynwyr Merthyron Llangwm yng Nghricieth ym mis Rhagfyr 1887. Trefnodd y cyfarfod er mwyn paratoi'r ffordd i wrthwynebu talu'r degwm yn yr ardal ym mis Ionawr 1888. Unwaith eto, codwyd gwrychyn *Y Gwalia* ac adroddodd mai siomedig oedd y nifer a ddaeth i wrando ar Parry a Lloyd George: 'Prawf mai lled amharod oedd pobol Cricieth i lyncu eu hathrawiaethau'.

Prin bod dehongliad y wasg Dorïaidd yn sylwebaeth deg ar effeithiolrwydd ymgyrchu Lloyd George yn ystod 1887, fodd bynnag. Trwy ei ymgyrchu yr oedd wedi dod i amlygrwydd mawr yn Sir Gaernarfon ac wedi adfer ei siawns o sicrhau ymgeisyddiaeth Ryddfrydol wag Bwrdeistrefi Caernarfon. Parodd hyn iddo, erbyn diwedd 1887, feddwl o ddifrif am wneud cais am y Bwrdeistrefi oherwydd, er ymddeoliad Love Jones Parry, roedd Cymdeithas Ryddfrydol Bwrdeistrefi Caernarfon wedi gohirio penodi olynydd iddo. Gydol 1887, roedd nifer o enwau wedi cael eu cynnig a'u gwyntyllu yn y wasg, er nad oedd enw Lloyd George yn eu plith. Roedd y mwyafrif o'r enwau a gynigiwyd, fel y gellid disgwyl mewn sedd mor geidwadol, yn perthyn i adain Gladstonaidd y blaid: pobl fel cyfaill Stuart Rendel, Aelod Seneddol Maldwyn, A. C. Humphreys-Owen, perchennog stad Glansevern, Maldwyn, a Clement Higgins QC, bargyfreithiwr o gefndir Seisnig Chwigaidd—y math o ddewis y byddai '*respectable dummies*' Rhyddfrydiaeth Gymreig yn ochri tuag atynt. Ond gyda'r newid yn yr hinsawdd gwleidyddol yng Nghymru i gyfeiriad mwy radical a chenedlaethol yn 1886-7, ni allai mandariniaid dosbarth-canol Cymdeithas Ryddfrydol Bwrdeistrefi Arfon osgoi'n llwyr y posibilrwydd o fabwysiadu ymgeisydd seneddol o dras rhai fel Tom Ellis ac efallai Lloyd George. Yn wir, gydol mis Hydref 1887, bu cri barhaus ym mhapurau Gwasg y Genedl yng Nghaernarfon am ymgeisydd o gefndir cymdeithasol ac o safbwyntiau gwleidyddol tebyg i rai Tom Ellis.

Ym mis Hydref 1887, yn sgil ei weithgarwch yn y Bwrdeistrefi, roedd Lloyd George wedi torri i mewn i ryw raddau i *élite* gwleidyddol yr etholaeth drwy gael ei ethol yn aelod cyffredin o Gymdeithas Ryddfrydol Bwrdeistrefi Arfon. Er bod llawer o'r arweinyddion yn parhau'n wrthwynebus i un o'i safbwynt politicaidd ef, heb sôn am ei gefndir cymdeithasol a chrefyddol, roedd hefyd yn gwybod y deuai ei gyfle gydag amser. Efallai nad syndod iddo felly nodi yn ei ddyddiadur mor gynnar â'r 4ydd o Fedi 1887 y sylwadau dadlennol ac optimistaidd canlynol: 'I want to cultivate the boroughs and if the Unionist government holds together another 3 years, I may stand a good chance to be nominated as Liberal candidate'.

Fodd bynnag, roedd am oedi cyn mentro'n rhy sydyn am yr ymgeisyddiaeth, fel y gwnaeth yn 1886 ym Meirion. Ond ar y 26ain o Dachwedd, pan ohiriodd y Bwrdeistrefi ddewis ymgeisydd eto, gwyddai y byddai'n rhaid iddo wneud ymdrech i sicrhau'r enwebiad yn 1888, gan wneud hynny'n gudd am beth amser. Ym mis Rhagfyr, gofynnodd i'w gyfaill—yr undebwr Llafur D. R. Daniel, o'r Ffôr, ger Pwllheli—gysylltu â'i ffrind mynwesol ef, Tom Ellis, AS, i sicrhau cefnogaeth Ellis i'w enwebiad. Yn ddi-os, y cyhoeddusrwydd a gafodd Lloyd George yn sgil yr ymgyrch wrth-ddegymol yn 1887 a'i cymhellodd i benderfynu ar y cam tyngedfennol yn 1888 i geisio eto am sedd seneddol.

Bu'r modd y sicrhaodd yr enwebiad ymhen blwyddyn, erbyn mis Ionawr 1889, yn gamp i ryfeddu ati, gan iddo'i gipio fel cenedlaetholwr a radical Cymreig a gwneud hynny trwy beidio â gwneud cais uniongyrchol yn gyhoeddus am yr enwebiad tan fis Mehefin 1888, pryd y cyhoeddodd y tair bwrdeistref ddeheuol—Cricieth, Nefyn a Phwllheli—eu bod yn ei enwebu gogyfer â'r ymgeisyddiaeth. Un ffactor allweddol a sicrhaodd gefnogaeth y bwrdeistrefi deheuol hyn yn chwe mis cyntaf 1888 oedd iddo barhau ei ymgyrchu yn 'Rhyfel y Degwm' ac ymestyn yr ymgyrch i ffurfio Cynghrair Tirol a Llafurol, yn 1888, gan ddangos ei fod yn radical a chenedlaetholwr o'r math newydd mewn cytgord â Tom Ellis.

Yn y cyfnod hwn, ymestynnodd yr helynt degymol i ddelio â 'phwnc y Tir' yn ei holl agweddau. Yr oedd yn benderfynol o gysylltu cwynion y tenantiaid â phroblemau dyrys y gweision ffermydd, ac yn arbennig felly anghenion y dosbarth gweithiol bwrdeistrefol—y chwarelwyr ithfaen yn y bwrdeistrefi deheuol a'r chwarelwyr llechi yn y parthau gogleddol. Mewn etholaeth ffiniol fel hon roedd llafurwyr amaethyddol a chwarelwyr yn byw oddi mewn i ffiniau'r bwrdeistrefi, a byddai eu cefnogaeth hwy'n allweddol mewn unrhyw etholiad. Felly, roedd yn rhaid iddo, yn 1888, ymddangos fel amddiffynnydd y sectorau hyn o'r gymdeithas.

I'r perwyl hwn, uniaethodd ei hun ar drothwy 1888 â Chynghrair Tirol, Llafurol a Masnachol Thomas Gee a sefydlwyd i ddisodli ac ehangu'r Gymdeithas Er Cynorthwyo Gorthrymedigion y Degwm. Cyn sefydlu'r mudiad newydd roedd Howel Gee, mab y sylfaenydd, wedi cysylltu â Lloyd George gan anfon drafft o gyfansoddiad y cynghrair ato. Mewn llythyr dadlennol at Gee, pwysleisiodd Lloyd George y byddai'n rhaid i'r cynghrair ddelio â phroblemau llafurol, yn ogystal â phroblemau'r ffermwyr. Yn neilltuol, pwysleisiodd achos gweision ffermydd yr oedd Gee a'i debyg yn dueddol o'u diystyru. Meddai wrth Howel Gee:

> Inexplicable omission. Here is a class more numerous and more fearless than our cautious Welsh farmers. The government's allotment scheme is a sham and a delusion; falls far short of Chamberlain's scheme which was really a great idea.

Roedd Lloyd George yn llawn sylweddoli bod nifer o weision ffermydd yn byw yn eu tai eu hunain ym Mwrdeistrefi Cricieth, Nefyn a Phwllheli ac yn meddu ar y bleidlais. Ond pwysicach iddo oedd y dosbarth gweithiol trefol a oedd yn brin o dai neu oedd wedi codi eu tai ar les a'r tai hynny ar ddiwedd y les yn dychwelyd i'r tirfeddianwyr. Roedd am weld y cynghrair yn rhoi blaenoriaeth i ryddfreinio'r prydlesoedd fel y gallai dosbarth gweithiol y trefi brynu'r les ar eu tai am bris rhesymol. Yr oedd hefyd am fynnu rhenti teg a threthu'r arian rhent a âi i bocedi'r tirfeddianwyr Torïaidd hyn. Meddai wrth Howel Gee ymhellach:

> Another glaring omission. We ought to add the fixing of fair ground rents and the enfranchisement of leaseholds upon that basis and I shall tell you why—the Conservatives seem to have a stronger hold upon the towns than the counties.

Apeliodd ar Howel Gee i sicrhau hefyd bod y Cynghrair yn delio â gofynion chwarelwyr a mwynwyr—er mwyn gwella eu hamodau gwaith a rhoi cymorth i'w hundebau, camau a ddangosai fod Lloyd George yn ceisio symud y Rhyddfrydwyr i gyfeiriad colectifistaidd 'Y Ryddfrydiaeth Newydd' mor gynnar ag 1887-8. Roedd pleidlais y dosbarth gweithiol newydd ethol-freintiedig yn y Bwrdeistrefi yn holl bwysig iddo hefyd. Meddai wrth Gee:

> Land Question as it affects mining interests is completely ignored. This will lose support of miners and quarrymen . . . their grievance is quite as acute as any of the farmers.

Pan sefydlwyd y Cynghrair newydd yn 1888, cynhwyswyd rhai o welliannau blaengar Lloyd George yn y cyfansoddiad, ond ni fu'r cynghrair mor arloesol ag y dymunai iddi fod. Serch hynny, roedd Lloyd George yn barod i ddefnyddio'r Cynghrair yn ystod chwe mis cyntaf ei fodolaeth i ennill rhagor o glod iddo'i hun ym Mwrdeistrefi Caernarfon a hyrwyddo 'Y Radicaliaeth Newydd' a fyddai, fe obeithiai, yn gyfrwng i sicrhau enwebiad seneddol iddo.

Roedd Lloyd George yn awyddus i weld sefydlu canghennau'r Cynghrair yn Llŷn ac Eifionydd, yn arbennig yn y Bwrdeistrefi. Ym mis Mawrth 1888, trefnodd ymweliad gan John Parry, Llanarmon-yn-Iâl, â'r fro i sefydlu canghennau o'r mudiad yn yr ardal. Mewn cyfarfod lluosog ym Mhwllheli i sefydlu cangen yno, achubodd ar y cyfle i alw ar Ryddfrydwyr Cymru i 'fabwysiadu ymgeiswyr seneddol i fynnu hawliau gweithwyr Cymru yn San Steffan'. Dirmygwyd ei sylwadau gan y newyddiadur Eglwysig, *Y Llan a'r Dywysogaeth*, a haerai ei fod yn ceisio tanseilio'r Eglwys a'i hoffeiriaid trwy 'daflu baw yng ngwyneb y bobl a oedd nid yn unig yn anrhydedd ond yn fendith i gymdeithas'.

Ni fennai'r feirniadaeth ddim arno, a mis yn ddiweddarach daeth cyfle euraid i'w ran i'w wir amlygu ei hun yng Nghricieth a Phwllheli, pan hebryngodd neb llai na Thomas Gee o gwmpas yr ardal. Cafodd y daith sylw mawr nid yn unig yn *Y Faner* ond yn y wasg Gymreig drwyddi draw.

Yng nghwrs y daith anerchodd Gee a Lloyd George gyfarfodydd enfawr yn Llŷn ac Eifionydd. Gofalodd Lloyd George fod cyfarfod Cricieth yn cyd-ddigwydd â dyddiad ffair pentymor y dref a bu ei ewythr—y crydd, Richard Lloyd—yn ddigon hirben i gyflogi'r *Town Crier* lleol i hysbysebu'r cyfarfod ledled y dref a'r ardal. Roedd disgwyl mawr am y cyfarfod hefyd oherwydd bod Gee eisoes wedi condemnio Ellis Nanney, sgweiar lleol y Gwynfryn, Llanystumdwy, am orfodi un o'i denantiaid i ymadael â'i fferm am ei fod wedi gwrthod talu'r degwm ac wedi ymuno yng Nghynghrair Tirol a Llafurol Gee. Ym meddiant Lloyd George roedd llythyr diarddel y tenant. Gyda rhwysg theatrig tynnodd y llythyr o'i boced gerbron y cyfarfod yng Nghricieth a dadlennu ei gynnwys gan wybod bod asiant Nanney, W. B. C. Jones, yn y gynulleidfa. Aeth y dorf yn wenfflam, digwyddiad a barodd i'r *Gwalia*, yr wythnos ganlynol, lambastio Lloyd George fel: 'Y gobeithiol hwnnw o wŷr y gyfraith sy'n hudo tenantiaid gonest i'r fagl'.

Fodd bynnag, bu'r ymddangosiad hwn yng Nghricieth, fel gweddill taith Gee, o fudd mawr i Lloyd George yn ystod y misoedd allweddol hyn yn ei fywyd. Bu Gee a'r *Faner* bwerus yn gefn mawr iddo wedi hynny ar ôl y datgeliad cyhoeddus ym mis Mehefin bod bwrdeistrefi deheuol yr etholaeth yn barod i'w gefnogi fel yr ymgeisydd seneddol ar gyfer Bwrdeistrefi Caernarfon.

Ar drothwy'r datgeliad hwnnw, ymwelodd Lloyd George eto â ffair Sarn Mellteyrn yn Llŷn, lle cafodd eto dderbyniad gwresog a sylw mawr yn y wasg Radicalaidd a sylw yr un mor feirniadol gan y wasg Doriaidd. Ymosododd y newyddiaduron Ceidwadol yn nodweddiadol sarhaus arno, gan geisio ei bardduo ef yn bersonol, a'i gymharu â therfysgwyr Gwyddelig. Defnyddiodd *Y Gwalia* ei cholofn olygyddol ar y 30ain o Fai i'w gondemnio, gan ddechrau'r truth gyda chyferbyniad Gwyddelig: 'Ymwelwyd â'r ffair gan haid o Wyddelod Cymreig,' meddai'r papur, 'yn cael eu harwain gan fachgen di-farf o Griccieth.'

Roedd *Y Llan a'r Dywysogaeth* yr un mor llafar a sarhaus, gan gyhoeddi cân faleisus 'Y Dyn Ymyrgar' a honnai y byddai triciau ac ystrywiau terfysglyd Lloyd George yn siŵr o brofi'n wrth-gynhyrchiol drwy godi gwrychyn yr union rai y ceisiai ennill eu cefnogaeth.

Fodd bynnag, roedd y fath sylw gan y papurau Toriaidd yn fêl ar fysedd Lloyd George ac yn gyhoeddusrwydd na wnâi unrhyw ddrwg iddo ymhlith y Rhyddfrydwyr na'r etholwyr yn gyffredinol. Yn fuan wedi hyn, cyhoeddwyd ei fod ran o'i ffordd tuag at sicrhau ymgeisyddiaeth Bwrdeistrefi Caernarfon, er bod ganddo gryn ffordd i fynd cyn ennill cefnogaeth y tair bwrdeistref ogleddol—Caernarfon, Conwy a Bangor. Ond gyda'i ddewis gan Nefyn, Pwllheli a Chricieth ar y 6ed o Orffennaf 1888, roedd cam bras a phwysig wedi'i gymryd yn ei gais i sicrhau ei uchelgais wleidyddol.

Yn ddi-ddadl, un o'r ffactorau pwysicaf a adnewyddodd ei obeithion gwleidyddol yn 1887 ac 1888 oedd y defnydd meistrolgar a wnaeth o 'Ryfel y Degwm', heb sôn am ymestyn yr helynt gwledig hwnnw i gyfeiriad gwir radical a chenedlaethol. Roedd ar fin cipio ei ymgeisyddiaeth seneddol gyntaf—carreg filltir holl bwysig yn ei yrfa—a nod yr agosaodd ati yn 1888. Gwnaeth hynny, nid yn unig efo 'Rhyfel y Degwm' a'i rôl fel 'Y Dyn Ymyrgar' yn Llŷn ac Eifionydd, ond ar yr un pryd trwy ddefnydd meistrolgar o'r wasg, gan gynnwys ei 'wythnosolyn cenedlaethol a "sosialaidd"' ei hun, *Yr Udgorn Rhyddid*, a lansiodd ym mis Ionawr 1888.

PRIF FFYNONELLAU

Y Gwalia, 1886-88; *Y Llan a'r Dywysogaeth*, 1886-88; *The North Wales Observer and Express*, 1886-88; *The North Wales Chronicle*, 1886-88; *Yr Herald Cymraeg*, 1886-88; *Baner ac Amserau Cymru*, 1886-88; *Carnarvon and Denbigh Herald*, 1886-88; *The Cambrian News*, 1886-88; *Y Genedl Gymreig*, 1886-88; *Yr Udgorn Rhyddid*, 1888.

Llyfrgell Genedlaethol Cymru: Papurau William George a David Lloyd George; Papurau Tom Ellis; Papurau Voelas, Llŷn; Papurau D. R. Daniel; Papurau Thomas Gee.

Gweler eto draethawd MA Emyr Price, pennod V.

DARLLEN PELLACH

Frank Price Jones, 'Rhyfel y Degwm', *Trafodion Hanes Sir Ddinbych*, 1965.

Emyr Price, 'Lloyd George a Rhyfel y Degwm, 1886-88', *Trafodion Hanes Sir Gaernarfon*, 1978.

Emyr Price, *Ail gloriannu Thomas Gee* (Dinbych, 1977).

Ieuan Wyn Jones *Y Llinyn Arian: Agweddau ar fywyd a chyfnod Thomas Gee* (Dinbych, 1998).

Pennod 4

Ei Erfyn Cenedlaethol a Sosialaidd 1888-9: Yr Udgorn Rhyddid

Yn gynnar yn ystod ei yrfa gyn-seneddol, roedd Lloyd George wedi canfod dylanwad y wasg trwy ysgrifennu erthyglau grymus i bapurau lleol yn Sir Gaernarfon gan wyntyllu pynciau politicaidd yn *The North Wales Express* yn 1880 ac 1881. Nid anghofiodd y wers hon wrth i'w seren wleidyddol godi erbyn 1887 ac yntau wedi llwyddo i gael cyhoeddusrwydd mawr yn y wasg ynghanol 'Rhyfel y Degwm'.

Ar ddechrau 1888, pan oedd ei fryd ar gipio ymgeisyddiaeth seneddol Bwrdeistrefi Caernarfon, penderfynodd y byddai'n rhaid iddo gael awenau'r wasg i'w ddwylo ei hun. Nid oedd am ddibynnu'n unig ar bapurau pobl eraill. Roedd bod yn berchen ar ei bapurau ei hun yn batrwm y byddai'n ei ddilyn weddill ei yrfa, gyda'i ymdrechion i brynu rhai o bapurau mwyaf grymus y Deyrnas.

Daeth y cam cyntaf yn y broses yma o berchenogi papurau newydd ar adeg dyngedfennol yn ei yrfa ym mis Ionawr 1888, pan sefydlodd wythnosolyn Cymraeg a fyddai'n cylchredeg ym Mwrdeistrefi Caernarfon, yn arbennig yn y rhai deheuol, sef Cricieth, Nefyn a Phwllheli. Tref Pwllheli fyddai man cyhoeddi ac argraffu'r papur, *Yr Udgorn Rhyddid*, a gyhoeddwyd gyntaf ar y 4ydd o Ionawr, 1888, papur a fyddai'n gyfrwng iddo geisio ennill enwebiad seneddol y bwrdeistrefi a chadw 'pwnc y tir' i ffrwtian.

Byddai hefyd yn erfyn cenedlaethol a radicalaidd iddo hybu ei ddelwedd fel gwleidydd a roddai flaenoriaeth i sicrhau bod mesurau radicalaidd yn cael eu gwireddu trwy gyfrwng Senedd Ffederal Gymreig yng Nghaerdydd. Byddai'n senedd a fyddai'n deddfu nid yn unig ar bynciau Anghydffurfiol Cymreig, megis dirwest a datgysylltiad yr eglwys, ond hefyd ar bynciau economaidd a chymdeithasol gwledig a threfol, fel yr oedd wedi eu hamlinellu i Howel Gee yn ei fwriadau gogyfer â'r Cynghrair Tirol a Llafurol yn 1887.

Nid syndod iddo felly, wrth baratoi at lansio *Yr Udgorn Rhyddid* ar ddiwedd 1887, nodi mewn llythyrau at ei gyd-gyfranddalwyr y byddai'r wythnosolyn â neges chwyldroadol a chenedlaethol Gymreig.

UDGORN RHYDDID.

(The Trumpet of Freedom)

Newyddiadur Cenedlaethol Cymreig.

Rhif 51. Cyf. II. DYDD MERCHER, RHAGFYR 19, 1888. (Registered for transmission abroad). Pris Dimai.

Y Prif Gwnstabl a Helynt y Degwm yn Llannor.

Pan ar fyned i'r wasg cawsom ar ddeall fod y Prif Gwnstabl wedi anfon llythyr at y Parch. D. E. Davies, yn datgan ei ddiolchgarwch gwresocaf iddo am gydsynio a'i gais trwy fyned i Lannor ddydd Gwener diweddaf, ac am ei ymdrech ef ac eraill o arweinwyr y blaid i gadw trefn. Teimlwn yn ddiolchgar i Col. Ruck am ei foneddigeiddrwydd yn cydnabod hyn. Efallai y cawn y llythyr i'w gyhoeddi eto.

Derbyniasom y llythyr canlynol oddiwrth Mr. Carter, fel copi o'r hyn a anfonwyd at y rhai yr [illegible] arnom ei gyhoeddi yn yr Udgorn:—

Rhag. 17eg, 1888.

Anwyl Syr,—Dymunaf gyflwyno fy niolchgarwch diffuant i chwi a phlwyfolion eraill am eich hynawsedd i mi dydd Gwener diweddaf, tra yr oeddwn yn ceisio cyflawni dyledswydd tra annymunol. Pa wahanol olygiadau bynag a ddigwyddwn goleddu, gallwn oll gyd-lawenhau yn y ffaith y medr cymaint o'n cyd-wladwyr ymgynull ynghyd heb droseddu y gyfraith.

Yr eiddoch yn gywir,
H. Lloyd Carter.

ACHOS CLADDU LLANFROTHEN.

BUDDUGOLIAETH ARDDERCHOG.

Bydd cofus gan ein darllenwyr am yr achos [illegible]

Yr Anrhydeddus Frederick Wynn a'i Denantiaid.

Yr ydym yn deall fod Mr. Wynn wedi cyfarwyddo ei oruchwyliwr, Mr. Richard Roberts, i ganiatau [illegible] yn ol 10 y cant i'r holl denantiaid amaethyddol ar ei ystad yn Sir Gaernarfon a Sir Fon, a fyddant wedi talu eu degwm hyd Gorphenaf diweddaf.

MARWOLAETH MR. ROBERT OWEN, PWLLHELI.

Boreu Mercher diweddaf brawychwyd trigolion Pwllheli a'r amgylchoedd a'r newydd galarus o farwolaeth un o'n trefwyr mwyaf parchus, sef Mr Robert Owen, Llyfrwerthydd. [illegible] Cymerodd ei angladd le dydd Llun, pryd y talodd cannoedd o bobl eu teyrnged olaf o barch iddo.

CYNGHOR SIROL

SIR GAERNARFON.

At Etholwyr Sirol Dosbarth Llanengan a Llangian.

Foneddigesau a Boneddigion.

Wedi ymgyndynu mor hir yn erbyn ceisiadau fy nghyfeillion, gwel pawb o honoch mai nid awydd am anrhydedd personol sydd yn fy nghymell i ddyfod allan yn ymgeisydd i'ch cynrychioli ar y [illegible]

Meddaf yr anrhydedd o fod
Eich ufudd was
Abel Williams,
Tach. 26ain, 1888. Abersoch.

Y CYNGOR SIROL.

AT ETHOLWYR LLEYN AC EIFIONYDD.

Anwyl Gydwladwyr,

Yr ydym ni sydd a'n henwau isod, ymgeiswyr am aelodaeth ar y Cynghor Sirol dros wahanol Ranbarthau yn Lleyn ac Eifionydd, trwy hyn yn dymuno datgan ein golygiadau ar y materion Sirol a drosglwyddir dan Gyfraith y Llywodraeth Leol i ofal y Cynghorau hyn:—

1. Yr ydym yn ffafriol i'r Gymraeg fod yn Iaith Llafar yn eisteddiadau y Cynghor.
2. Hyd y byddo yn bosibl, yr ydym yn ffafriol i benodiad Cymry yn Swyddogion dan y Cynghor.
3. Yr ydym yn erbyn cyflogau gormodol a phob gwastraff afreidiol; ac yr ydym yn credu y dylai y cyflogau a delir o'r Dreth Sirol gael eu penodi gan y Cynghor.
4. [illegible]
6. Yr ydym yn bleidiol i ddiwygiad yn nghyfansoddiad yr Heddlu, ac yn credu y dylent fod yn gyfangwbl o dan reolaeth y Cynghor; a bod profiad a theilyngdod yn amod dyrchafiad i'r swyddau uchaf.
7. Ymdrechwn ymgyrhaedd at gynllun ac effeithiolrwydd ynglyn a chadwraeth y Ffyrdd a'r Pontydd.
8. Ein bod yn ei hystyried yn bwysig i gael dynion Ryddfrydig i wir gynrychioli syniadau y wlad tuag at iddynt roddi eu llais o blaid neu yn erbyn mesurau a gynygir yn y Senedd Ymherodrol.
9. Yr ystyriwn yn bwysig cael dynion all gydymdeimlo a masnachwyr a ffermwyr y wlad i gyfarfod a Dirprwywyr y Rheilffordd, er cael fraul cludiad nwyddau mor isel ag sydd fodd.

Meddwn, yr anrhydedd o fod,
Foneddigesau a Boneddigion,
Eich Ufudd Wasanaethyddion,

John T. Jones, Criccieth.
Wm. Roberts, Moelfre fawr.
J. H. Davies, Caertyddyn.
H. Tudwal Davies, Brynllaeth.
Abel Williams, Abersoch.
O. W. Griffith, Mela.
Wm. Williams, Pwllcrwn.

CYNGHOR SIROL

SIR GAERNARFON.

AT ETHOLWYR NEFYN, CEIDIO, A BODFEAN.

Foneddigesau a Boneddigion.

Ar ddymuniad nifer luosog o Etholwyr y rhanbarth uchod, ac hefyd fel dewisedig y blaid Ryddfrydol a gynhaliwyd yn Nefyn Nos Sadwrn diweddaf, dymunaf gynyg fy hun am yr anrhydedd o'ch cynrychioli yn y Cyngor Sirol.

Gan fy mod yn adnabyddus i chwi o'm mebyd, hyderaf nad rhaid i mi wrth lythyrau canmoliaeth.

Y mae fy ngolygiadau gwleidyddol hef-

[illegible]

Yr eiddoch, Foneddigesau a [illegible] yn ostyngedig,
Mela, O. W. G[illegible]
Rhag. 10, 1888.

Eisteddfod Gadeiriol Gwyn[illegible]

Cynhelir Cyngherdd yn y [illegible] Drefol, Pwllheli, nos Iau, Ionawr [illegible] 1889, yn yr hwn y bydd cystadl[illegible] mewn canu unrhyw Solo, y [illegible] blaen-seddau i feirniadu.

CHRISTMAS AND NEW YEAR CARDS

SUPERB NEW DESIGNS. 1d. to 4s. 6d.
A Packet of 50 Cards, for 6d.
A Packet of 12 Cards, for 1d.

CARDIAU NADOLIG, &c.

DYMUNA

Richard Jones, [illegible] hysbys fod ganddo Stoc newydd [illegible] Cardiau uchod, am brisiau o 1g i 4s. 6c.

RICHARD JONES,
High Street, Pwllheli.

Llanbedrog.

John Jones, Coal Merchant, dymuna wneud yn hysbys i'w holl gwsmeriaid y bydd ganddo yn Station Pwllheli [illegible] o'r Glo Newport a Wigan hyd nes y bydd ganddo Longau yn Llanbedrog.

D.S.—Dydd Llun, Mercher, a'r Gwener y bydd yn y Station.

Yr Udgorn Rhyddid
Mae'r rhifyn hwn, 19 Rhagfyr, 1888 yn cynnwys adroddiad ar ddiweddglo llwyddiannus i Achos Claddu Llanfrothen.

Mewn llythyr at y trefnydd dirwestol a'r undebwr llafur, a'r confidant politicaidd agosaf a oedd ganddo ar y pryd, D. R. Daniel o'r Ffôr, ger Pwllheli, mynegodd ei gred ar y 4ydd o Ragfyr 1887 y byddai'r papur 'yn chwyldroi y wlad'. Wedyn, mewn llythyr arall at Daniel, ar yr 21ain o Ragfyr, amlinellodd yn glir ei amcanion milwriaethus. Meddai wrth Daniel:

> The project is in a fair way to realization. In conjunction with D. Evan Davies, William Anthony and one or two others, I decided to embark on

> the enterprise. Will you join? We propose raising a capital of say £100 and limiting our liabilities to that amount, so as to escape the injurious consequences of libel suits. It is to be thoroughly nationalist and socialist—a regenerator in every respect.

Rhagwelai Lloyd George, felly, wythnosolyn grymus a beiddgar a fyddai'n hwylio'n agos at y gwynt cyfreithiol wrth danlinellu anghyfiawnderau landlordaidd a diffygion cyfalafwyr a oedd yn berchen chwareli llechi ac ithfaen yr ardal. Credai y byddai'r papur yn barod hefyd i wahodd achosion posibl o athrod. Yr oedd yn benderfynol y byddai'n lledaenu propaganda cenedlaethol Gymreig ac yn pregethu neges 'sosialaidd'—yn yr ystyr ei fod ef ei hun wedi cael ei ddylanwadu gan gredoau sosialaidd, fel athroniaeth E. Pan Jones, Michael Davitt a'r elfennau colectifistaidd a oedd ynghlwm yn athroniaeth arwyr iddo fel y diwygiwr tir Americanaidd, Henry George, a'i gefnogaeth gynharach i syniadau '*municipal socialism*', Joseph Chamberlain.

Lloyd George, mae'n amlwg, a fathodd ei deitl hefyd—teitl a oedd yn dwyn i gof seiniau'r utgyrn a alwai wrthdystwyr i brotestio mewn ocsiynau i atafaelu ffermydd y rhai a oedd wedi gwrthod talu'r degwm. Mewn llythyr arall at D. R. Daniel rai dyddiau cyn y lansio, pan ymbiliodd arno i olygu'r wythnosolyn, roedd enw'r papur yn rhoi boddhad mawr iddo: 'Why not *Udgorn Rhyddid*? Something stirring! Never mind the bombast if the stuff that is in it is good, as it will be, if you undertake the editorial duties'.

Arferodd Lloyd George, mae'n amlwg, ei ddoniau cyfareddol wrth wahodd Daniel i olygu'r wythnosolyn, ac ef a Lloyd George fu'n ei olygu am y misoedd cyntaf. Y bwriad, dan eu golygyddiaeth hwy, oedd codi cynnwrf, yn bennaf yn Llŷn ac Eifionydd, yng nghanol yr 'Ymwyddeleiddio' honedig a oedd yn digwydd yno yn 1887 ac 1888 yn ôl haeriadau'r Wasg Doriaidd. Un a awchai yn 1887 am ddyfodiad *Yr Udgorn* oedd Tom Ellis, cyfaill i Daniel a Lloyd George, Aelod Seneddol Meirion ac arweinydd symudiad cyntaf Cymru Fydd yn yr 80au hwyr. Meddai mewn llythyr at Daniel ar yr 21ain o Ionawr, 1887, wythnos cyn y lansio: 'Yr wyf yn meddwl llawer am *Yr Udgorn* a bron na chlywaf ei lais eisoes'.

Prif gyfranddalwyr y Cwmni oedd Lloyd George a'i frawd iau, William George, a nifer o wŷr busnes adnabyddus ym Mhwllheli, fel D. Evan Davies, gweinidog gyda'r Methodistiaid Calfinaidd a datblygwr eiddo, a William Anthony, dilledydd goludog: y ddau yn aelodau blaenllaw o Gymdeithas Ryddfrydol Bwrdeistrefi Caernarfon ond nid ar donfedd Cymru Fydd Lloyd George. Hefyd ar Fwrdd *Yr Udgorn* yr oedd Maer y dref, Edward Jones YH, a masnachwr te llewyrchus, eto'n Rhyddfrydwr cymedrol. Fodd bynnag, roedd un aelod o'r Bwrdd Cyfarwyddwyr, H. Tudwal Davies y bardd coronog o Aber-erch, yn gyfaill clòs i Lloyd George ac eisoes wedi bod yn flaenllaw gydag ef yng ngwrthdystiadau'r degwm. Eto i gyd, roedd mwyafrif y Bwrdd yn barchus a chymedrol eu safbwyntiau gwleidyddol ac yr oedd Lloyd George ar ddechrau mis Ionawr 1888 wedi methu rhoi ei holl sylw i lansiad y papur am ei fod wedi priodi yr wythnos honno â Margaret Owen o Fynydd Ednyfed, Cricieth. Wedi iddo ddychwelyd o'i fis mêl yn Llundain ar derfyn wythnos gyntaf Ionawr, nid oedd yn hapus â'r lansiad a gafodd yr wythnosolyn, dan oruchwyliaeth Bwrdd o Gyfarwyddwyr a oedd, fe gredai, yn wrthwynebus i neges 'cenedlaethol a sosialaidd' *Yr Udgorn*.

Mewn llythyr at D. R. Daniel ym mis Chwefror 1888, mynegodd ei ddiflastod â *mores* snobyddlyd a safbwyntiau glastwraidd y Bwrdd a'r ffaith bod rhai ohonynt yn ymyrryd ym mholisi golygyddol y papur i amharu ar amcanion chwyldroadol y fenter. Meddai wrth Daniel:

> It is a wretched paper as now conducted. Articles of considerable local interest which I managed to secure have been totally suppressed whilst some stuffy nonsense written by D. Evan Davies and O. N.'s smooth vanities are published in prominent type . . . I shall resign or get a better understanding.

Nid un i ymddiswyddo oedd Lloyd George ac, yn wir, gydol 1888 ac 1889 gwnaeth ddefnydd helaeth o'r *Udgorn* i hybu ei syniadau blaengar a'i yrfa wleidyddol. Dim ond nifer cyfyngedig o gopïau o'r *Udgorn* yn 1888 ac 1889 sydd wedi goroesi mewn unrhyw archif, ond o edrych trwyddynt, ac o'r hyn y gellir ei gasglu o ddyddiadur D. R. Daniel yn y cyfnod, mae'n amlwg fod y papur wedi bod yn erfyn allweddol i Lloyd George fel cenedlaetholwr a radical a oedd â'i fryd ar ymuno â Tom Ellis yn y senedd er mwyn gweddnewid gwleidyddiaeth Cymru, yn bennaf. Trwy ei golofnau hefyd cafodd gyhoeddusrwydd personol mawr yn ei ddarpar etholaeth.

At hynny, roedd mynych gyfeiriadau o'r *Udgorn Rhyddid* yn cael eu hatgynhyrchu yng ngholofnau'r wasg Gymreig drwy etholaeth Bwrdeistrefi Caernarfon gydol y cyfnod hefyd, yn arbennig ym mhapurau Cwmni Gwasg y Genedl yng Nghaernarfon a'r papurau hynny, *Y Genedl Gymreig*, *Y Werin* a'r *North Wales Observer and Express* yn meddu ar gylchrediadau eang dros Ogledd Cymru.

O ddyddiadur D. R. Daniel gellir canfod i Lloyd George, o'r dechrau, chwarae rhan flaenllaw efo'r *Udgorn*, er i'w briodas a'i fis mêl ei lesteirio am blwc ddechrau mis Ionawr rhag cymryd gofal llawn o'r papur yr adeg honno. Ef yn sicr, fodd bynnag, yn ôl Daniel, a gyfansoddodd ail erthygl olygyddol y papur ac y mae'n bur debyg hefyd iddo baratoi'r erthygl olygyddol gyntaf oll—Y Dadganiad—cyn iddo fynd i Lundain. Yn sicr, y mae'r erthygl yn adlewyrchu ei steil rhethregol a'i ddawn â geiriau. Diffiniai'r erthygl hon hefyd amcanion y papur ac yn sicr adlewyrchai flaenoriaethau gwleidyddol Lloyd George, y radical a'r cenedlaetholwr Cymreig.

Nod cyntaf *Yr Udgorn*, yn ôl yr erthygl, fyddai: 'Hybu buddiannau y llafurwyr amaethyddol, y chwarelwyr a'r glo weithwyr, yr amaethwyr diwyd a'r masnachwyr gonest rhag gormes a thraha tir feddianwyr a chrach fonedd y wlad'.

Yr ail nod, honnai'r erthygl, fyddai hybu'r deffroad Cymreig: 'Bydd Cymru a Chymry, yn diriogaeth a phobl, yn bwnc arbennig ei yrfa.'

Wedyn, yn olaf, pwysleisiodd Lloyd George yn ei erthygl olygyddol gyntaf: 'Ymladdwn achos y gorthrymedig yn ymosodol ond eto'n heddychlawn'.

Cyfuno polisïau colectifistaidd newydd a'r galw am Senedd Gymreig oedd nod y '*nationalist and socialist regenerator*', felly, gan arwain Lloyd George i goleddu syniadau newydd a fyddai'n esgor erbyn dechrau'r 90au ar fabwysiadu mor gynnar ag 1894 bolisïau megis galw am gyflwyno treth farwolaeth ar y cyfoethogion, heb sôn am ddechrau galw am gwtogi oriau gweithwyr diwydiannol. Nid oedd yn fwriad ganddo chwaith ollwng elfennau o'r hen ymgyrch draddodiadol Ryddfrydol Anghydffurfiol, sef ymosod ar 'Drindod Anghysegredig' y Rhyddfrydwyr—y bragwyr, yr eglwys a'r landlordiaid Seisnigedig, oll yn cael eu cwmpasu yn y blaid Dorïaidd.

Yn ei erthygl olygyddol gyntaf, daeth y tri *bête noire* yma dan lach ei eiriau rhethregol. Galwodd ar i'r llywodraeth ddeddfu dros ddirwest a dewisiad lleol, a chryfhau Deddf Cau Tafarnau ar y Sul 1881 i atal yfed mewn clybiau ar y Saboth ac atal 'dynion ar eu taith' rhag llymeitian ar ddydd yr Arglwydd. Galwodd am ddatgysylltu'r eglwys a defnyddio eu gwaddoliadau i wella bywyd y werin Gymreig a mynnai renti teg i denantiaid amaethyddol, heb sôn am alotments ar renti isel i weision ffermydd. Roedd y diwygiadau hyn, meddai, yn faterion y gallai Senedd Gymreig roi blaenoriaeth iddynt.

Yn ail erthygl olygyddol *Yr Udgorn*, 'Dechrau yn y Dechrau', ar yr 11eg o Ionawr, clodforodd ef y cynnwrf politicaidd a oedd yn lledu dros Gymru. Galwodd hefyd am 'drefn ac ymroddiad i fynnu hawliau'r bobl'. Wedyn yn Feseianaidd ymwybodol apeliodd, heb ei enwi ei hun, am ddyfodiad arweinydd yn Arfon 'i uno'r gweithwyr, y llafurwyr tir a'r ffermwyr i drawsnewid y wlad'. Ychwanegodd hefyd: 'Deued rhywun allan i gasglu y dŵr ynghyd a'i wneud i redeg yn un afon a theimlir ei nerth yn fuan'.

Roedd delweddau Lloyd George, y Bedyddiwr, yn amlwg, a'r erthygl flaen yn gwbl uniongyrchol, ond heb ei enwi ef yn bersonol, yn wahoddiad i etholwyr newydd Bwrdeistrefi Caernarfon chwilio am ymgeisydd seneddol o'i gefndir a'i ymroddiad ef. Amlygwyd amcanion *Yr Udgorn* yn y rhifyn hwn hefyd pan ysgrifennodd D. R. Daniel, o dan y ffugenw 'Democrat', erthygl ymfflamychol 'Yr Ymddeffroad Cymreig'. Ynddi honnai fod: 'Gwŷr ieuainc ein Hathrofeydd a'n Prifysgol wedi gwthio "Duw Gadwo'r Frenhines" o'r neilldu a gorseddu "Hen Wlad Fy Nhadau".'

Mewn erthygl arall gan Plenydd (H. J. Williams, yr areithydd dirwestol enwog o Eifionydd a'r cyntaf, yn honedig, i roi llwyfan cyhoeddus i Lloyd George) galwodd ar i 'yspryd Cymru Fydd ysgytio pobl Llŷn' a chyfansoddodd y bardd Tudwal, un o gyfarwyddwyr bwrdd *Yr Udgorn*, nifer o ganeuon dychanol, 'Caneuon yr Udgorn', a ddifrïai landlordiaid Cymru.

Yn y rhifynnau canlynol o'r *Udgorn* parhawyd i ddefnyddio'r fformiwla dabloidaidd hon o ysgrifennu erthyglau dychanol ac ysgafn, caneuon, englynion, a hyd yn oed erthyglau megis 'Llythyr y Gwyddyl' a ymddangosai'n wythnosol. Ysgrifennwyd y golofn hon mewn iaith fwriadol sathredig i'w gwneud yn fwy dealladwy i'r werin wrth geisio corddi teimladau ar bwnc ymreolaeth a phwnc y tir. Er enghraifft, yn rhifyn y 15fed o Chwefror, yn arwyddocaol o safbwynt Lloyd George, galwodd yr 'Hen Wyddyl' yn ei golofn fel hyn ar etholwyr Bwrdeistrefi Caernarfon: 'Fi ishio pobol Caernarfon a Bangor dewis another Tom Ellis, if they can find one'.

Yn y steil tabloidaidd hwn taranai'r 'Hen Wyddyl' bob wythnos gan annog y darllenwyr i ddilyn esiampl eu brodyr Gwyddelig a mynnu *Home Rule* a chyfiawnder economaidd a chymdeithasol i'r Cymry gwledig yng nghanol dirwasgiad amaethyddol yr 80au. Dyma'r union amser yn 1888 pan oedd Lloyd George ei hun yn teithio o amgylch Bwrdeistrefi Caernarfon yn traddodi ei ddarlith—'Cwynion Cymreig a Meddyginiaethau Gwyddelig'. Gofalai'r *Udgorn* roi lle blaenllaw i'r daith 'ganfasio' gudd hon yn y Bwrdeistrefi fel y gwnaed â'i ymweliadau â chlybiau Rhyddfrydol Pwllheli a Bangor, ym mis Mawrth 1888, i draddodi'r ddarlith a swyno Rhyddfrydwyr dylanwadol y ddwy fwrdeistref allweddol yma yn yr etholaeth y gobeithiai yn y dyfodol ei chynrychioli.

O wythnos i wythnos, roedd y papur yn cyhoeddi hefyd erthyglau personol, ymfflamychol yn erbyn Torïaid yr ardal a thirfeddianwyr a chlerigwyr, gan ymylu ar athrod. Yr oedd Lloyd George wedi rhag-weld hynny, pan honnodd mai cwmni cyfyngedig gwerth £100 yn unig oedd *Yr Udgorn*, er mwyn osgoi talu iawndal i'w wrthwynebwyr.

Cyfeiriai'r erthyglau hyn yn aml at y myrdd o ocsiynau atafaelu a gynhelid yn yr ardal wrth i'r beilïaid ymweld â ffermwyr oedd heb dalu degwm, i feddiannu eu stoc a'i werthu. Cynhwyswyd adroddiadau o siroedd Aberteifi, Dinbych a Fflint am y gwrthdystiadau, megis adroddiad o Chwitffordd, yn nhrydydd rhifyn y papur, lle roedd y ffermwyr wedi atal ocsiwn atafaelu, a'r adroddiad yn llawenhau:

> Y mae y fyddin amaethyddol yn chwyddo yn barhaus a'r eglwys yn cael y rhan drymaf o lawer o'r costau a'r colledion.

Roedd Lloyd George hefyd yn barod i ddefnyddio'r golofn olygyddol, megis ar yr 8fed o Chwefror, i gymell y ffermwyr yn Llŷn i barhau i wrthdystio, gan ddwrdio eu bod ar adegau yn llugoer eu rhan yn 'Rhyfel y Degwm'. Meddai yn ei Olygyddol: 'Mae sôn fod cythrwfwl y degwm yn codi ym mhobman ond ym Mhen Llŷn . . . mae trigolion Llŷn mor dawel a digyffro yn y cyfeiriad hwn â phe buasent yn ddeiliad Cetewayo yn Neheudir Affrica.'

Wedyn fe aeth ati i lambastio 'llwfrdra a gwaseidd-dra rhai ffermwyr yn Llŷn ac Ymneillduwyr sy'n ffond o'r Eglwys a'r Torïaid'.

Ym misoedd cyntaf *Yr Udgorn*, bu sawl adroddiad o bentref maboed Lloyd George am barhad yr ymgyrch i wrthod talu'r degwm, mewn ardal lle roedd ef, flwyddyn ynghynt, wedi bod yn ffigur cudd allweddol yn dechrau 'Rhyfel y Degwm' yno. Cafodd Llanystumdwy fwy na'i siâr o sylw yng ngholofnau'r *Udgorn*, ac yn rhifyn y 18fed o Chwefror o'r papur, dechreuwyd cyfres o erthyglau'n condemnio'r modd yr oedd Ellis Nanney, sgweiar ystad y Gwynfryn a darpar wrthwynebydd Lloyd George pan ddeuai is-etholiad Bwrdeistrefi Caernarfon yn 1890, yn ymdrin â'i denantiaid. Byddai'r stori am y modd y bu i Ellis Nanney godi rhent W. Evans, Cae Einion am iddo wrthod talu'r degwm yn rhedeg a rhedeg am wythnosau yn *Yr Udgorn* yn 1888. Cafwyd storïau cyffelyb hefyd am dirfeddianwyr eraill Seisnigedig a Thorïaidd Cymru yn y papur, gan ganolbwyntio ar orthrwm teuluoedd megis y Faenol a'r Penrhyn—yn arwyddocaol, y teuluoedd oedd yn gefn i'r blaid Geidwadol ym Mwrdeistrefi allweddol Caernarfon a Bangor yn yr etholaeth y deisyfai Lloyd George ei chipio dros y Rhyddfrydwyr.

Yn ogystal, yn y rhifynnau cynnar hyn o'i wythnosolyn, gwnaeth Lloyd George apêl ar i'r darllenwyr anfon arian i'r papur; byddai'n cael ei anfon i Gronfa Amddiffyn Merthyron Llangwm, er mwyn eu galluogi i ymladd yr Achos Uchel Lys yn eu herbyn am wrthod talu'r degwm. Deuai hyn yn ystod yr union adeg yr oedd Lloyd George, a oedd yn gyfaill clòs i amddiffynnydd 'y Merthyron', Alun Lloyd, yn teithio o gwmpas Llŷn ac Eifionydd gyda Thomas Gee, Cadfridog 'Y Rhyfel' a pherchennog *Baner ac Amserau Cymru*, yn sefydlu Cynghreiriau Tirol a Masnachol ac ennill *kudos* cyhoeddus iddo'i hun.

Gofalodd Lloyd George roi cyhoeddusrwydd ffafriol iddo'i hun ac i agweddau eraill ar 'Bwnc y Tir' hefyd. Rhannai gonsýrn arbennig â Tom Ellis am ffawd y gwas fferm a'r tyddynnwr bach, ac yn yr un modd ag Aelod Meirion, roedd ganddo ddiddordeb ysol yn nhynged y *crofters* yn ucheldiroedd yr Alban. Yn rhifyn cyntaf *Yr Udgorn*, cafwyd erthygl yn cyferbynnu eu hynt a'u helynt â ffawd y tyddynwyr Cymreig, gan gadarnhau'r hyn yr oedd Lloyd George wedi ei bwysleisio wrth Howel Gee yn 1887, sef bod angen gwneud y Cynghrair Tirol a Llafurol yn fudiad a gwmpasai ddeddfwriaeth i roi chwarae teg i'r tenantiaid tlotaf a chefnogi undebau i weision ffermydd drwy wyrdroi'r drefn landlordaidd.

Rhoddwyd sylw mawr yn ei bapur newydd cyntaf hefyd i fater llosg radicalaidd a oedd eisoes wedi ei hybu ym Meirion yn 1886 ac 1887—mater o gonsýrn arbennig i lawer o etholwyr Bwrdeistrefi Caernarfon, sef rhyddfreinio'r prydlesoedd. Y landlordiaid mawr fel Glynllifon, y Faenol a'r Penrhyn oedd piau'r *freehold* (y tir) yr oedd y dosbarth gweithiol wedi codi eu tai arno ar brydles. Ar ddiwedd y brydles, felly, byddai'r tir a'r eiddo'n dychwelyd i'r tirfeddiannwr. Gwyddai Lloyd George yn dda am y teimladau o anghyfiawnder a achosid gan hyn, a defnyddiodd *Yr Udgorn* yn gyson i fynnu rhyddfreinio'r prydlesoedd. Yr oedd yn achos gwerth ei wyntyllu i un a ddeisyfai ymgeisyddiaeth seneddol wag Bwrdeistrefi Caernarfon. Mewn erthygl yn ei bapur ar yr 11eg o Ionawr, neilltuodd dudalen i'r achos, gan alw am Ddeddf Rhyddfreinio'r Prydlesoedd. Yn arwyddocaol, galwodd hefyd am ymgeisydd i Fwrdeistrefi Caernarfon a roddai flaenoriaeth i'r nod hwnnw.

Defnyddiai'r colofnau hefyd i gorddi'r dyfroedd cyhoeddus ar bynciau mwy traddodiadol Ryddfrydol megis dirwest, tynhau'r Ddeddf Cau Tafarnau ar y Sul, a mater llosg Datgysylltiad a Dadwaddoliad yr Eglwys Anglicanaidd yng Nghymru. Yn rhifyn y 29ain o Chwefror, er enghraifft, cyhoeddwyd adroddiad lliwgar o gyfarfod Datgysylltiad yn Neuadd y Dref, Cricieth, pryd yr anerchodd ef dyrfa luosog, gan rannu llwyfan â Rhyddfrydwyr amlwg, megis y Dr John Thomas, Lerpwl a'r Parchedig J. Eiddon Jones, Llanrug, Rhyddfrydwr dylanwadol yn Sir Gaernarfon. Wedyn, rai dyddiau'n ddiweddarach, yn ôl *Yr Udgorn*, torrodd ar draws Cyfarfod Amddiffyn yr Eglwys a oedd yn cael ei annerch yn y dref gan Reithor Abermaw, y Parchedig William Hughes. Heriodd ef i ddadl gyhoeddus ar y pwnc, ond gwrthododd y rheithor ac fe derfynwyd y cyfarfod mewn anhrefn. Yr oedd hon yn dacteg yr oedd eisoes wedi ei defnyddio mewn cyfarfodydd ac mewn ffeiriau ac yn dacteg a ddeuai â chyhoeddusrwydd mawr iddo, er nad oedd wrth fodd amryw o Ryddfrydwyr cymedrol a pharchus y Bwrdeistrefi.

Gwyntyllodd Lloyd George bynciau ehangach yn nyddiau cynnar *Yr Udgorn* a phynciau â blas arloesol iddynt. Er enghraifft, yn yr erthygl olygyddol a ysgrifennodd ar y 18fed o Ionawr 1888, tarodd dant arbennig iawn a oedd i ddwyn ffrwyth neilltuol ar drothwy'r Rhyfel Mawr. Galwodd am fesur seneddol ar fyrder, i danseilio grym Tŷ'r Arglwyddi, gan ddefnyddio ieithwedd rethregol a ymdebygai i'w berfformiadau seneddol yn 1911. Meddai:

> Mae y sefydliad hwn yn groes i ysbryd yr oes . . . Sylfaen gwir lywodraeth yw llais y bobl . . . Mae Tŷ'r Arglwyddi wedi ennill enwogrwydd fel arch elyn pob diwygiad. Gall y gwannaf ei amgyffrediad a'r aflanaf ei gymeriad eistedd yn y Tŷ urddasol hwn . . . Addewir yn rhwydd, hyd yn oed gan Doriaid, bod angen diwygio ar Dŷ'r Arglwyddi ond diddymiad llwyr yw yr unig ddiwygiad gwerth ymladd drosto . . . Byddai rhestru cwymp y duw gormes hwn ym mysg buddugoliaethau rhyddid yn destun gorfoledd i'r oesau a ddêl.

Roedd amrywiaeth rhyfeddol o erthyglau i'w canfod yn rhifynnau cynnar *Yr Udgorn*—erthyglau, er enghraifft, am yr angen i awdurdodau lleol wario ar ffyrdd ac adeiladau cyhoeddus i hybu'r diwydiant llechi ac ithfaen, er mwyn datrys diweithdra yn y sir. Ceid hefyd golofnau'n beirniadu Torïaeth Anghydffurfwyr yn nhref Pwllheli, ac mewn erthygl flaen yn rhifyn y 29ain o Chwefror, beirniadwyd merched capelaidd snobyddlyd y dref honno am fynychu cyfarfodydd y mudiad merched Torïaidd, Cynghrair y Friallen ('Ladies neis y Primrose League'). Ysgrifennodd Lloyd George: 'Mae sefydlu y gymdeithas hon yn anfri ar ein cenedl. Wrth edrych dros list aelodau y gymdeithas ym Mhwllheli, er mawr syndod, canfyddwn enwau rhai Ymneillduwyr.'

Roedd gwedd fwy smala ac elfen boblyddol i'r *Udgorn* hefyd. Cynhwyswyd straeon '*penny dreadfuls*' yn y papur i ddenu darllenwyr, megis straeon yn difrïo stiwardiaid chwareli, ciperiaid lleol a rheolwyr ystadau'r ardal. Yn aml codwyd straeon tabloid o bapurau Saesneg i ddiddanu'r darllenwyr—straeon megis 'Darganfod Babi mewn Basgiad' a 'Dilyw yn China'. Roedd hefyd sgandals achosion llys, megis achosion '*breach of promise*' ac achosion o ymladd a meddwi.

Fodd bynnag, ni ellir osgoi'r casgliad mai prif bwrpas yr wythnosolyn, o leiaf yn ei gyfnod cynnar pan oedd Lloyd George wrth y llyw golygyddol, oedd creu agenda wleidyddol newydd fel erfyn cenedlaethol a radicalaidd iddo ef ac, yn y cyswllt hwnnw, paratôdd y ffordd iddo sicrhau ymgeisyddiaeth seneddol fel un a gydweddai ag amcanion cenedlaethol Tom Ellis. Bu mynych gyfeiriadau yn y papur at yr angen i weddnewid cynrychiolaeth seneddol Cymru, er mwyn ethol aelodau newydd a fyddai'n arddel safbwyntiau llafurol. Cyplysodd hynny â'r galw am Senedd Gymreig i hybu diwygiadau cymdeithasol; nid yn unig ddiwygiadau Anghydffurfiol, ond diwygiadau'n ymwneud â buddsoddi cyhoeddus, budd a lles a materion llafurol.

At hynny, bu cyfeiriadau personol mynych at Lloyd George ei hun yn y rhifynnau cychwynnol ar adeg pan oedd, yn gyfrinachol, yn cynllunio yn y dirgel i greu lle iddo'i hun fel yr unig ddewis i lenwi enwebiad gwag Bwrdeistrefi Caernarfon. Er enghraifft, nodwyd yn rhifyn y 18fed o Ionawr iddo serennu mewn ffug-etholiad a gynhaliwyd gan Gymdeithas Ddadlau Cricieth. Ffug-etholiad Bwrdeistrefi Caernarfon oedd hon ac, fel y llwyr ddisgwylid, Lloyd George a ddaeth i'r brig fel y buddugwr Rhyddfrydol. Dyma amlygiad o'i wir ddyhead ac, mewn ffordd ryfedd, rihyrsal iddo cyn dyfod gwir etholiad mor gynnar ag 1890. Fodd bynnag, ym mis Ionawr 1888, nid oedd eto wedi cael ei ddewis yn ddarpar ymgeisydd ar gyfer yr etholaeth, hyd yn oed.

Cyfeiriad diddorol arall ato ym mis Ionawr 1888, ac yn wir ym mhob rhifyn o'r *Udgorn* yn ystod y cyfnod hwn, oedd hysbyseb o'i eiddo ef a'i frawd William yn cyhoeddi eu bod, fel twrneiod, nid yn unig yn gweithredu fel cyfreithwyr i bobl yn gwerthu a phrynu tai, ond eu bod hefyd yn rhoi benthyg arian ar diroedd. Yr oedd Lloyd George & George, meddai'r hysbyseb, yn meddu 'ar gyflawnder o arian i'w fenthyca ar diroedd ar delerau rhesymol'. Yr oedd y brodyr George yn asiant i Gymdeithas Adeiladu, felly, tra bod y brawd hynaf yn arddel mesurau sosialaidd i wladoli tai a thir.

Cyfeiriad diddorol arall at Lloyd George yn rhifynnau cynnar *Yr Udgorn* oedd yr adroddiad manwl yn rhifyn cyntaf y papur am ei briodas â Margaret Owen, Mynydd Ednyfed, ar ddechrau mis Ionawr 1888. Cynhaliwyd y ddefod yng Nghapel Pencaenewydd, yn hytrach nag yn ei chapel hi yng Nghricieth na chwaith yng nghapel Penymaes—ei gapel ef a'i ewythr, Richard Lloyd.

Cyhoeddodd *Yr Udgorn* am y briodas:

> Ddydd Mawrth diwethaf, ymbriododd Mr D. Lloyd George, Cricieth, cyfreithiwr â Miss Maggie Jones, Mynydd Ednyfed. Aeth yr un deublyg hyn wedyn tua Llundain er cael heddwch o'r stŵr ofnadwy a wnaed yn y dref a rhag cael eu dallu gan y tân a'r goleuni yno [cyfeiriad at goelcerth a daniwyd i ddathlu'r achlysur].

Nid oedd cyfeiriad yn y papur, fodd bynnag, at y ffaith na chynhaliwyd y briodas yng Nghricieth oherwydd bod rhieni Margaret am ei chadw'n briodas ddistaw ac oherwydd nad oedd cytundeb, am resymau enwadol, yn union ym mha gapel yn y dref y dylid ei chynnal. Roedd hi'n eironig hefyd bod y ddau yn cael eu priodi gan y Parchedig John Owen, a oedd ei hun wedi deisyfu priodi Margaret ac un y byddai ei rhieni wedi ei ffafrio. Yn wir, pan ddechreuodd Lloyd George ganlyn ei ddarpar wraig, gwnaeth ei rhieni hi bopeth i atal y garwriaeth oherwydd bod Lloyd George yn Fedyddiwr, o gefndir cymdeithasol llai breintiedig na theulu Mynydd Ednyfed, ac efallai am iddynt glywed am ei garwriaethau eraill yng Nghricieth yn fachgen ifanc.

Fodd bynnag, priodwyd y ddau, ac yn ddiamau yr oedd y briodas yn gaffaeliad mawr iddo. Er mai tenant oedd Richard Owen, Mynydd Ednyfed, yr oedd ganddo'r modd i anfon ei ferch i ysgol fonedd Dr Williams, Dolgellau ac wedi iddo ymddeol yn 1890, i godi dau dŷ arbennig yng Nghricieth—un ohonynt i Margaret a David. Yn sicr, oherwydd cymeriad arbennig Margaret a'i chefndir cysurus, heb sôn am y ffaith ei bod yn perthyn i'r enwad mwyaf niferus a mwyaf snobyddlyd ym Mwrdeistrefi Caernarfon, roedd y briodas yn 1888 o fantais fawr i Lloyd George. Yn null y cyfnod Fictoraidd, cyhoeddwyd cyfres o benillion i'r ddau a'u cyhoeddi yn *Yr Udgorn*—y pennill cyntaf yn nodweddiadol o'r chwe phennill, wedi eu hysgrifennu mewn ieithwedd gyfreithiol:

> Mi gredwn na chollet byth 'case' mewn un lle
> Ond ha! serch a'th drechodd yn hollol ynte
> Judge Cupid ddywedai—'according to Laws'
> 'Verdict for Serch' and all costs in the cause.

Roedd y pennill olaf hefyd yn yr un cywair:

> Eich 'delight' fu'n dangnef, heb unrhyw boen du
> I roi 'notice to quit' i ddedwyddwch y tŷ
> 'Addition ere long'—many blessings to reap
> 'Several fair copies' and 'Copies to keep'.

Nid oedd y penillion hyn yn ernes o allu llenyddol y bardd a'u hanfonodd i'r *Udgorn*, ond bu'r papur newydd cyntaf a sefydlodd Lloyd George, yn ddiamau, yn erfyn cenedlaethol a radicalaidd holl bwysig iddo ar gyfnod tyngedfennol yn ei yrfa. Cyfnod pan oedd yn ymgeisio i greu agenda wleidyddol newydd yng Nghymru a chreu lle iddo'i hun yn y byd politicaidd drwy gyflawni ei awch am sedd seneddol fel math newydd o wleidydd Cymreig. Yr oedd bod yn berchen ar ei bapur newydd ei hun yn wers nad anghofiodd gydol ei yrfa, fel un a oedd o'r cychwyn cyntaf wedi sylweddoli pa mor rymus oedd cyfrwng torfol y cyfnod—y papur newydd yn 'Oes Aur y Wasg Gymraeg'. Roedd *Yr Udgorn Rhyddid* yn dangos yn ddigamsyniol hefyd mai cenedlaetholwr Cymreig oedd David Lloyd George, a hynny nid am resymau tactegol yn unig.

PRIF FFYNONELLAU

A. C. Sutton, *Directory of North Wales*, 1889; *Yr Udgorn Rhyddid*, 1888; *The North Wales Observer and Express*, 1888.

Llyfrgell Genedlaethol Cymru: Papurau David Lloyd George a William George; Papurau D. R. Daniel; Papurau W. J. Parry.

Gweler eto draethawd MA Emyr Price, pennod V.

DARLLEN PELLACH

E. Morgan Humphreys, 'Profiadau Golygydd', *Trafodion Hanes Sir Gaernarfon*, 1950.

D. G. Lloyd Hughes, *Hanes Tref Pwllheli* (Llandysul, 1986).

Emyr Price, *Prentisiaeth Wleidyddol Lloyd George a Pwllheli* (Pwllheli, 1979).

Emyr Price, 'Newyddiadur Cyntaf Lloyd George', *The Journal of the Welsh Bibliographical Society*, 1976.

PENNOD 5

Y Gamp Fawr: Ennill Ymgeisyddiaeth Bwrdeistrefi Caernarfon, 1888-9

Rhwng misoedd Ionawr a Gorffennaf 1888, pryd y datganodd ar goedd am y tro cyntaf ei fod yn dymuno cynrychioli Bwrdeistrefi Caernarfon fel Ymgeisydd Rhyddfrydol a goleddai safbwynt cenedlaethol radicalaidd newydd, roedd Lloyd George eisoes wedi braenaru'r tir tuag at y nod hwnnw. Gwnaed hynny drwy ddefnydd meistrolgar o'r *Udgorn Rhyddid* a thrwy ei weithgareddau yn rhan ddeheuol yr etholaeth mewn cytgord â Thomas Gee gyda'r Cynghrair Tirol, Masnachol a Llafurol yng ngwanwyn 1888.

Roedd hynny wedi dod ag ef i lygad y cyhoedd ym Mwrdeistrefi Cricieth, Pwllheli a Nefyn. Roedd hi'n amlwg bod Lloyd George yn paratoi'n ofalus, yn wir, yn llechwraidd, i ymorol na fyddai'n gwneud ymdrech gyn-amserol i gipio'r enwebiad, fel y gwnaeth mor or-eiddgar ym Meirionnydd yn 1886. Roedd am gropian cyn cerdded y tro hwn, a rhan annatod o'i strategaeth oedd gofalu na fyddai'n mentro i ennill serchiadau'r holl etholaeth tan iddo'n gyntaf sicrhau bod y Bwrdeistrefi Deheuol yn amlwg o'i blaid.

Yn ogystal â'r *Udgorn* a'r Cynghrair, felly, dangosodd hefyd egni rhyfeddol yn ystod chwe mis cyntaf 1888 drwy gynnal *blitzkrieg* o weithgarwch yn yr etholaeth. Gwnaeth hynny heb ddatgan wrth neb ond ei frawd, William George, a'i ewythr, Richard Lloyd a rhai eneidiau hoff cytûn yng nghorlan Cymru Fydd fel D. R. Daniel a Tudwal Davies, fod ei lygaid ar y Bwrdeistrefi.

Daeth cyfle iddo, ym mis Chwefror 1888, ennill rhagor o gefnogaeth y cyhoedd ym mro ei febyd drwy rannu llwyfan Datgysylltiad yr Eglwys yng Nghricieth gyda dau o aelodau blaenllaw Rhyddfrydol Cymreig a ffrindiau mynwesol rhai o brif fandariniaid Pwyllgor Etholaeth Bwrdeistrefi Caernarfon—Y Parchedig J. Eiddon Jones, Llanrug, ac un o hoelion wyth y Pulpud Cymreig ac Annibyniaeth, sef Dr John Thomas, Lerpwl. Wedyn, ar yr un pwnc a chan ddangos yr un hyfdra ag a ddangosodd yng ngweithgareddau Rhyfel y Degwm yn 1888, aeth i ganol ffau'r llewod yng Nghricieth, wythnos yn ddiweddarach, gan ennill sylw mawr yn y wasg. Mynychodd yno gyfarfod

Mudiad Amddiffyn yr Eglwys, gyda'r pleidiwr Eglwysig, y Parchedig E. Hughes, Abermaw yn serennu yno, a thorri ar draws ei anerchiad.

Mynnodd ddadl gyhoeddus â'r clerigwr ar bwnc 'yr Estrones' ond gwrthododd y Cadeirydd hynny. Bu helbul yn dilyn ei ymyriad a bu raid gohirio'r cyfarfod. Roedd Lloyd George ar ben ei ddigon wrth gyffesu hynny i'w gyfaill D. R. Daniel, mewn llythyr cyfrinachol ato, gan ofyn ar yr un pryd am lyfr dibynadwy ar hanes Cymru. Meddai: 'I haven't got any book on the Welsh Church'.

Dyma gyfaddefiad rhyfedd gan un a oedd wedi amlygu ei hun ers rhai blynyddoedd cyn hyn ar lwyfannau Datgysylltiad. Serch hynny, roedd ei bresenoldeb ar flaen y gad yn taranu yn erbyn yr Eglwys yn bluen arall yn ei gap wrth greu enw iddo'i hun ym Mwrdeistrefi Caernarfon ar adeg dyngedfennol. Ni wnaeth salwch, chwaith, ei lesteirio rhag cael rhagor o gyhoeddusrwydd gyda'r achos hwn, wythnos ar ôl tarfu ar yr Eglwyswyr yng Nghricieth. Pan geisiodd y Parchedig E. Hughes annerch cyfarfod tebyg ym Mhorthmadog, cododd Lloyd George o'i wely claf, a mynd yno i'w herio i ddadl gyhoeddus, a mynnu mai 'eglwys estron oedd yr Eglwys Anglicanaidd'. Darfu'r cyfarfod, unwaith eto, mewn anhrefn llwyr a chludwyd Lloyd George o'r cyfarfod i Glwb y Rhyddfrydwyr yn y dref, lle y traddododd araith ymfflamychol yn erbyn yr Eglwys. Cafwyd sylw mawr i hyn yn y wasg leol, gan gynnwys y papur wythnosol Torïaidd, Eglwysig, *Y Gwalia*, a fynegodd yn faleisus ond gyda pheth gwirionedd: 'Yr oedd am arddangos ei dalentau, ennill bri a chreu anhrefn'.

Roedd hynny'n wir, a'r ymarferiad gwrth-Eglwysig yn ne'r etholaeth wedi ychwanegu at ei enw fel radical beiddgar a dangos ar yr un pryd ei fod yn barod i wyntyllu barn ar bwnc fel y Datgysylltiad a blesiai'r hen Ryddfrydwyr yn ogystal â'r etholwyr newydd. Nid syndod iddo yr wythnos ganlynol, ar ôl yr ymarferiad hwn, annerch torf luosog ym Mhwllheli yng nghwmni'r arweinydd gwrth-ddegymol ac amddiffynnydd Merthyron Llangwm, Alun Lloyd, a galw yno, heb ei enwi ei hun yn benodol, ar i etholaethau Cymreig ddewis ymgeiswyr newydd beiddgar, yn cynrychioli'r ddemocratiaeth newydd. Parodd hyn i'r wythnosolyn Eglwysig, *Y Llan*, ei gystwyo trwy ddatgan: 'Taflodd fwd yn wyneb y rhai a oedd nid yn unig yn anrhydedd ond yn fendith i gymdeithas'.

Ni fennai hyn ddim arno, oherwydd ym misoedd cynnar 1888, yn ychwanegol at ei ddefnydd o'r *Udgorn* a'r Cynghrair Tirol a Llafurol, roedd atgasedd y wasg Dorïaidd yn adlewyrchu ei fod yn fygythiad iddynt. Deuai hynny ag ef fwyfwy i lygad y cyhoedd yn y Bwrdeistrefi a oedd yn parhau, er 1886, heb setlo ar ymgeisydd seneddol i geisio cipio'r sedd oddi ar y Ceidwadwyr.

Wedi ymddiswyddiad Love Jones Parry ar ôl iddo golli'r sedd yn 1886, roedd mandariniaid dosbarth-canol Pwyllgor Gwaith Bwrdeistrefi Caernarfon wedi bod yn gogr-droi am amser maith cyn dewis olynydd iddo. Roedd Lloyd George wedi cael ei ethol ar y Pwyllgor ym mis Ionawr 1887, am y tro cyntaf, ond fe'i cafodd ei hun yng nghanol Rhyddfrydwyr na rannai ei syniadau radicalaidd cenedlaethol.

Y Cadeirydd oedd y dyn busnes llwyddiannus o Fangor, T. C Lewis, tra parhâi'r twrnai cymedrol, R. D. Williams, Porth yr Aur, Caernarfon yn ysgrifennydd. Y ddau is-lywydd oedd y Sais, H. L. Squires o Gonwy a John Davies (Gwyneddon), y mwyaf radicalaidd, o bosib, o holl aelodau'r Pwyllgor. Yr aelodau eraill oedd Albert Wood o Gonwy, perchennog gwesty; Lewis Hughes, Conwy, perchennog storfa; D. Lloyd Edwards, twrnai o Bwllheli; W. Jones-Owen, groser o'r dre; a D. Evan Davies, Pwllheli, datblygwr eiddo ac un a oedd wedi beirniadu Lloyd George am iddo bregethu syniadau eithafol yn yr *Udgorn Rhyddid.* Capten llong a siopwr oedd cynrychiolwyr Nefyn a'r Parchedig John Owen, MA, gelyn arall i Lloyd George, a oedd wedi deisyfu llaw ei wraig Margaret mewn priodas, oedd yn gynrychiolydd Cricieth. Nid oedd y Rhyddfrydwyr hyn yn rhannu'r un daliadau â Lloyd George a thasg anodd iddo fyddai eu cael i'w gefnogi fel ymgeisydd seneddol.

Fodd bynnag, er i amryw gynnig am yr enwebiad yn 1887, yn cynnwys y Sgweiar Rhyddfrydol o Glansevern, Maldwyn, A. C. Humphreys-Owen, a ffrind mawr a *confidant* W. E. Gladstone, Stuart Rendel, AS, Maldwyn, nid oedd yr ymgeisyddiaeth wedi ei llenwi erbyn gwanwyn 1888 pan oedd Lloyd George yn gyfrinachol yn gwneud symudiadau llechwraidd i ennill yr enwebiad ar docyn cenedlaethol radicalaidd Cymreig. Yn wir, cyn hynny, yn rhifyn yr 2il o Dachwedd 1887 o'r papur Torïaidd *Y Gwalia*, roedd yr wythnosolyn hwnnw wedi awgrymu, yn wyneb methiant y Rhyddfrydwyr i ddewis ymgeiswyr, y byddai '"Mr Oliver George", Cricieth, yn barod i neidio i'r pwll, pe bai rhywun yn ei wthio'. Cyfeiriai'r Oliver gwawdlyd at ei stad ariannol bregus a'r cefndir o golli ei dad yn fachgen ifanc iawn.

Erbyn mis Chwefror 1888, heb i Lloyd George eto ddatgelu ar goedd ei fod yn awyddus i gael y swydd, roedd Pwyllgor Gwaith y Bwrdeistrefi'n parhau i fethu llenwi'r bwlch, er i A. C. Humphreys-Owen fynegi mewn llythyr at Stuart Rendel ym mis Chwefror bod 'hadau helynt' yn cael eu plannu yn ei erbyn a bod galwad am Gymry

Cymraeg ifanc i lenwi'r swydd. Yn wir, ym mis Ionawr 1888 roedd *Baner ac Amserau Cymru* Thomas Gee yn argymell y dylai'r bargyfreithiwr o Fôn, Ellis Jones Griffith, gael ei ddewis dros y Bwrdeistrefi—Jones Griffith a ddaeth yn ddiweddarach yn Aelod Seneddol Rhyddfrydol Môn.

Ym mis Mawrth 1888, fodd bynnag, penderfynodd Cyfarfod Blynyddol y Bwrdeistrefi ohirio dewis ymgeisydd unwaith yn rhagor ac yn y cyfarfod hwnnw cynyddodd Lloyd George ei ddylanwad drwy gael ei ethol yn un o dri o Is-Lywyddion y Gymdeithas. Roedd ganddo obeithion, felly, y deuai ei gyfle ymhen ychydig iawn o amser i ddatgan yn gyhoeddus ei fod am ymgeisio am yr enwebiad.

Cynyddodd ei obeithion ym mis Ebrill, yn sgil ei weithgareddau yn Llŷn gyda'r Cynghrair Tirol yn ffeiriau'r ardal (gweler Pen. 3) a'r cyhoeddusrwydd mawr a gafodd yn y bwrdeistrefi deheuol o ganlyniad i hynny. Erbyn yr 2il o Fai, 1888, roedd gohebydd *Y Genedl Gymreig* ym Mhwllheli yn barod i'w enwi fel yr Ymgeisydd delfrydol i'r etholaeth—y cyfeiriad cyhoeddus cyntaf yn y Wasg Ryddfrydol at ei awydd i sicrhau enwebiad.

Cynyddodd ei boblogrwydd hefyd ym mis Mai, gyda'r Achos Llys enwocaf yr oedd i'w ymladd, a ddaeth yn y man yn *cause célèbre* drwy Gymru gyfan. Dyma Achos Claddu Llanfrothen a ymladdwyd mewn tair rhan—gyda'r gwrandawiad cyntaf ym mis Mai 1888 yn dod ar drothwy penderfyniad Lloyd George i geisio cipio enwebiad seneddol bwrdeistrefi Caernarfon.

Golygai helynt Llanfrothen wrthdaro hir ynglŷn â mynwent y plwyf, rhwng y Rheithor a mwyafrif y pentrefwyr a oedd yn Anghydffurfwyr. Honnai'r Rheithor nad oedd hawl gan gapelwyr lleol i gael eu claddu mewn rhan newydd o'r fynwent â gwasanaeth Anghydffurfiol. Mynnai'r Rheithor, er gwaethaf Deddf Gladdu 1880 a roddai'r hawl hon i gapelwyr, bod cyn-berchennog y darn tir newydd wedi arwyddo dogfen gyfreithiol yn gwahardd gwasanaeth capel yn y fynwent; ond credai'r plwyfolion fod ganddynt hawl i hynny ac nad oedd gan y Rheithor yr hawl i lunio amodau newydd ar gyfer claddu yn y fynwent.

Ar yr 28ain o Ebrill, 1888, bu farw chwarelwr o'r pentref—Robert Roberts. Dymunai ei deulu ei gladdu â gwasanaeth Ymneilltuol yn y fynwent. Gwrthododd y Rheithor. Yna, gan wybod y deuai'r weithred â sylw mawr iddo ar adeg dyngedfennol, gorchmynnodd Lloyd George y teulu i dorri clo giât y fynwent a mynd ymlaen â'r gwasanaeth.

Aeth y Rheithor â'r teulu i gyfraith ym Mhorthmadog ar yr 16eg o

Fai gerbron y Barnwr Bishop a oedd yn Eglwyswr ac yn Dori. Amddiffynnai Lloyd George y teulu.

Wedi paratoi'n ofalus ymlaen llaw, gyda deiagramau o'r fynwent wedi eu llunio gan bensaer o Borthmadog, O. M. Roberts, llwyddodd Lloyd George i ddangos bod y fynwent wedi bod yn nwylo'r plwyfolion, ac eisoes wedi ei throsglwyddo iddynt, ymhell cyn i'r cyn-berchennog arwyddo dogfen, yn ôl perswâd y Rheithor, oedd yn rhoi hawl iddo atal gwasanaethau capel yn y fynwent. Roedd Lloyd George wedi dangos, felly, nad oedd y Rheithor wedi ymddwyn yn gyfreithlon. Fodd bynnag, ar bwynt o gyfraith, penderfynodd y Barnwr ohirio'r achos am rai misoedd.

Ym mis Mai, er i'r achos lusgo ymlaen tan ddiwedd y flwyddyn, gan ddod â rhagor o gyhoeddusrwydd i Lloyd George, roedd hi'n ymddangos fel pe bai wedi cael buddugoliaeth nodedig.

Adroddodd y papurau lleol, y *Carnarvon and Denbigh Herald*, *Yr Herald Cymraeg*, *The Cambrian News* a phapurau Gwasg y Genedl, yr achos air am air. Daeth hyn â chyhoeddusrwydd ffafriol iawn i Lloyd George, yn enwedig ym Mwrdeistrefi deheuol yr etholaeth, a hynny ar bwnc llosg a thraddodiadol cyfiawnder claddu i Anghydffurfwyr, a fyddai'n apelio at yr hen set Ryddfrydol ar Bwyllgor Bwrdeistrefi Caernarfon.

Yn sgil hynny daeth y cyhoeddiad hirddisgwyliedig ar goedd, ei fod am geisio sicrhau ymgeisyddiaeth seneddol y Bwrdeistrefi, ddechrau mis Gorffennaf 1888. Daeth yn ymddangosiadol gwbl fyrfyfyr rai diwrnodau ar ôl i Lloyd George draddodi araith gyntaf Clwb Rhyddfrydol Caernarfon, ar y 1af o Orffennaf, ar achlysur ei agoriad swyddogol. Galwodd yn ei araith am ddewis Cymro a adlewyrchai ddyheadau pobl leol i lenwi swydd ymgeisydd seneddol y Bwrdeistrefi.

Rai dyddiau'n ddiweddarach cyhoeddodd y *Carnarvon and Denbigh Herald* fod y tair bwrdeistref, Cricieth, Nefyn a Phwllheli, wedi argymell Lloyd George fel eu dewis-ddyn hwy ar gyfer yr enwebiad. Dyma gyhoeddiad cwbl annisgwyl ar un wedd, ond roedd yn amcan yr oedd Lloyd George wedi cynllunio'n llechwraidd a gofalus i'w gyrraedd, yn y dirgel, ers misoedd lawer.

Mewn llythyr gorfoleddus at ei ffrind a'i gyfaill mynwesol, D. R. Daniel, nododd ar ôl y cyhoeddiad fod y frwydr wedi hanner ei hennill. Meddai:

> You have heard that the South Caernarfon Boroughs have taken up my candidature. It is a case of spontaneous combination. There was a

> meeting of the Pwllheli Liberal Association to consider the selection of a candidate. This meeting unanimously resolved to invite me out. You may or may not, according to the depth of your insight into character, be surprised to learn that the only one who founded a dissentient note was our mutual friend, D. Evan Davies. He thought, forsooth, that I was too extreme, addicted to Socialist ideas. What incredible meanness on the part of a professed socialist. Any how, his protests availeth not and he fell in with the current. Nefyn has now followed and lastly Criccieth. In both cases the utmost unanimity prevailed. Humphreys-Owen was rejected with scorn, as totally unadapted to the requirements of the age. If either Bangor or Caernarfon follow suit, I shall be the Nationalist candidate for the Boroughs.

Roedd Lloyd George wedi sicrhau ei gefnogaeth gychwynnol yn yr ymdrech i ennill ei enwebiad seneddol cyntaf fel cenedlaetholwr a 'sosialydd' gan ddangos mai ar docyn newydd cenedlaethol-radicalaidd yr oedd y ffordd ymlaen yng ngwleidyddiaeth Cymru'r 1880au.

Nid oes amheuaeth, yn groes i farn amryw o haneswyr Seisnig a ysgrifennodd hanes Lloyd George, ei fod o'r cychwyn cyntaf yn arloeswr o genedlaetholwr radicalaidd a'i brif nod oedd hyrwyddo deffroad cenedlaethol yng Nghymru yn yr 1880au a sicrhau hunanlywodraeth. Gwir mai oddi mewn i batrwm Prydeinig y gwelai'r nod hwnnw, ac mai oddi mewn i batrwm ffederal Prydeinig y gwelai ddyfodol Cymru. Ond yn anad neb arall oddi mewn i gylchoedd Rhyddfrydol Cymru yr oedd, mor gynnar ag 1888, yn barod i fraenaru tir newydd yng ngwleidyddiaeth Cymru. Nid *posturing* gwleidyddol oedd hyn, ond ymdrech ganddo i greu politics newydd yn hanes Cymru. Roedd yn barod i ymladd am enwebiad seneddol mewn sedd anodd a ffiniol, a hynny ar docyn cenedlaethol-radicalaidd Cymreig.

Ym mis Gorffennaf 1888, roedd yn llawn hyder y gallai, yn y misoedd i ddod, fanteisio ar y troedle yr oedd eisoes wedi ei sefydlu yn Nefyn, Cricieth a Phwllheli, er mwyn cipio cefnogaeth gweddill yr etholaeth. Wrth gyflawni'r nod hwn, erbyn Ionawr 1889 roedd i arddangos nid yn unig ei ymroddiad cynyddol i ddelfrydau Cymru Fydd ond, at hynny, byddai'n dangos ei fod yn feistr ar bob math o ystrywiau gwleidyddol—rhai ohonynt yn ymylu ar y dichellgar a'r anonest.

Ni chollodd unrhyw amser cyn hyrwyddo ei achos ar ôl sicrhau cefnogaeth y tair bwrdeistref ddeheuol. Yn ystod yr un wythnos, ymddangosodd erthygl hir yn *The North Wales Observer and Express*

(Gorffennaf 6) wedi ei hatgynhyrchu wythnos yn ddiweddarach yn *Y Genedl Gymreig* (Gorffennaf 11), yn ei argymell fel y dewis-ddyn i bob un o'r chwe bwrdeistref. Nid ymddangosodd unrhyw enw islaw yr erthyglau hyn, ond dengys papurau preifat D. R. Daniel yn ddigamsyniol mai Lloyd George oedd yr awdur (D. R. Daniel MSS 2913, Llyfrgell Genedlaethol Cymru, tud. 61-2).

Trwy nifer o ensyniadau ac awgrymiadau, honnodd yr erthyglau bod yr ymgeiswyr Seisnig, A. C. Humphreys-Owen, Glansevern ac eraill, yn annheilwng i gynrychioli'r Bwrdeistrefi. Roedd angen ymgeisydd lleol, Cymraeg ei iaith, a oedd yn barod i 'hyrwyddo achosion Cymreig wedi ei ymdynghedu i annibyniaeth llwyr o bob plaid Seisnig'. Roedd angen ymgeisydd a allai 'siarad Cymraeg a Saesneg yn rhwydd' ac 'un oedd yn bencampwr datgysylltiad, diwygio deddfau'r tir, rhyddfreinio'r prydlesoedd, diddymu y royalties ar dir diwydiannol a mwyngloddiadau' a hefyd un 'na fyddai yn myned yn gaeth i ddylanwadau llygredig cymdeithas Llundain'. Prin bod y cyfeiriad hwn yn cyd-fynd â gosodiad W. R. P. George yn ei gyfrol *The Making of Lloyd George* bod ei olwg, o ganol yr 80au, ar yrfa Lundeinig.

Roedd Lloyd George, ar docyn cenedlaethol, wedi ysgrifennu ei gais dienw ef am Fwrdeistrefi Arfon ac wedi gwneud hynny mewn ffordd ddigywilydd i'w rhyfeddu, ac mewn modd a'i nodai'n ddigamsyniol yn genedlaetholwr Cymreig, yn credu mewn sefydlu plaid annibynnol Gymreig ar fodel Gwyddelig. Nid oedd yr ymarferiad hwn ond y *salvo* agoriadol cyntaf ar ei ran mewn cynllun cymhleth o'r *spin-doctoring* mwyaf cyfrwys ganddo i sicrhau ei nod.

Ar y 5ed o Orffennaf, mewn llythyr cyfrinachol arall at D. R. Daniel, pwysodd ar ei gyfaill i drefnu rhwydwaith o lythyrau ac erthyglau i'r wasg a fyddai'n ymddangos fel pe bai ton o gefnogaeth naturiol a digymell iddo ar hyd a lled Bwrdeistrefi Caernarfon. Pwysodd ar D. R. Daniel:

> Have you any friends or acquaintances at Caernarfon, Bangor or Conway whom you might by writing seek to influence? What about the Rev. M. O. Evans [Gweinidog capel Pentref, Bangor]? Could not Michael D. Jones, Bala do something? Can't you get Plenydd to see or write to his friends? There is another great service which you might render, if so inclined.
>
> Would you not write a spirited letter to the *Herald* or *Genedl* favouring my candidature? You know my qualifications. You know I am a Welsh nationalist of the Ellis type. Have more or less thoroughly

> studied the church, land and Temperance questions. Perhaps if you would do me the kindness of placing my elocutionary powers under the microscope of your powerful imagination, you might give a tolerably favourable account of my gifts of speech? . . .
>
> Since I have come out at all, I feel bound to do my best to succeed. But I can only do so by means of confidential friends. I dare not go canvassing openly for support. It would injure me. But my friends may do a lot for me—it is upon these I must rely—especially those who did their part in getting me out. Could you not write such a letter for next week's *Herald* (Tudwal has promised to write to the *Genedl*). He volunteered to do so.
>
> If you were to send it off tomorrow evening, it would be more likely to appear next week than if it only reached them on Monday morning.

Roedd y llythyr hwn yn dangos nid yn unig arddeliad Lloyd George dros ennill y Bwrdeistrefi ar docyn cenedlaethol Cymreig, ond yn adlewyrchu hefyd ei gyfrwystra wrth ddelio â'i gyfeillion a'i feistrolaeth ar y wasg, er mwyn cynnal ei ymgyrch.

Ymatebodd D. R. Daniel i'r pwysau arno ac ymddangosodd erthyglau o'i eiddo dan y ffugenw arwyddocaol 'Demos' yn rhifynnau Cymraeg a Saesneg papurau'r *Herald* yr wythnos ganlynol. Roedd yr erthyglau'n rhoi Lloyd George ochr yn ochr â Tom Ellis—yn ddemocrat, yn genedlaetholwr, ac yn siaradwr huawdl. Ef, yn ôl Demos, oedd 'y dewis cenedlaethol' i Fwrdeistrefi Caernarfon.

Ymddangosodd erthyglau yr un wythnos mewn tri o bapurau Gwasg y Genedl hefyd gan 'Etholwr'—yn ddiamau o law Tudwal Davies, y bardd a'r gwleidydd o Bwllheli. Clodforai'r 'Etholwr' Lloyd George fel un o arweinwyr Cymru Fydd a'r unig ddewis gwerth chweil i Fwrdeistrefi Caernarfon. Wedyn, fel rhan o'r cynllwyn bwriadol o lythyrau ac erthyglau ymddangosiadol byrfyfyr, cyhoeddodd *Y Celt*, o'i swyddfa ym Mangor, erthygl flaen ar yr 20fed o Orffennaf yn honni cefnogaeth y cenedlaetholwr Cymreig, Michael D. Jones, i Lloyd George. Ychwanegai fod nifer helaeth o Ryddfrydwyr Bangor hefyd o blaid ei enwebu.

Fel y gellid disgwyl, roedd Lloyd George wrth ei fodd â'i ystrywiau i blannu llythyrau ac erthyglau o'i blaid yn y wasg ddylanwadol yn y Bwrdeistrefi. Mewn llythyr at D. R. Daniel ar y 10fed o Orffennaf nododd: 'Have just perused Demos's truly masterly letter in the *Herald*. Ardderchog Fachgen! It will or at least it ought to produce excellent effect'.

Wythnos yn ddiweddarach, mewn llythyr arall ato ar yr 17eg o

Orffennaf, honnai fod Caernarfon a Bangor o'i blaid gyda phobl amlwg ym Mangor fel John Price, Is-brifathro'r Coleg Normal, yn ei gefnogi, ac yng Nghaernarfon J. T. Roberts, R. A. Griffith a J. R. Hughes.

Diweddodd y llythyr yn orfoleddus:

> Just received following telegram from Morgan Richards [Bangor]. Certain to be selected at Bangor. So you see, my most sanguine anticipations are being corroborated by my friends . . . Saw old Morgan, Cadnant on Saturday. He came up to me for an introduction. Said I was just the man for the Boroughs. Could you not induce him to write a letter to the *Herald* to that effect? I did not like to ask him as I have made it a point not to canvass support except through my intimate and reliable friends.

Ni fu pall, felly, ar ymdrechion Lloyd George i ddefnyddio'r wasg i gael ei facn i'r wal yn ystod haf 1888. Fodd bynnag, er ei ddatgeliadau cyfrinachol i D. R. Daniel mai mater o ffurf oedd cael ei ddewis gan dair Bwrdeistref orllewinol yr etholaeth, roedd ganddo sawl camfa i'w chroesi cyn cyflawni ei nod o ennill y chwe bwrdeistref i'w achos.

Ddiwedd Gorffennaf 1888, roedd ganddo gynllun i gael D. R. Daniel a'i gyfeillion i gynnal ymgyrch arall yn y wasg, y tro hwn wedi ei chanolbwyntio ar *Y Werin*, papur dosbarth-gweithiol stabl *Y Genedl* yng Nghaernarfon, a oedd â chylchrediad o 10,000 yn y cyfnod hwn. Ymddangosodd cyfres o erthyglau, eto dan gochl ffugenw, yn fuan wedyn yn *Y Werin* yn ei glodfori fel y dewis llafurol cenedlaethol i Fwrdeistrefi Caernarfon.

Ym mis Gorffennaf 1888, daeth ail bennod o ddrama Achos Claddu Llanfrothen â rhagor o sylw iddo. Mewn datblygiad dramatig gan y Barnwr Bishop, dedfrydodd yn groes i'r gwrandawiad cyntaf o blaid y Rheithor. Cynddeiriogwyd Lloyd George gan y dyfarniad a rhoddodd rybudd y byddai'n mynd â'r mater ymlaen i'r Uchel Lys yn Llundain. Fodd bynnag, er y tro anffodus hwn yn yr achos, cafodd penderfyniad rhyfeddol y Barnwr sylw mawr yn y wasg, gan estyn cyfle i Lloyd George odro llawer mwy o gyhoeddusrwydd o'r Achos. Byddai canlyniad y cyfan, erbyn diwedd 1888, o bwys allweddol iddo.

Erbyn diwedd Gorffennaf 1888, roedd y llanw yn y Bwrdeistrefi yn crynhoi o'i blaid, gyda'r *North Wales Observer and Express* yn cyhoeddi ar y 27ain o'r mis: 'There is a strong and daily increasing expression favourable to Mr Lloyd George's candidature'.

Erbyn Awst, roedd papurau Gwasg y Genedl, gyda W. J. Parry a'r golygydd cyffredinol, David Edwards, yn gefn iddo, yn mynnu ei bod hi'n bryd ei ddewis yn swyddogol fel ymgeisydd. Parodd hyn i A. C. Humphreys-Owen ysgrifennu llythyr at Stuart Rendel yn difrïo'r ymgyrch ddiymwad fu ar ran Lloyd George i gynllwynio i gael y Wasg o'i blaid. Meddai A. C. Humphreys-Owen, gyda chryn gyfiawnhad: 'I have just read the Caernarfon papers. Their rowdiness is sickening: they are just as bad as the worst Tories'.

Erbyn diwedd Awst, mewn llythyr arall at Rendel, roedd A. C. Humphreys-Owen yn sôn am dynnu allan o'r ymgyrch i geisio cael ei enwebu fel Ymgeisydd y Bwrdeistrefi.

Eto, nid oedd popeth o blaid Lloyd George. Yn *The Cambrian News* ar yr 17fed o Awst, ysgrifennodd John Gibson, y golygydd, erthygl a fwriai amheuaeth fawr ar Lloyd George: gyda pheth gwirionedd, holai i ba raddau yr oedd yn y gorffennol (megis ym Meirion yn 1886 pan fu'n ystyried cefnogi Chamberlain a'i bolisi '*Home Rule All Around*' yn erbyn Gladstone), wedi bod yn driw i'r Blaid Ryddfrydol. Meddai yn ei lith olygyddol:

> George in 1886 was nothing more than a Paper Unionist . . . where was Mr David Lloyd George at the last election and what was his political creed then?

Ni fu'r feirniadaeth hon, a'r cyfeiriad ato fel un a gefnogodd Chamberlain a pholisi '*Home Rule All Round*' yn 1886, yn fodd i lesteirio Lloyd George rhag dyblu ei ymdrechion ym mis Awst 1888 i sicrhau Ymgeisyddiaeth y Bwrdeistrefi, pryd yr anerchodd gyfarfod gyda'r cenedlaetholwr Gwyddelig, T. D. L. Sullivan, AS, ym Mangor. Ei neges yn y cyfarfod oedd yr angenrheidrwydd, uwchlaw popeth, i sicrhau Senedd Ffederal i Gymru—yr unig fodd y ceid deddfau i ateb problemau economaidd a chymdeithasol Cymru. Gan gyfeirio at Iwerddon, mynnodd fod rhaid i Ryddfrydwyr Cymreig roi eu blaenoriaeth nid i'r Blaid Ryddfrydol Brydeinig ond i sicrhau senedd i Gymru. Roedd ei sylwadau ym Mangor, mae'n amlwg, yn bwriadol osod ef ei hun gerbron etholwyr y Bwrdeistrefi fel ymgeisydd radicalaidd cenedlaethol Cymreig.

Ar y 27ain o Awst, yng nghyfarfod blynyddol Pwyllgor Gwaith y Bwrdeistrefi, gohiriwyd dewis ymgeisydd unwaith eto er i A. C. Humphreys-Owen o'r diwedd gyhoeddi ei fod yn tynnu allan o'r ras. Roedd R. Pugh Jones o Gricieth, y bargyfreithiwr Rhyddfrydol

Gladstonaidd a gelyn i Lloyd George, fodd bynnag, yn barod i roi ei enw ymlaen fel un a ddeisyfai atal Lloyd George rhag ennill yr enwebiad. Cyhoeddodd yr Ysgrifennydd, R. D. Williams, mewn symudiad a oedd yn amlwg yn ymdrech i atal '*Juggernaut*' Lloyd George, ei fod yn barod i ddisgwyl rhagor o enwau fel enwebiadau gogyfer â'r agoriad.

Parhaodd Lloyd George, fodd bynnag, i ymgyrchu o blaid ei ymgeisyddiaeth, ac ym mis Medi condemniodd Michael D. Jones arafwch y Rhyddfrydwyr i ddewis ymgeisydd. Honnodd mewn llythyr at D. R. Daniel ar y 4ydd o Fedi fod Methodistiaid Calfinaidd y Bwrdeistrefi wedi bod yn cynllunio i atal Lloyd George, y 'Batus Bach', rhag cael yr enwebiad—nid yn unig ar dir enwadol, ond hefyd am na fynnent ei syniadau cenedlaethol radicalaidd gwleidyddol. Yn y *Carnarvon and Denbigh Herald* (Medi 21), ceisiodd R. Pugh Jones danseilio ymgyrch Lloyd George trwy gyhoeddi erthygl fileinig a honnai, gyda pheth elfen o wirionedd, bod ymgyrch newyddiadurol Lloyd George i gipio'r ymgeisyddiaeth wedi bod yn dwyllodrus: 'Not infrequently the letters published in his favour have been written by the same hand under different nom de plumes'.

Llawenychai'r papur Ceidwadol, *Y Gwalia*, (Medi 23), fod llythyr Pugh Jones yn cyfeirio at y twyll a'r rhagrith a fu y tu cefn i ymdrechion newyddiadurol Lloyd George i sicrhau'r ymgeisyddiaeth. Nid oedd popeth o blaid Lloyd George, felly, ym mis Medi 1888 wrth i'r hen Ryddfrydwyr a'r Toriaid droi pob carreg i'w lesteirio.

Fodd bynnag, er gwaetha'r ymosodiadau hyn, ym mis Hydref datganodd bwrdeistrefi Pwllheli a Nefyn yn swyddogol o'i blaid, fel y gwnaeth Cricieth. Wedyn, ar y 5ed o Hydref, gwnaeth bwrdeistref Conwy yr un modd ac ym mis Tachwedd trefnodd Lloyd George daith bropaganda ym mhob un o'r chwe bwrdeistref gan wybod y byddai'r etholaeth, erbyn diwedd y flwyddyn, ar ôl blynyddoedd o ogr-droi, yn dewis ymgeisydd seneddol.

Efallai mai'r digwyddiad a goronodd ei ymdrechion i ennill yr enwebiad fu'r drydedd bennod, a'r bennod olaf syfrdanol, yn helynt Achos Claddu Llanfrothen. Ym mis Rhagfyr, yn y Llys Apêl yn Llundain, newidiodd yr Arglwydd Ustus Manisty benderfyniad y Barnwr Bishop yng Ngorffennaf 1888, gan ddatgan nad oedd hawl gan Reithor Llanfrothen i wneud cytundeb newydd â chyn-berchennog darn newydd y fynwent. Dedfrydwyd o blaid Robert Roberts a'i deulu a bu'r fuddugoliaeth yn gyfrwng cyhoeddusrwydd mawr iddo yn y wasg ledled Cymru, gyda'r papurau dyddiol Cymreig, *The Western*

Mail a'r *South Wales Daily News*, yn rhoi sylw mawr i'r achos ac i Lloyd George. Ar yr un pryd, roedd papurau Gwasg y Genedl yng Nghaernarfon yn mynnu, yn hollol gywir, y byddai'r achos yn profi'n allweddol pan ddeuai Bwrdeistrefi Caernarfon i ddewis ymgeisydd ym mis Ionawr 1889.

Gwir fu hynny, ac ar y 3ydd o Ionawr, 1889, ar ôl ymgyrch na fu ei thebyg o ran ei chyfrwystra a'i hegni dihafal i ennill ymgeisyddiaeth Bwrdeistrefi Caernarfon, a hynny'n ddiamau fel ymgeisydd cenedlaetholgar Cymreig, penderfynodd y Bwrdeistrefi'n unfrydol fwrw eu coelbren o blaid Lloyd George. Yn ei ddyddiaduron y noson honno, nododd gydag awch ei bleser â'r penderfyniad:

> Selection of candidate last thing on programme so I had to wait upstairs for 2 hours. Had excellent reception. Delegates got up and cheered me. Felt position keenly. Could not speak with much verve.

Roedd ymateb y wasg i'r dewis yn gymysg. Croesawyd ef gan y wasg enwadol, ond roedd hyd yn oed yr wythnosolyn Annibynnol, *Y Tyst* a'r *Dydd* (Ionawr 11) yn barod i'w rybuddio y byddai'n rhaid iddo droedio'n gall a gofalus a pheidio â gwthio syniadau eithafol fel un Senedd i Gymru.

Roedd hyd yn oed papurau Gwasg y Genedl, a wnaeth gymaint i sicrhau ei ddewisiad, yn nerfus ynghylch ei safbwyntiau eithafol, a'r *North Wales Observer and Express* yn galw am gymod rhwng y gwahanol garfanau yn y Bwrdeistrefi:

> Liberals of all shades and degrees, old and young, moderate and advanced, need to recognise his choice and rally round him.

Nid oedd hyn yn annisgwyl, gyda'r Wasg Doriaidd, wedi ei ddewisiad, yn honni fel y gwnaeth *Y Gwalia* ar y 9fed o Ionawr fod ei ddewis wedi creu rhwyg yn y Bwrdeistrefi rhwng yr hen Ryddfrydwyr a'r newydd a'i fod wedi ei ddewis yn unig 'gan y garfan swnllyd a mwyaf amhrofiadol o'r blaid yn yr etholaeth'.

Ni fyddai'r feirniadaeth hon yn mennu llawer ar Lloyd George, fodd bynnag. Ar ôl ei ddewisiad nid oedd yn barod i liniaru ar ei wleidyddiaeth newydd a chredai ym mis Ionawr 1889 y byddai ganddo o leiaf dair blynedd arall cyn y byddai'n rhaid iddo wynebu ei etholwyr mewn Etholiad Cyffredinol—amser digonol i'r '*Nationalist candidate for the Boroughs*' wneud ei syniadau'n dderbyniol gan yr etholwyr hynny.

Yn ddiamau, beth bynnag a'i hwynebai, bu ei fuddugoliaeth yn ennill yr enwebiad ar docyn cenedlaethol yn gamp aruthrol. Roedd ei fuddugoliaeth yn dyst i'w egni dihafal, ei gynllunio medrus a'i uchelgais ddi-ben-draw i greu enw iddo'i hun yn y byd politicaidd ac i newid cwrs gwleidyddiaeth ei fro a'i genedl.

Ym mis Ionawr 1889 roedd y Lloyd George ifanc, a oedd wedi nodi'n gyfrinachol yn ei ddyddiadur ar ddechrau'r 80au mai ei ddau arwr gwleidyddol oedd Michael Davitt, y sosialydd a'r cenedlaetholwr Gwyddelig, a Michael D. Jones, tad y mudiad *Home Rule* i Gymru, yn awr yn barod, er gwaethaf cyngor y wasg yn Arfon iddo ymbwyllo, i wthio'r cwch cenedlaethol ymhellach i'r dŵr.

Roedd ar drothwy cyfnod arbennig iawn yn hanes Cymru, pryd y byddai'n barod i herio'r hen wleidyddiaeth Brydeinig Ryddfrydol a cheisio creu yng Nghymru y gwir fudiad cenedlaethol Cymreig cyntaf yn y Gymru fodern newydd yr oedd ef am ei siapio a'i ffurfio.

PRIF FFYNONELLAU

Yr Udgorn Rhyddid, 1888-89; *Y Gwalia*, 1888-89; *Y Llan a'r Dywysogaeth*, 1888-89; *The North Wales Chronicle*, 1888-89; *The North Wales Observer and Express*, 1888-89; *Y Genedl Gymreig*, 1888-89; *Y Werin*, 1888-89; *Carnarvon and Denbigh Herald*, 1888-89; *The Cambrian News*, 1888-89; *Yr Herald Cymraeg*, 1888-89; *Baner ac Amserau Cymru*, 1888-89; *Y Tyst a'r Dydd*, 1888-89; *Y Celt*, 1888-89.

Llyfrgell Genedlaethol Cymru: gweler ffynonellau'r bennod flaenorol a Phapurau Glansevern.

Gweler eto draethawd MA Emyr Price, pennodau VI a VII.

DARLLEN PELLACH

B. B. Gilbert, *David Lloyd George, A Political Life*, 1863-1912 (Llundain, 1987).

PENNOD 6

Y Bachgen Henadur: Y Penboethyn Cenedlaethol, 1889-90

Wedi i Lloyd George gipio ymgeisyddiaeth seneddol Bwrdeistrefi Caernarfon ym mis Ionawr 1889, credai fod ganddo dair blynedd arall cyn gorfod sefyll Etholiad Cyffredinol yn 1892 yn erbyn Edmund Swetenham, yr Aelod Torïaidd. Dyma gyfnod cymharol gyfforddus, fe gredai, i wneud ei ddaliadau cenedlaethol radicalaidd yn dderbyniol mewn etholaeth a oedd, wedi'r cwbl, yn ffiniol ac yn sicr yn etholaeth nad oedd eto'n aeddfed i ddirnad ei syniadau beiddgar ac arloesol.

Fel ymgeisydd seneddol, byddai ganddo'r statws a'r dylanwad oddi mewn i goridorau grym Rhyddfrydiaeth Gymreig—yn Ffederasiynau De a Gogledd Cymru y blaid—i geisio hyrwyddo syniadau Cymru Fydd. Ond, at hynny, roedd arno angen llwyfan agosach at drwch etholwyr Bwrdeistrefi Caernarfon er mwyn ceisio closio'i etholwyr at ei 'Ryddfrydiaeth Newydd' a'i genedlaetholdeb arloesol.

Y llwyfan hwnnw oedd 'seneddau newydd' y bobl—y cynghorau sirol a sefydlwyd yn sgil Deddf Llywodraeth Leol 1888. Cyn i Lloyd George gael ei ddewis yn ymgeisydd seneddol Bwrdeistrefi Caernarfon, bu wrthi'n ddyfal yn 1888, cyn etholiadau cyntaf y Cynghorau Sirol, mewn crwsâd ledled gogledd Cymru gydag enwogion Rhyddfrydol fel Dr Herber Evans a Thomas Gee yn pregethu pa mor allweddol oedd y cyrff newydd hyn i hyrwyddo democratiaeth a Chymreictod. Yn ogystal, yn ystod yr etholiadau eu hunain, efo'i gyfaill, y cenedlaetholwr radicalaidd Tom Ellis, AS, bu'n annerch cyfarfodydd lluosog o'r etholwyr yn cefnogi cyfeillion o'r un anian gwleidyddol ag ef ei hun a safai fel ymgeiswyr yn Sir Gaernarfon a Sir Feirionnydd. Deuai hynny â budd iddo ar ei ganfed, gan sicrhau y byddai ei ddarpar etholaeth yn cael ei chynrychioli gan wleidyddion o'r un lliw ac osgo ag ef ei hun. Fel y nododd un o'r newyddiaduron mwyaf dylanwadol ym Mwrdeistrefi Caernarfon, *The North Wales Observer and Express*, ar derfyn yr ymgyrch etholiadol, roedd yr etholiadau wedi bod yn gyfrwng allweddol iddo gryfhau ei afael ar ei ddarpar etholaeth:

> The County Council Elections have assisted to bring Mr D. Lloyd George closely in touch with his future constituents. He has been ubiquitous and not a few of the Liberal Members on the Council will owe their return to his services on the platform.

Nid mater bach iddo, yn sicr, oedd llywodraeth leol, fel yr honnodd K. O. Morgan yn ei ddarlith, *Lloyd George and Welsh Liberalism* (1995). Roedd yn ganolbwynt ei gredo yn yr 80au bod Seneddau'r Sir yn gyrff democrataidd ac yn sylfaen i hunanlywodraeth Gymreig. Daeth cyfle yng nghyfarfod cyntaf rhag-baratoawl y Cyngor i'r cynghorwyr Rhyddfrydol dalu'r ddyled i Lloyd George a rhoi llwyfan iddo yn siambr y sir, fel ymgeisydd newydd-ddewisedig Bwrdeistrefi Caernarfon, i arddel polisïau newydd Cymru Fydd.

Fel yng Nghymru, roedd gan y Rhyddfrydwyr ar Gyngor Sir Gaernarfon fwyafrif sylweddol gan ennill yn y sir 32 o seddau o gymharu ag 16 y Torïaid. Wedi i Lloyd George wneud cymaint o argraff yn yr ymgyrch etholiadol, cafodd wahoddiad i ymuno â'r Cyngor newydd drwy'r drws cefn fel petai, drwy gael ei benodi'n Henadur. Enynnodd ei ethol yn 'Fachgen Henadur' lid y Torïaid ar y Cyngor gan gynnwys protest ffyrnig (a dealladwy) Torïaid fel Ellis Nanney, sgweiar y Gwynfryn, Llanystumdwy a'i wrthwynebydd yn is-etholiad 1890, a'r Arglwydd Penrhyn a wrthododd bleidleisio dros yr Henadur newydd, gan honni mai 'budrwaith' oedd y cyfan. Taranodd newyddiadur Cymraeg Torïaidd y sir, *Y Gwalia*, yn erbyn llygredigaeth y cawcws Rhyddfrydol yn trefnu rhoi 'Bachgen Henadur' i lywodraethu ar gyngor newydd, honedig ddemocrataidd.

Daeth Lloyd George yn aelod o'r Cyngor, felly, yng nghanol sôn mawr am lygredigaeth. Yn nodweddiadol, ni fennai hynny ddim arno. Yn hytrach, roedd gan y 'Bachgen Henadur' gyfle i ddefnyddio'r siambr i hyrwyddo'i bolisïau blaengar nid yn unig yn y siambr ac yn ei etholaeth ond, trwy gyfrwng y wasg, ymhell tu hwnt i'r sir. Mewn blwyddyn gynhyrfus, cyn iddo orfod wynebu is-etholiad yn Ebrill 1890 yn annisgwyl, roedd y '*Welsh nationalist of the Ellis Type*' (ac efallai mwy o genedlaetholwr na Tom Ellis) yn barod i danio'r farn gyhoeddus yng Nghymru. Gyda llygad y cyhoedd ar weithgareddau'r awdurdodau newydd, ni wastraffodd Lloyd George unrhyw amser cyn creu helynt mawr yn y siambr a ddeuai—trwy gyfrwng y Wasg Ryddfrydol—â moliant cyson iddo, heb sôn am ennyn cynddaredd y papurau Torïaidd. Roedd hyn hefyd yn gyfrwng cyhoeddusrwydd mawr na wnâi ddim drwg iddo ymhlith Rhyddfrydwyr a phleidleiswyr newydd.

Yn wir, cyn i gyfarfodydd swyddogol y Cyngor ddechrau ym mis Ebrill 1889, mewn cyfarfod enfawr yn yr Hope Hall, ym 'Mhrifddinas' gogledd Cymru, Lerpwl—cyfarfod a gafodd sylw eang yn y papurau Llundeinig—lleisiodd ei ddyheadau cenedlaetholgar am obeithion yr awdurdodau newydd. Yn eithafol, yng ngolwg trwch Rhyddfrydwyr Cymru, honnodd y byddai'r Cynghorau Cymreig yn dod at ei gilydd i ffurfio Senedd Ffederal i Gymru; datblygiad a oedd yn wrthun nid yn unig yn uchelfannau ei blaid yng Nghymru ond yng ngolwg Gladstone a'r arweinyddiaeth Ryddfrydol.

Gwelai Lloyd George yr awdurdodau newydd hefyd fel senedd-dai sirol a fyddai'n hyrwyddo polisïau radicalaidd fel trethu'r cyfoethog, rhyddfreinio prydlesoedd a gwarantu'r hyn a alwai'n 'sosialaeth gymunedol'—megis codi tai ar rent teg i'r dosbarth gweithiol a darparu cyfleusterau fel alotments trefol iddynt. Dyma syniadau beiddgar yr oedd eisoes wedi eu harddel wrth gefnogi Joseph Chamberlain yn erbyn Gladstone yn Etholiadau Cyffredinol 1885 ac 1886. Erbyn 1889, a Chamberlain wedi ymadael â'r Blaid Ryddfrydol, nid oedd y rhain yn bolisïau derbyniol i lawer o Ryddfrydwyr traddodiadol y bwrdeistrefi, oherwydd roeddent yn gwbl groes i syniadau clasurol *laissez-faire* y farchnad rydd Ryddfrydol. Nododd ym mherorasiwn ei araith yn Hope Hall y byddai'r cynghorau newydd yn diddymu un waith ac am byth afael y sgwieriaid Torïaidd, Seisnigedig ar fywyd Cymru: 'The day of the Squire was gone, the Sun of the aristocracy had set and the grand tomorrow had dawned upon Wales'.

Wedi'r ergyd agoriadol hon yn ei grwsâd i ddefnyddio'r Cyngor Sir fel llwyfan i wyrdroi'r wlad i gyfeiriad newydd cenedlaethol Cymreig, ni wastraffodd y 'Bachgen Henadur' unrhyw amser cyn plymio i'r dyfroedd cynhennus yn siambr y sir. Yng nghyfarfod agoriadol y Cyngor, etholwyd ef i sefyll ar brif bwyllgor y Cyngor. Aelod arall o'r pwyllgor oedd A. D. Acland, AS, a drigai yng Nghlynnog, Sir Gaernarfon, un o radicaliaid amlycaf Prydain a ddeuai maes o law yn Weinidog Addysg Rhyddfrydol. Eiliodd Lloyd George gynnig Acland y dylai'r Cyngor estyn pob cefnogaeth i Fesur Seneddol o blaid Rhyddfreinio'r Prydlesoedd. Galluogai hynny y dosbarth gweithiol i brynu'r les ar dir yr oedd eu tai wedi eu hadeiladu arno a byddai'n tanseilio gafael yr uchelwyr ar y Gymru wledig a threfol. Dangosai ei gysylltiad ag Acland nad pleidiwr yr hen bolisïau traddodiadol radicalaidd anghydffurfiol Cymreig yn unig oedd y Lloyd George ifanc, ond hefyd ei fod mor gynnar â diwedd yr 80au o blaid mesurau 'y Ryddfrydiaeth Newydd' a fyddai'n dod â budd a lles i'r dosbarth gweithiol. Cyplysai hyn â'r angen am Senedd Gymreig, a'r nod hwnnw'n flaenoriaeth, fel y dangosai ei *salvo* agoriadol yn Hope Hall, Lerpwl.

Ni fyddai chwaith yn diystyru trindod faen Rhyddfrydiaeth draddodiadol ar y Cyngor Sir—y galwadau am ddiddymu grym y tirfeddiannwr, yr ymgyrch i danseilio dylanwad Torïaidd y bragwyr a'r ymgyrch i ddatgysylltu a dadwaddoli'r Eglwys Anglicanaidd estronol yng Nghymru.

Yng nghyfarfod mis Awst 1889 o'r Cyngor, cafwyd ymyriad ganddo wrth i'r Cyngor gynnig tystiolaeth gerbron y Comisiwn Brenhinol a ymchwiliai i weithrediad Deddf Cau Tafarnau ar y Sul 1881. Cynigiodd hefyd fod angen diwygio dau gymal yn y ddeddf sef, yn gyntaf, yr hawl i 'ddyn ar ei daith' yfed mewn tafarnau ar y Saboth gan osgoi goblygiadau'r ddeddf; ac yn ail, peth a boenai'r dirwestwyr yn fawr iawn, y dylai clybiau yfed, a oedd wedi blodeuo ar ôl Deddf 1881, hefyd gau ar y Sul. Gwyddai sut y gellid defnyddio'r ddeddfwriaeth Gymreig unigryw hon i bwrpas cenedlaethol ac i dymheru'r farn gyhoeddus. Mewn araith ymfflamychol condemniodd dafarnwyr a oedd yn gwthio diod ar gwsmeriaid ar y Sul gan honni mai dynion ar eu taith oeddent. Mynnodd hefyd y dylid cau pob clwb a werthai ddiod ar y Sul.

Wrth daro'r tant dirwestol, a'i gyplysu ag arwahanrwydd cenedlaethol y Sul Cymreig, gwyddai Lloyd George yn dda y deuai hynny â mantais boliticaidd fawr iddo, er ei fod ef yn breifat yn casáu düwch piwritanaidd y Sul Cymreig a'i fod hefyd yn achlysurol yn yr 80au wedi crwydro oddi ar y llwybr cul dirwestol.

Ni fu Lloyd George yn llwyr-ymwrthodwr bob tro yn ystod ei ieuenctid, ond eto gwyddai'n dda y byddai'n rhaid iddo gadw at y llwybr cul yn y cyswllt hwn os oedd am elwa'n boliticaidd o bwnc llosg dirwest. Daeth cyfle iddo eto yn siambr y sir wneud hynny mewn ffordd syfrdanol ym Mhwyllgor yr Heddlu ym mis Ionawr 1890. Anghytunodd â Phrif Gwnstabl y sir, y Cyrnol Ruck, tad Bertha Ruck, y nofelydd, ac un uchel ei barch ymhlith y Torïaid. Yn ei adroddiad Chwarterol, nododd y Cyrnol Ruck bod meddwi ar gynnydd yn y sir gyda 136 wedi cael eu cyhuddo o feddwi. Nododd hefyd mai dim ond pedwar tafarnwr oedd wedi cael eu gwysio am gyflenwi alcohol i gwsmeriaid meddw. Achubodd Lloyd George ar y cyfle i feirniadu'r Prif Gwnstabl am ei lacrwydd yn delio â thafarnwyr gan awgrymu'n herfeiddiol bod y Prif Gwnstabl dan fawd y Torïaid a'r bragwyr. Yn syfrdanol hefyd, mynnodd y dylai'r heddlu, yn eu dillad eu hunain, fynd yn gudd i dafarnau, yfed *ginger beer* yno, ac arestio pob tafarnwr oedd yn camymddwyn drwy werthu diod i gwsmeriaid. Wrth iddo awgrymu nad oedd yr heddlu'n gweithredu'n ddiduedd, achosodd ei sylwadau storm o brotest yn y Cyngor ac yn y wasg. Daeth â sylw mawr iddo fodd bynnag, a hybu ei ddelwedd radicalaidd, er i'w sylwadau ffromi rhai Rhyddfrydwyr ar y Cyngor fel D. P. Williams, Llanberis. Roedd ef yn Ustus Heddwch ac yn Rhyddfrydwr cymedrol ac anghytunodd ymhellach ymlaen â Lloyd George yn y llysoedd barn. Daeth yn dacteg gan Lloyd George ymosod ar golofnau'r sefydliad cyfreithiol a oedd yn ei olwg yn Dorïaidd neu yn cynnal y drefn gymdeithasol oedd ohoni yng Nghymru'r 80au.

Nid oedd ofn arno, chwaith, ymosod y tu allan i waliau'r Cyngor ar wrthwynebwyr Torïaidd na gwrth-radicaliaid Rhyddfrydol a oedd yn flaenllaw ar y Cyngor Sir, er mwyn hyrwyddo ei radicaliaeth a Chymreictod. Ym mis Mai 1889, wrth amddiffyn nifer o chwarelwyr o Ddyffryn Nantlle am botsio honedig yn Llyn Isaf Nantlle, croesodd gleddyfau nid yn unig â Chadeirydd y Fainc, Tori lleol cyfoethog, y Capten J. G. Wynne-Griffith, ond hefyd â D. P. Williams, aelod Rhyddfrydol blaenllaw a chymedrol o'r Cyngor Sir, a eisteddai ar y Fainc; roedd ef eisoes wedi cael ei wylltio gan ymddygiad Lloyd George yn siambr y Cyngor Sir.

Heriodd Lloyd George y Fainc, a ddeddfodd fod y chwarelwyr yn euog o botsio, gan honni bod gan chwarelwyr bob hawl i bysgota yn y llyn erioed, a hynny heb drwydded. Honnodd hefyd na chaent fyth gyfiawnder yn y fath lys—a chan ddefnyddio'r dacteg a fabwysiadodd yn Achos Claddu Llanfrothen yn 1888 mor effeithiol, bygythiodd y byddai'n mynd â'r achos i lys uwch, gan ychwanegu bod y fainc yn gwbl lwgr. Galwodd y papur lleol Torïaidd, *Y Gwalia*, ef yn 'Brentis Mewn Haerllugrwydd' gan honni mai pleidiwr y chwarelwyr, W. J. Parry, oedd yr unig gynghorydd sir a ddatganodd yn gyhoeddus o blaid ei 'Ymddygiad Gwarthus' yn y llys. Ond dangosai'r achos nad oedd arno ofn gwrthdaro â'i elynion yn ei blaid ei hun ar y Cyngor Sir, fel D. P. Williams, na chwaith Dorïaid llym ar y Meinciau Ustusaidd, fel y Capten J. G. Wynne-Griffith, a oedd yn enwog am gosbi potsiars.

Yr oedd ganddo gyfraniadau mwy adeiladol i'w cynnig yn y Cyngor Sir, fodd bynnag. O'r cychwyn, roedd wedi bod yn aelod o Bwyllgor Pysgodfeydd yr awdurdod. Ym mis Tachwedd 1889 cynigiodd sefydlu, ar y cyd â chynghorau eraill, Fwrdd Pysgota Bae Ceredigion, gan adlewyrchu ei gred mewn uno awdurdodau Cymreig ac ar yr un pryd gael llywodraeth leol i ymyrryd, drwy roi cymorth ariannol i wella safonau byw gweithwyr megis pysgotwyr. Yn y cyswllt hwn, roedd yn arddel Rhyddfrydiaeth ymyraethol ac yn cyplysu hynny ag amcanion cenedlaethol Cymreig, gan ragflaenu ei ymdrechion mawr ymhellach ymlaen yn ei yrfa, tra oedd yn Llywydd y Bwrdd Masnach, dros fudd a lles morwyr a physgotwyr, a oedd hefyd yn grŵp o etholwyr niferus yn etholaeth Bwrdeistrefi Caernarfon.

Hefyd ym mis Tachwedd, yn y Cyngor Sir, daeth cyfle iddo wthio'r gofyn am Senedd Ffederal Gymreig ymhellach. Cynigiodd y dylid cefnogi galwad W. J. Parry, pleidiwr y chwarelwyr, y dylai pob Cyngor Sir yng Nghymru uno a sefydlu Cyngor Etholedig Cymreig a fyddai'n esgor ar Senedd Ffederal i Gymru. Dyma ddychwel i'w safbwynt arloesol yn araith Hope Hall yn Lerpwl, sef y dylai Cynghorau Sirol Cymru arwain y gad, er mwyn cael mesur helaeth o hunanlywodraeth i Gymru.

Daeth ei ymdrech olaf i hyrwyddo ei grwsâd dros y Gymru Newydd yn y Cyngor Sir ym mis Chwefror 1890, nemor fis cyn iddo orfod wynebu, yn gwbl annisgwyl, ei is-etholiad tyngedfennol ym Mwrdeistrefi Caernarfon.

Yn y cyfarfod olaf hwn a fynychodd cyn ei ethol i'r Senedd, fe'i cafodd ei hun eto yng nghanol ffrae fawr a gynddeiriogodd y Toriaid ond a ddaeth â chyhoeddusrwydd mawr iddo. Roedd lle gwag ar y Cyngor i Henadur, yn dilyn marwolaeth sydyn Lloyd Edwards, y Tori amlwg a sgweiar ystad Nanhoron, Llŷn. Cynigiwyd gan y Rhyddfrydwyr, o ran cwrteisi, y dylid cael Henadur Torïaidd yn ei le, sef y Gwir Anrhydeddus Frederick Wynn, aer Arglwydd Niwbwrch, Glynllifon. Fodd bynnag, ac yn groes i farn hyd yn oed y Rhyddfrydwyr ar y Cyngor, cynigiodd Lloyd George enw Rhyddfrydwr o Bwllheli, sef Isaac Morris, i lenwi'r swydd. Gwrthodwyd ei gynnig, gyda mwyafrif y Rhyddfrydwyr yn pleidleisio yn ei erbyn. Wedyn, i ychwanegu at y cythrwfl, protestiodd fod y papurau pleidleisio wedi cael eu cam-gyfrif wrth ethol Wynn. Roedd ei weithred olaf yn y Cyngor Sir, cyn wynebu is-etholiad seneddol annisgwyl ym mis Ebrill 1890, mor syfrdanol â'r sgandal y bu yn ei chanol flwyddyn ynghynt pan benodwyd ef drwy'r drws cefn yn 'Fachgen Henadur'.

Nid chwarae plant, nac ymarferiad mewn 'politics plwyfol' fel yr honna John Grigg yn y gyfrol *The Young Lloyd George*, fu ei gyfnod ar Gyngor Sir Arfon, ond yn hytrach ymdrech barhaus i weddnewid gwleidyddiaeth Cymru mewn ffordd chwyldroadol fel cenedlaetholwr arloesol. Anodd hefyd yw cytuno â barn K. O. Morgan, nad oedd

ganddo ddiddordeb mewn llywodraeth leol. I'r gwrthwyneb, roedd ei weithgareddau yng Nghyngor Sirol Arfon, a'i grwsâd dros yr awdurdodau newydd yn etholiadau cyntaf y Cyngor Sir, yn adlewyrchu ei gred bod yr awdurdodau lleol Cymreig yn gyfryngau pwysig i hyrwyddo newidiadau cymdeithasol, yn llwyfannau pwysig i ddemocratiaeth leol ac yn sylfaen i Ymreolaeth Gymreig.

Yn y Cyngor Sir bu David Lloyd George, ar adeg dyngedfennol ei yrfa, yn pregethu syniadau beiddgar a pheryglus. Yn y cyfarfod hwn gallai'n hawdd fod wedi tyneru a lliniaru ar ei safbwyntiau cenedlaetholgar a radicalaidd yn wyneb gorfod, yn hwyr neu'n hwyrach, ymladd etholiad mewn etholaeth ffiniol, anodd, lle roedd llawer o Ryddfrydwyr yn gwrthwynebu ei ddaliadau eithafol. Ei brif gonsýrn, fodd bynnag, oedd newid cwrs gwleidyddiaeth Cymru gan anelu at ennill cefnogaeth y pleidleiswyr newydd a ddaethai ar yr etholrestr ar ôl 1885. Dangosai ei flaenoriaethau ar y Cyngor Sir ei fod yn genedlaetholwr ac yn radical newydd fel yr oedd ei wythnosolyn, *Yr Udgorn Rhyddid,* wedi seinio—'A Nationalist and Socialist regenerator in every respect'.

Serch hynny, nid yn ei ddaliadau gwleidyddol, cymdeithasol ac economaidd yn unig yr oedd yn arloeswr cenedlaethol yng Nghyngor Sir Arfon ond, yn fwy syfrdanol ac yn fwy annisgwyl, yn ei agwedd arloesol at yr iaith Gymraeg a'r defnydd ohoni yng ngweithgareddau'r sir. Roedd hyn yng nghefndir y diffyg parch a oedd at yr iaith yng Nghymru'r 80au, yn yr ysgolion, ym mywyd cyhoeddus Cymru a hyd yn oed yn y capeli gyda'r obsesiwn mawr â'r '*English Cause*'. (Bu ef yn dyst yn yr 80au i rwyg enfawr a achosodd yr Achos Saesneg yng nghapel ei wraig yng Nghricieth.) Felly, yr oedd penderfyniad Lloyd George i gefnogi'r iaith fel cyfrwng swyddogol, cyfreithiol y Cyngor yn ddewr ac yn sicr yn amhoblogaidd—yn enwedig mewn rhai ardaloedd Seisnig a chylchoedd cymdeithasol yn ei etholaeth. Er ei fod ef ei hun, yn ôl ffasiwn y cyfnod, yn ysgrifennu ei lythyrau at ei deulu a'i ffrindiau yn Saesneg fynychaf, ac yn cadw ei ddyddiaduron yn yr iaith fain; er ei fod wedi derbyn ei addysg yn Saesneg a dod yn feistr ar yr iaith fain yn gynnar iawn, eto i gyd mynnodd o'r cychwyn cyntaf nid yn unig siarad Cymraeg ei hun yn y Cyngor ond hefyd mai'r Gymraeg a fyddai prif iaith y Siambr. Roedd ef yn ystyried yr iaith yn fwy nag addurn ar Gymreictod; yn iaith yr oedd yn rhaid ei haddasu i fyd modern gweinyddu a llywodraethu.

Ar y 15fed o Chwefror 1889, ar drothwy gweithgarwch y Cyngor newydd, gofynnwyd iddo fynegi barn ar bwnc llosg y mis hwnnw yn

un o bapurau amlycaf Gwynedd, *Carnarvon and Denbigh Herald*, sef 'A ddylid caniatáu cyfartalwch i'r iaith Gymraeg yng nghyfarfodydd Cyngor Sirol Arfon?' Cyhoeddwyd ateb grymus ganddo yn cefnogi'r iaith i'r carn. Mynnodd yn ei lith agoriadol:

> The Local Government Act of last year certainly does not designate the English tongue as the only one in which the proceedings of the Council should be conducted.

Wedyn ychwanegodd, os oedd y Deddfau Uno'n gwahardd y Gymraeg, dylid eu diystyru yng nghyd-destun dyfodiad y Cynghorau newydd a gwawrio oes newydd ddemocrataidd:

> Whether there is some antique and long forgotten act of the Legislature proscribing the official use of the Welsh language, it is scarcely worth the Council's while to enquire. The act—if such there be extant—was intended to provide for circumstances foreign to those now in being and is so obsolete as the laws against heresy and apostacy and deserves the same respect as those antiquated laws.

Wedi iddo ymwrthod ag unrhyw anawsterau cyfreithiol i ddefnyddio'r Gymraeg, yr oedd ganddo yn ei lythyr hefyd ddadl gyfoes, ddemocrataidd, ar sail tegwch cymdeithasol ac effeithiolrwydd, paham y dylai'r Cyngor roi blaenoriaeth i'r Gymraeg:

> Apart from any question of sentiment, the efficiency of the council requires that free permission should be given to such Councillors as prefer Welsh to express their views in that language and for the simple reason that the English language would of necessity be confined to a minority on the council.
>
> Moreover, an unfair advantage in all debates would thus be given to such of the councillors, as are least in sympathy with the masses of the Welsh people.

Fel y gwelir o'r cymal olaf hwn o'i lythyr, roedd yn cefnogi'r iaith am resymau dosbarth am mai hi oedd iaith frodorol y mwyafrif democrataidd a eisteddai ar y Cyngor a'r etholwyr a bleidleisiodd drostynt. Nid oedd am weld iaith Saesneg y lleiafrif dethol, y Toriaid, uchelwrol Seisnigedig, yn cael blaenoriaeth ar y Cyngor. Nid oedd chwaith am weld yr iaith yr arferid ei defnyddio cyn 1888 yn y Sesiynau Chwarter, sef y Saesneg, yn cael blaenoriaeth yn senedd y bobl.

Nid ar sail urddas hanesyddol yr iaith, iaith uchelwyr Cymru, ac nid oherwydd unrhyw resymau pur, llenyddol, chwaith y cefnogai'r Gymraeg ond am mai hi oedd iaith 'myrdd y bobl' a bod y bobl nawr wedi etifeddu grym ar y Cynghorau newydd. Wrth arddel y Gymraeg hefyd, roedd 'Mab y Bwthyn' yn dathlu diwedd rhagorfraint yr uchelwyr Seisnigedig ar fywyd ei fro a'i Gymru ef; er, mewn gwirionedd, roedd llawer o Ryddfrydwyr dosbarth-canol, claear y Cyngor Sir yn ddi-hid o dynged yr iaith.

Mae llawer o haneswyr wedi pwysleisio diffyg parodrwydd arweinyddion Cymreig cyfnod Cymru Fydd i roi pwys gwleidyddol ar yr iaith Gymraeg wrth fynnu hawliau i Gymru yn 80au a 90au'r ganrif ddiwethaf (gweler D. Tecwyn Lloyd, *Drych o Genedl*, Abertawe, 1987, tud. 26-9). Yn hytrach, cafwyd pwyslais ar sicrhau sefydliadau cenedlaethol fel y Brifysgol, yr Amgueddfa a'r Llyfrgell Genedlaethol nad oedd lle blaenllaw i'r Gymraeg yn eu gweinyddiaeth na'u gweithgareddau. Cyfeirir hefyd at holl dueddiad y cyfnod fel un a fawrygai'r Saesneg ar draul y Gymraeg yn yr ysgolion, a hyd yn oed yn y colegau lle dysgid yr iaith, yn amlach na pheidio drwy gyfrwng y Saesneg. Nid dyna agwedd Lloyd George at y Gymraeg.

Yn ei ymwneud â Chyngor Sir Arfon a rhan y Gymraeg yn ei weithgareddau, roedd Lloyd George yn sicr am dorri tir newydd, arloesol i'r iaith fel cyfrwng hollol naturiol a modern. Roedd cyfiawnder i'r iaith yn rhan o'r hyn a oedd iddo ef yn ddeffroad cenedlaethol Cymru yn y cyfnod. Ni weithredwyd ei amcanion ieithyddol yn Arfon yng ngweinyddiad y Cyngor er i rai o'r aelodau siarad yn y Siambr yn Gymraeg, am i'r Llywodraeth, yn 1891, wrthod cais Cyngor Sir Feirionnydd i weinyddu'r Cyngor hwnnw'n ddwyieithog, er bod rhai cynghorwyr yn unieithog Gymraeg. Eto i gyd, dangosodd safiad Lloyd George, tra oedd yn gynghorwr gweithredol yn 1889 ac 1890, nad addurn oedd y Gymraeg iddo ond, yn hytrach, iaith fodern llywodraethu a gweinyddu.

Mae hyn yn groes i farn llawer o haneswyr am agwedd Lloyd George at yr iaith Gymraeg. Maent wedi ceisio portreadu Lloyd George fel un a chanddo agwedd sentimental at yr iaith—iaith ei fabandod, iaith capel a'r bwthyn, iaith yr aelwyd ac iaith yr Eisteddfod—iaith gyfyng y diwylliant gwerinol. Dyma farn Hywel Teifi Edwards amdano yn y gyfrol *Cwm Rhondda* (Llandysul, 1995, tud. 221-222) wrth sôn am araith Lloyd George yn Eisteddfod Genedlaethol Treorci yn 1928, pryd y soniodd am yr iaith nid fel cyfrwng swyddogol busnes a llywodraeth ond fel 'Iaith garedig, iaith gynnes, iaith calon . . . iaith pethau dyfnaf a thyneraf bywyd, iaith y cyfrinion, yr encilion, y dirgelion'.

Gwir y gallai Lloyd George ramantu yn yr Eisteddfod Genedlaethol am y Gymraeg fel iaith yr aelwyd. Ond ef hefyd, yn Eisteddfodau Cenedlaethol yr 1890au, a fynnai fod y Saesneg yn cael ei dileu oddi ar y Maes (gweler *Eisteddfodau Caernarfon a Lloyd George*, Emyr Price, *Eisteddfota* 1979, Gwasg Gomer, tud. 137-148).

Wrth gwrs, wedi iddo heneiddio a symud fwyfwy o Gymru, trodd ei frwdfrydedd cynnar at yr iaith yn agwedd sentimental ati. Mae yna, o bosib, elfen o wirionedd yn honiadau Dr K. O. Morgan am agwedd Lloyd George at yr iaith a'r diwylliant Cymraeg, yn ddiweddarach yn ei yrfa:

> . . . Lloyd George had relatively scant concern with Welsh literary or musical culture, other than the lusty singing of Welsh hymns. Nor did he have any particular involvement with the moves to protect the Welsh language—although it should be said that Lloyd George in this respect was typical of virtually every Liberal of his time since there was not the same anxiety about 'the fate of the language' of the kind that emerged in the inter-war period.
>
> Lloyd George's approach to Welsh culture was genuine enough, but it was the result of knowledge gained by upbringing, personal contact and conversation. It was instinctive and intuitive, rather than intellectual. At times, it was even sentimental.

Hanner gwir sydd yn y gosodiad hwn. Yr oedd, yn ei gyfnod cynnar, wedd arbennig a holl bwysig i'r iaith fel elfen hanfodol yn ei genedlaetholdeb Cymreig, fel y gwelir yn ei safiad arbennig drosti yng Nghyngor Arfon.

Nid oes unrhyw amheuaeth iddo arddel yr iaith mewn ffordd fodern a beiddgar pan sefydlwyd Cyngor Sir Arfon, a hynny ar adeg pan nad oedd yn ffasiynol i wneud hynny a phan na ddeilliai unrhyw fantais wleidyddol iddo o wneud felly, ar y pryd, ac yntau'n wynebu etholiad mewn etholaeth mor gosmopolitaidd â Bwrdeistrefi Caernarfon, ar drothwy un o ddigwyddiadau mwyaf tyngedfennol ei yrfa.

Yn ei weithgarwch arloesol fel y 'Bachgen Henadur' ar Gyngor Sir Arfon yn 1889 ac 1890, dangosodd Lloyd George ddewrder anghyffredin fel cenedlaetholwr a radical Cymreig. Nid '*parish pump politics*' aeth â'i fryd yno, fel yr honna John Grigg yn ei gyfrol, *The Young Lloyd George* (Llundain, 1973, tud. 54), ac yn y cyfnod hwn o'i yrfa prin bod unrhyw sail i honiad Grigg: 'He always cared for Wales, but only in the much bigger context of United Kingdom and Imperial politics' (tud. 43). Gwir mai oddi mewn i fframwaith Brydeinig y gwelai senedd Gymreig yn gweithredu, ond bu sicrhau hynny'n flaenoriaeth ganddo yn y cyfnod hwn ar draul buddiannau Prydeinig y Blaid Ryddfrydol a materion Prydeinig eraill. Fe'i hystyriai ei hun yn genedlaetholwr.

Yn y Cyngor Sir, defnyddiodd ei holl ddoniau nid yn unig i geisio gwneud ei syniadau beiddgar yn dderbyniol i'w etholwyr ond hefyd i geisio lledaenu ymhell y tu hwnt i blwyfoldeb Arfon neges a oedd yn gyffrous, yn newydd ac yn ddeinamig.

Nid y Cyngor Sir oedd yr unig gyfrwng a ddefnyddiodd, cyn dyfod ei is-etholiad tyngedfennol ym mis Ebrill 1890, i geisio gwneud ei syniadau beiddgar yn dderbyniol i'w ddarpar etholwyr ac i ledaenu ei awydd i weld Cymru newydd yn datblygu dan ei arweiniad ef a Tom Ellis.

Ar ôl cael ei ddewis yn Ymgeisydd Seneddol Bwrdeistrefi Caernarfon ym mis Ionawr 1889, cafodd ei gyd-ethol ar bwyllgorau pwysicaf y Rhyddfrydwyr yng Nghymru—yn arbennig yn y gogledd. Roedd yn aelod o Bwyllgor Gweithredol Ffederasiwn Rhyddfrydol Gogledd Cymru er mis Chwefror 1889. Ar yr un pryd hefyd, cyd-etholwyd i'r Ffederasiwn ddau gyfaill iddo, a chyd-genedlaetholwyr Cymreig, sef yr arweinydd undebol, W. J. Parry, ac R. A. Griffith (y bardd 'Elphin'), y cyfreithiwr a'r cenedlaetholwr, a ystyrid yn ŵr o syniadau peryglus gan batriarchiaid Cymdeithas Ryddfrydol Bwrdeistrefi Caernarfon.

Serch hynny, o'r cychwyn cyntaf, roedd Lloyd George a'r garfan newydd hon am ddefnyddio Ffederasiwn y Gogledd (a'r De) i geisio gweddnewid y drefniadaeth Ryddfrydol yng Nghymru a mynnu undod rhwng De a Gogledd i ymladd am flaenoriaeth i faterion Cymreig a hyd yn oed am fesur o Ymreolaeth i Gymru. Lloyd George, yn anad neb, fyddai'n arwain y crwsâd hwn oddi mewn i'r Ffederasiynau, a hynny yn nannedd cynddaredd a dicllonedd nid yn unig Ryddfrydwyr blaenllaw ond hefyd rhai o'r pen-blaenoriaid Rhyddfrydol yn ei etholaeth ei hun.

Daeth ei ymgais gyntaf i geisio gweddnewid Rhyddfrydiaeth glaear Ffederasiwn y Gogledd yng nghanolbwynt ei etholaeth ei hun, yng Nghaernarfon ym mis Mehefin 1889, lle gobeithiai gael cefnogaeth tri newyddiadur grymus Gwasg y Genedl—*Y Genedl Gymreig*, *Y Werin* a'r *North Wales Observer and Express*. Yng nghyfarfod y Ffederasiwn condemniodd yr Arweinydd Rhyddfrydol, W. E. Gladstone, o bawb, am ei absenoli ei hun o'r drafodaeth Seneddol ar y pryd, o blaid

Datgysylltu Eglwys Loegr yng Nghymru. Condemniodd hefyd amharodrwydd y Blaid Ryddfrydol i dystio o blaid Datgysylltiad. Mynnodd y dylai'r blaid roi blaenoriaeth i'r mater, ochr yn ochr â *Home Rule* i Iwerddon, cyn gynted ag y byddent yn ôl mewn grym. Mynnai hefyd na ddylai Rhyddfrydwyr Cymru gefnogi unrhyw lywodraeth Ryddfrydol oni bai bod hynny'n digwydd.

Dyma eiriau rebelgar o enau Lloyd George, a bregethai wrthryfel yn erbyn Rhyddfrydiaeth swyddogol Brydeinig. Cafwyd ymateb cymysg a chynhennus i'w alwadau cenedlaetholgar. Gyda W. J. Parry wrth y llyw golygyddol, croesawai'r *Genedl Gymreig* ei gondemniad o 'Seisnigrwydd drewllyd' Ffederasiwn Gogledd Cymru. Ar y llaw arall, roedd eraill yn fwy gofalus, tra bod papurau Toriaidd ei etholaeth, *Y Gwalia* a'r *North Wales Chronicle*, yn rhyfeddol o dawedog—dros dro, beth bynnag.

Daeth anfodlonrwydd Lloyd George â'r cawcws Gladstonaidd o Ryddfrydwyr swyddogol Prydeinig i'w benllanw, fodd bynnag, yn niwedd haf a dechrau hydref 1889, wrth i ail ddarlleniad y Mesur Degwm dadleuol ddod i'w binacl yn Nhŷ'r Cyffredin.

Mewn cyfarfod o Bwyllgor Gwaith y Cyngor Cenedlaethol (y corff a gydgordiai'n aneffeithiol waith Cynghreiriau'r De a'r Gogledd) yn Llandrindod ar y 3ydd o Fedi, ni wnaeth Lloyd George araith ond cefnogodd gynnig Thomas Gee bod y degwm yn gwbl wrthun ac yn anfoesol ac y dylid cymryd pob cam i atal ei gasglu. Mewn llythyr o Landrindod at ei wraig, Margaret, nododd fod 'y cyfarfod wedi bod yn hynod fywiog a bod datganiadau wedi eu pasio a fyddai'n sioc i'r Aelodau Seneddol gwan a'r Rhyddfrydwyr claear yn y Dywysogaeth'.

Gwrthododd yr arweinyddion Rhyddfrydol yn Llandrindod gynnig Gee a Lloyd George gan ystyried y byddai hynny'n sarhad ar Gladstone, a oedd yn Eglwyswr ac yn llugoer ei gefnogaeth i Ddatgysylltu. Fodd bynnag, enillodd Lloyd George le ar y Cyngor Cenedlaethol i barhau â'r frwydr gan fynnu bod angen gwrthdystiad sifil yn erbyn casglu'r degwm.

Ymddangosodd erthygl flaen hefyd yn *Y Genedl Gymreig*, ar y 18fed o Fedi, yn condemnio natur gymedrol, annemocrataidd y Cyngor a'u hagwedd llugoer at bwnc y degwm. Ffrind pennaf Lloyd George, sef R. A. Griffith (Elphin) oedd yr awdur.

Cynddeiriogwyd Griffith a Lloyd George ymhellach ddiwedd mis Medi pan benderfynodd Ffederasiwn y Gogledd, mewn cyfarfod ym Mlaenau Ffestiniog, gefnogi agwedd llugoer y Cyngor Cenedlaethol yn Llandrindod at y Mesur Degwm. Roedd arweinydd y garfan gymedrol, wrth-genedlaethol yn y Ffederasiwn—sef y sgweiar o Glansevern, Maldwyn, A. C. Humphreys-Owen, yr oedd Lloyd George wedi ei orchfygu i sicrhau enwebiad Bwrdeistrefi Caernarfon—wrth ei fodd â phenderfyniad Blaenau Ffestiniog. Ysgrifennodd at Stuart Rendel, Aelod Seneddol Maldwyn a *confidant* W. E. Gladstone:

> This is a triumph for us, because as usual the emptiness and futility of George and his policy were exposed and beaten in a fair discussion . . . The men who lead Wales are the moderates . . . not the young fire eaters. Lloyd George was soundly rated by J. E. Powell and had not a word to say for himself.

Fodd bynnag, nid oedd y penderfyniadau yn Llandrindod a'r Blaenau, a aeth yn groes i fwriadau Lloyd George i droi Rhyddfrydiaeth Gymreig yn fudiad milwriaethus, ond yn ysgogiad pellach iddo ef a'i gyfeillion cenedlaetholgar ddyblu eu hymdrechion i weddnewid y drefniadaeth Ryddfrydol yng Nghymru.

Fe ddaeth yr ymdrech honno yn y modd mwyaf syfrdanol a herfeiddiol ym mis Hydref 1889 yng Nghaernarfon yng Nghyfarfod Blynyddol Ffederasiwn Gogledd Cymru a chyfarfod o'r Cyngor Cenedlaethol. Yng nghanol ei ddarpar etholaeth, penderfynodd Lloyd George gymryd y cam mwyaf mentrus eto yn ei yrfa wleidyddol, sef herio nid yn unig Ryddfrydwyr Cymru ond hefyd uchelfannau grym y Blaid Ryddfrydol Brydeinig. Roedd am ddangos ei fod, uwchlaw popeth, yn radical ac yn genedlaetholwr Cymreig. Byddai'n barod i herio Rhyddfrydiaeth Gymreig i dorri tir cwbl newydd yn hanes Cymru, a thrwy wneud hynny geisio hefyd argyhoeddi pobl ei ddarpar etholaeth ei hun bod rhaid symud gwleidyddiaeth Cymru i gyfeiriad Cymru Fydd.

Yn ôl ei arfer roedd Lloyd George, y gwleidydd proffesiynol tan gamp, wedi paratoi'n ofalus ei lwybr bwriadol cyn y cyfarfod, er mwyn ceisio cael ei faen i'r wal. Ddiwrnod cyn y cyfarfod mawr, roedd ef a'i gyfaill, R. A. Griffith, wedi cyhoeddi llythyr hir a manwl yn y newyddiadur grymus, *The South Wales Daily News*, yn amlinellu eu cynllun chwyldroadol newydd i greu trefniant cenedlaethol i Ryddfrydwyr Cymru gydag amcanion blaengar.

Yn yr erthygl, condemniodd Lloyd George y Cyngor Cymreig a Ffederasiwn Rhyddfrydol Gogledd Cymru gan fynnu eu disodli â threfniant democrataidd gwahanol. Ac yn y papur dosbarth gweithiol o Gaernarfon, *Y Werin*, manylodd ef ac R. A. Griffith ar y drefn newydd yr oedd am ei sefydlu.

Byddai Cynghrair Cenedlaethol yn cael ei sefydlu yn lle'r Cyngor gyda'r amcanion canlynol: (i) datgysylltu; (ii) gwladoli'r degwm; (iii) diwygio'r deddfau tir; (iv) dewis lleol; (v) senedd ffederal i Gymru; (vi) hyrwyddo Rhyddfrydiaeth newydd yng Nghymru ac yn olaf (vii) dychwelyd aelodau seneddol newydd Cymreig i sicrhau amcanion y Cynghrair uwchlaw popeth arall.

Argymhellodd y Cynllun hefyd ethol yn ddemocrataidd swyddogion y Cynghrair Newydd a Phwyllgor Gwaith o 39 aelod wedi eu dewis gan bwyllgorau ym mhob etholaeth Seneddol, a'r pwyllgorau hynny wedi eu dewis gan aelodau cyffredin pob etholaeth.

Roedd manylion y Cynghrair, felly, wedi eu paratoi yn ofalus, cyn y cyfarfod yng Nghaernarfon—a'r drefn newydd yn fygythiad uniongyrchol i hen Ryddfrydiaeth Cymru. Roedd Lloyd George a'i gyfeillion am herio holl sylfeini'r drefniadaeth Ryddfrydol.

Ar yr 17eg o Hydref, rhoddwyd y cynllun gerbron y Cyngor Cenedlaethol yng Nghaernarfon a hynny dan gadeiryddiaeth Syr William Harcourt, un o brif arweinyddion y Rhyddfrydwyr ym Mhrydain. R. A. Griffith a gynigiodd y penderfyniad, yn cael ei eilio gan un arall o aelodau blaenllaw Cymru Fydd, sef William Jones, Bethesda, a ddeuai erbyn 1895 yn Aelod Seneddol Rhyddfrydol Arfon. Wrth annerch y gynulleidfa, cynigiodd William Jones ymhellach mai 'prif nod y Cynghrair fyddai sicrhau *Home Rule* i Gymru'—cynnig a gododd storm o wrthwynebiad yn y cyfarfod.

Roedd Thomas Gee, hyd yn oed, yn amharod i dderbyn hynny gan fynnu bod cynigion Lloyd George a'i garfan, er yn gyffrous, yn gyn-amserol, a bod angen i ddechrau, ac fel blaenoriaeth, sicrhau datgysylltiad a diwygio'r degwm, cyn mynd ati i fynnu *Home Rule* i Gymru.

Siaradodd amryw o Ryddfrydwyr eraill yn erbyn carfan Lloyd George; yn eu plith roedd Dr Evan Herber Evans, pen-blaenor Annibynnol Cymru a gweinidog amlwg yn nhref Caernarfon. Mynnai Evans fod y cynigion yn rhannu Rhyddfrydwyr Cymru ac y byddent hefyd yn achosi rhwyg oddi mewn i etholaeth Lloyd George ym Mwrdeistrefi Caernarfon. Pwysodd am bwyllgor i ymchwilio i gynigion Lloyd George—tacteg amlwg i danseilio'r cynllun newydd.

Er mwyn mynnu trefn newydd i Gymru, fodd bynnag, cododd Lloyd George ar ei draed, ac mewn araith ymfflamychol cyhuddodd arweinyddion Rhyddfrydol Cymru o lwfrdra a chyhuddo'r Ffederasiwn gogleddol o gau allan y dosbarth gweithiol o'u gweithgareddau. Yn ôl y wasg, cafodd ei ymyriad yn y ddadl ei heclo'n barhaus, ond diweddodd yr araith fwyaf eithafol yr oedd wedi ei thraddodi yn ystod ei yrfa gyn-seneddol trwy fynnu mai dyma'r unig ffordd ymlaen i Ryddfrydiaeth Gymreig fodern.

Gwrthod argymhellion Lloyd George wnaeth y cyfarfod, fodd bynnag, gan ohirio unrhyw benderfyniad ar y cynllun arloesol o sefydlu Cynghrair Cenedlaethol i Gymru—hyn ymhell cyn bod sôn am sefydlu, dan ei arweiniad ef, Gynghrair Cymru Fydd yn 1894-5.

Er i'r Cynllun fethu, fodd bynnag, gan greu dicllonedd mawr yn y rhengoedd Rhyddfrydol a hynny yng nghanol ei etholaeth ei hun, roedd Lloyd George wedi sicrhau cyhoeddusrwydd eang i'w syniadau blaengar.

Croesawyd ei ymyriad gan leiafrif o bapurau radicalaidd, yn cynnwys papurau Gwasg y Genedl a hefyd newyddiadur wythnosol cenedlaethol a sosialaidd E. Pan Jones, *Y Celt*, a hawliai fod y cyfarfod yn 'fuddugoliaeth foesol i'r diwygwyr'—gan fynnu bod *Home Rule* yn llawer pwysicach i Gymru na Datgysylltiad.

Fodd bynnag, roedd mwyafrif y papurau Cymreig, fel *Baner ac Amserau Cymru* Thomas Gee a'r newyddiadur Annibynnol, *Y Tyst*, yn llugoer at y Cynllun. Mynnodd *Y Tyst*, er enghraifft, ar y 25ain o Hydref, mai 'dynion ifanc eithafol' oedd Lloyd George a'i garfan. Wedyn roedd newyddiadur grymus y Methodistiaid Calfinaidd, *Y Goleuad*, (yr enwad mwyaf o ddigon ym Mwrdeistrefi Caernarfon) yn llym ei feirniadaeth ar y Cynllun tra bod y wasg Doriaidd yn ymhyfrydu yn y rhwyg a greodd y cyfarfod. Roedd *The Western Mail*, ar y 19eg o Hydref, 1889, yn arbennig o gondemniol, gan ddatgan:

> Parnellism is the model after which Mr Lloyd George and his friends would form Home Rule—no discussion but strict obedience to the dicta of a clique.

Roedd Lloyd George, yn sicr, wedi arddangos parodrwydd i fentro ymhellach nag unrhyw wleidydd Cymreig arall yn yr 80au i gyfeiriad *Home Rule* i Gymru, a'i obaith oedd bod ganddo hyd at dair blynedd arall cyn y byddai'n rhaid iddo ymladd Etholiad Cyffredinol a rhoi ei raglen arloesol gerbron ei ddarpar etholwyr.

Wedi'r cyffroadau yng Nghaernarfon, ac er y gynddaredd a greodd yn rhengoedd Rhyddfrydiaeth Gymreig a thu hwnt, ni liniarodd wedyn ar ei gynllun i wyrdroi Rhyddfrydiaeth Gymreig.

Daeth uchafbwynt ei ryfel yn erbyn yr Hen Ryddfrydiaeth Brydeinig ym mis Chwefror 1890 yng Nghyfarfod Blynyddol Ffederasiwn Rhyddfrydol De Cymru, yng Nghaerdydd. Yma roedd i fynd â'i grwsâd dros Ymreolaeth i Gymru gam ymhellach nag y gwnaeth yng Nghaernarfon, hyd yn oed.

Yn ei araith gyntaf erioed yn ne Cymru, ac yn wyneb sylw na chawsai ei debyg cyn hynny, treuliodd Lloyd George y rhan helaethaf o'i araith yn trafod y flaenoriaeth y dylai Rhyddfrydwyr Cymru anelu ati, sef Senedd Ffederal i Gymru. Mynnai mai trwy gyfrwng Senedd Gymreig yn unig y gellid cyflawni anghenion a dyheadau cymdeithasol, economaidd a chrefyddol Cymru.

Nododd y *Carnarvon and Denbigh Herald* bod ei alwad yn un hanesyddol: 'It was the first important political gathering at which the principle of Home Rule for Wales, as a fundamental plank of the Welsh Liberal Federation, was adopted'.

Ychwanegodd y papur hefyd fod mwyafrif y cynrychiolwyr yno yn ymddangos yn llugoer eu hagwedd at y syniad, er i gynnig Lloyd George gael ei fabwysiadu.

Adroddodd prif bapur Rhyddfrydol de Cymru, *The South Wales Daily News*, fodd bynnag, na chafwyd erioed gyfraniad mor rhesymegol o blaid Ymreolaeth i Gymru ag araith Lloyd George, yn ogystal â chyfraniadau W. J. Parry a D. A. Randell, Aelod Seneddol Rhyddfrydol Abertawe.

Nid yn annisgwyl, canmolwyd cyfraniad Lloyd George hefyd gan bapurau cwmni Gwasg y Genedl o Gaernarfon, gyda'r *North Wales Observer* (Chwefror 14), yn cludo'r penawdau beiddgar, 'North Wales Liberal Federation—The Timid: South Wales Liberal—The Bold'.

Wedyn, mewn erthygl flaen ar y 5ed o Chwefror, clodforodd *The South Wales Daily News* gyfraniad Lloyd George:

> We believe he belongs to that class of young and rising Welshmen who will in the future and no doubt not too distant future prove to be the pride of the Welsh people.

Roedd *The Cambrian News* (7 Chwefror, 1890) a gylchredai ym Mwrdeistrefi deheuol ei ddarpar etholaeth, hefyd yr un mor glodforus tra bod y cylchgrawn misol *Cymru Fydd* (Mawrth 1890) mewn ewfforia gor-optimistaidd yn datgan: 'Glamorgan and Monmouth have already raised the cry in favour of Home Rule'.

Fodd bynnag, nid oedd y wasg Ryddfrydol yn llwyr o blaid tactegau ymfflamychol, arloesol Lloyd George. Er i'r *Herald* glodfori ei araith, pwysleisiodd y papur fod angen cropian cyn cerdded:

> Wales needed time to develop before attaining Home Rule. She should at first be content to demand—as a first instalment—a National Council with administrative functions only.

Ychwanegodd erthygl flaen yr *Herald* hefyd, ar y 7fed o Chwefror:

> Home Rule should not be pushed forward so as to obstruct the movement for the disestablishment of the State Church and the reform of the Land Laws.

Roedd Tom Ellis, fodd bynnag, wrth ei fodd â chyfarfod Caerdydd. Ysgrifennodd o'r Aifft, lle roedd yn ceisio gwella ar ôl salwch difrifol, at W. J. Parry ar y 25ain o Chwefror: 'The momentous adoption of Welsh Home Rule was a striking indication of the ripening of opinion'.

Nid dyna farn papur Torïaidd Caerdydd, *The Western Mail*, a honnodd mai methiant oedd ymdrechion Lloyd George a W. J. Parry. Yn ôl y papur a'i erthygl flaen ar y 5ed o Chwefror: 'Lloyd George and W. J. Parry must have felt themselves out of their element in the atmosphere of Cardiff'.

Er bod barn groes yn sgil cyfarfod hanesyddol Caerdydd, a'r awgrym nad oedd y Blaid Ryddfrydol yng Nghymru'n aeddfed i dderbyn syniadau blaengar Lloyd George, roedd wedi llwyddo i ennill cyhoeddusrwydd eang i'w grwsâd dros Ymreolaeth i Gymru ac iddo ef yn bersonol fel y ffigur amlycaf yn y symudiad i geisio sicrhau Senedd Ffederal i Gymru. A Tom Ellis yn wael, roedd Lloyd George wedi cymryd yr awenau cenedlaethol i'w ddwylo ei hun.

Yng Nghaerdydd, roedd Lloyd George wedi galw ym mherorasiwn ei araith am Senedd i Gymru, uwchlaw popeth arall. Ei eiriau cloi oedd:

> That would self-government be granted to Wales, she would be a model to the nationalities of the Earth of a people who have driven oppression from their hillsides and initiated the glorious reign of freedom, justice and truth.

Roedd Lloyd George yn ddiamau yn y cyfnod hwn yn genedlaetholwr Cymreig ac yn asio hynny â gweld Senedd Gymreig yn deddfu ar faterion cymdeithasol:

> You have pledged yourselves to Disestablishment, Land Reform, Local Option and other great reforms. But, however drastic and broad they may appear to be, they after all simply touch the fringe of that vast social question which must be dealt with in the near future.

Cyfeirio yr oedd at yr angen i sicrhau mesurau budd a lles i warchod buddiannau pawb yn ddiwahân o'r crud i'r bedd.

Yn ei lyfr, *The Making of Lloyd George*, (tud. 166), mae W. R. P. George yn honni bod y geiriau hyn yn dangos yn glir 'that his political concern and vision extended beyond granting self government for Wales'.

Gwir hynny, ond yn 1890, onid galw yr oedd Lloyd George am sefydlu hunanlywodraeth i Gymru a senedd ffederal a allai fynd ymhellach na Datgysylltu, Deddfau Tir ac yn y blaen, a darparu trefn o fesurau budd a lles a ddangosai y gallai Senedd Gymreig arwain y byd wrth ddeddfu fel hyn? Ac yn sicr, yn 1895, pan sefydlodd ei Gynghrair Cymru Fydd, roedd sicrhau deddfwriaeth lafurol a mesurau budd a lles yn rhan annatod o'i grwsâd dros Senedd Ffederal i Gymru. Nid amcan ynddi'i hun oedd *Home Rule* i Gymru, ond cyfrwng i Gymru ddangos, fel y nododd yng Nghaerdydd, system o hunanlywodraeth a fyddai'n fodel i genhedloedd eraill 'of a people who have driven oppression from their hillsides and initiated the glorious reign of freedom, justice and truth'.

Er ei grwsâd dros hunanlywodraeth Gymreig yng Nghaernarfon a Chaerdydd yn 1889-90, a'r cyhoeddusrwydd mawr a gafodd, ni ellir gwadu ei fod wedi ennyn gwrthwynebiad chwyrn yn y Ffederasiynau Rhyddfrydol i'w bolisïau beiddgar a newydd; heb sôn am wrthwynebiad chwerw, fel y dangosodd yr ymateb yng Nghaernarfon yn 1889, ymhlith Rhyddfrydwyr Bwrdeistrefi Caernarfon.

Parhaodd ef i wthio ei syniadau cenedlaetholgar ymhellach, fodd bynnag, ar ôl cyfarfod Caerdydd. Ym mis Mawrth 1890, ym Mhwllheli, ac wedyn yng Nghaernarfon, traddododd ei ddarlith 'Gwersi o Hanesyddiaeth Cymru' gan barhau i ddatgan pa mor angenrheidiol oedd sicrhau hunanlywodraeth ffederal i Gymru ac efelychu'r Gwyddelod drwy sefydlu plaid annibynnol Gymreig yn y Senedd.

Ar yr union adeg honno, bedwar mis ar ddeg ar ôl iddo gael ei fabwysiadu'n ymgeisydd seneddol dros Fwrdeistrefi Caernarfon, ac yn obeithiol y câi ddwy flynedd arall i wneud ei syniadau blaengar yn dderbyniol i drwch ei etholwyr, daeth y newyddion syfrdanol fod y tirfeddiannwr a'r *estate agent* Edmund Swetenham, aelod Torïaidd y Bwrdeistrefi, wedi cael damwain angheuol. Roedd wedi disgyn oddi ar ei geffyl wrth hela, wedi cael yr anwydwst (*pneumonia*) ac wedi marw o fewn ychydig ddyddiau.

Byddai'n rhaid, felly, i Lloyd George wynebu is-etholiad yn gyn-amserol—a hynny dan chwyddwydr nid yn unig bapurau ei etholaeth a Chymru, ond hefyd byddai'n dod i sylw newyddiaduron amlycaf Prydain, mewn is-etholiad tyngedfennol i'r Blaid Ryddfrydol.

Dyma is-etholiad, o gael buddugoliaeth i'r Rhyddfrydwyr, a fyddai'n tanseilio llywodraeth hirhoedlog ond cynyddol amhoblogaidd y Toriaid dan arweiniad yr Arglwydd Salisbury. Deuai hynny â phwysau mawr arno, felly, i gadw at y lein Rhyddfrydol swyddogol mewn etholaeth ffiniol, gosmopolitaidd nad oedd yn ffafrio gwleidydd newydd o'i statws ef na'r radicaliaeth a'r cenedlaetholdeb eirias yr oedd wedi bod yn eu pregethu er ei ddewis yn ymgeisydd seneddol.

Un peth oedd yn sicr, byddai'n is-etholiad diddorol—efallai yn un o'r is-etholiadau mwyaf cynhyrfus yn hanes Cymru wrth i'r 'Nationalist candidate for the Boroughs' wynebu'r prawf gwleidyddol mwyaf yn ei yrfa—ac o fethu'r prawf hwnnw byddai'n cael ei anfon yn sicr i ddifancoll gwleidyddol. Hynny fyddai ei dynged oherwydd roedd ei syniadau blaengar fel pleidiwr symudiad cyntaf Cymru Fydd wedi ennyn cynddaredd llawer iawn o'r hen Ryddfrydwyr Cymreig y bu'n eu collfarnu. Byddent hwy yn fwy na pharod i'w weld yn colli ei sedd a hynny'n arwain unwaith ac am byth at ei dynghedu ef yn bersonol, a'i wleidyddiaeth eithafol, i'r diffeithwch politicaidd.

Ym mis Mawrth 1890, wynebai'r cenedlaetholwr a'r radical Cymreig gyfyng-gyngor mwyaf ei yrfa boliticaidd hyd at hynny. A fyddai'n sefyll ei etholiad cyntaf fel y 'Nationalist candidate for the Boroughs' . . . 'addicted to Socialist ideals' fel yr oedd wedi ei weld ei hun, yn gyfrinachol; neu a fyddai'n gorfod, tan bwysau mawr, fabwysiadu safiad pragmataidd, dros dro, wrth i gyfryngau Prydain droi eu sylw at Fwrdeistrefi Caernarfon?

PRIF FFYNONELLAU

The North Wales Observer and Express, 1889-90; *Y Gwalia*, 1889-90; *Baner ac Amserau Cymru*, 1889-90; *Y Genedl Gymreig*, 1889-90; *Y Celt*, 1889-90; *Carnarvon and Denbigh Herald*, 1889-90; *Cymru Fydd*, 1889-90; *The South Wales Daily News*, 1889-90; *The Western Mail*, 1889-90; *Y Goleuad*, 1889-90; *Y Tyst a'r Dydd*, 1889-90; *The Cambrian News*, 1889-90; *Y Werin*, 1889-90.

Llyfrgell Genedlaethol Cymru: Papurau Glansevern.

Gweler eto draethawd MA Emyr Price, pennod VIII.

DARLLEN PELLACH

Jack Eaton, *Judge John Bryn Roberts, A Biography* (Caerdydd, 1889).

Hywel Teifi Edwards, 'Eisteddfod Genedlaethol Treorci, 1928', yn *Cwm Rhondda*, tt. 194-227 (Llandysul, 1995).

William George, *Cymru Fydd: Hanes y Mudiad Cenedlaethol Cyntaf* (Lerpwl, 1945).

D. Tecwyn Lloyd, *Drych o Genedl* (Abertawe, 1987).

Emyr Williams, 'Liberalism in Wales and the Politics of Welsh Home Rule, 1886-1991', *Bwletin y Bwrdd Gwybodau Celtaidd*, XXXVII, 1990.

PENNOD 7

Is-etholiad Bwrdeistrefi Caernarfon 1890: Y Pragmatydd Cenedlaethol

Roedd is-etholiad annisgwyl Lloyd George, yn dilyn marwolaeth ddisyfyd yr aelod Toriaidd, Edmund Swetenham ym mis Mawrth 1890, i beri cyfyng-gyngor enfawr iddo wrth wynebu'r dasg o ennill Bwrdeistrefi Caernarfon fel radical cenedlaethol, yn enwedig o gofio mai ddwy flynedd yn ddiweddarach yr oedd wedi gobeithio ymladd etholiad cyffredinol. Rhoddwyd ef mewn sefyllfa ddyrys oherwydd roedd yr etholaeth Doriaidd hon, yn ei chefndir gwleidyddol ac yn ei gwneuthuriad cymdeithasol, ymhell o fod yn dir ffrwythlon iddo fanteisio arno, o gofio ei ymlyniad cyson i fudiad Cymru Fydd, cyn 1890.

Roedd yr etholaeth chwe bwrdeistref—Cricieth, Nefyn a Phwllheli, ac yn arbennig Conwy, Bangor a Chaernarfon—yn fwy Seisnig nag etholaethau eraill Sir Gaernarfon, sef Arfon ac Eifion, a grëwyd o'r newydd yn sgil trydedd Ddeddf Ailddosbarthu'r Etholaethau, 1885. Yn wir, roedd etholaeth Bwrdeistrefi Caernarfon yn etholaeth fechan, ffiniol oedd wedi bod yn ffodus i oroesi yn sgil Deddf 1885—a hynny efallai oherwydd bod y Toriaid wedi pwyso am ei chadw gan mai sedd Doriaidd oedd hi. Yn sicr, yn ei strwythur ieithyddol, a'i nifer cyfyngedig o etholwyr, nid oedd yn addawol i Lloyd George, y cenedlaetholwr radicalaidd, yn arbennig oherwydd hanes politicaidd diweddar Bwrdeistrefi Caernarfon.

Yn etholiad 1886, roedd y Toriaid wedi meddiannu'r sedd, yn dra gwahanol i etholaethau Arfon ac Eifion gyda'u mwyafrifoedd Rhyddfrydol enfawr. Roedd rhaniadau a rhwygiadau wedi deillio ar ôl i Love Jones Parry, Madryn—y sgweiar afradlon a'i dueddiadau Chwigaidd—golli'r sedd i Swetenham.

At hynny, ymhell cyn 1886, er i'r 'Rhyddfrydwyr' mewn enw ddal eu gafael yn y sedd er 1832, roedd y cynrychiolwyr, i bob pwrpas, wedi bod yn Chwigiaid neu wedi troi eu cot fel y gwnaethai Bulkeley Hughes, Plas Coch, o fod yn flaenorol yn Dori. Heblaw am egwyl yn y 60au cynnar, ef a ddaliodd y sedd rhwng 1837 ac 1882. Roedd hefyd, er 1868, wedi cael osgoi ymladd etholiad—ffaith nad oedd wedi cyfrannu dim at dwf unrhyw ymwybyddiaeth Radicalaidd yn y Bwrdeistrefi.

Ar ôl marwolaeth Bulkeley Hughes yn 1882, roedd Love Jones Parry wedi etifeddu'r sedd, ac roedd ei fywyd personol lliwgar a'i alluoedd cyfyng fel gwleidydd unwaith eto'n dyst i natur farwaidd radicaliaeth yn yr etholaeth. Ar ôl cadw'r sedd yn etholiad 1885, gyda mwyafrif anghysurus o isel, collodd y sedd i Swetenham yn 1886, ac adlewyrchai hynny'r ffaith fod llawer iawn o Anghydffurfwyr yr etholaeth yn Doriaid beth bynnag. I Lloyd George, o gefndir gwahanol iawn i Bulkeley Hughes a Love Jones Parry, nid tasg hawdd fyddai apelio at etholaeth oedd wedi arfer â Rhyddfrydwyr uchelwrol a'r rheini'n gaeth i bolisïau swyddogol Rhyddfrydiaeth Brydeinig.

Nid oedd yr etholaeth yn addawol, chwaith, o ran ei chefndir cymdeithasol. Dengys arolwg o'r ffigurau etholiadol, cyn ac ar ôl Deddf Diwygio 1884, fod yr etholaeth yn 1890—er yr ymestyniad i'r bleidlais—yn debyg i'r hyn ydoedd cyn y Ddeddf. Yn 1890, 4,628 oedd nifer y pleidleiswyr; yn 1885, y nifer oedd 4,476 a hynny'n ychwanegiad o 420 yn unig uwchlaw cyfanswm 1880, sef 4,056.

Felly, er y drydedd Ddeddf Diwygio, nid oedd yr etholaeth ond wedi cynyddu 3.6% erbyn 1890 a dim ond 12.6% er 1880. I ddemocrat a chefnogwr 'y wleidyddiaeth newydd' fel Lloyd George, nid oedd y ffigurau hyn yn peri optimistiaeth.

Dengys arolwg o'r Cofrestrau Etholiadol sydd ar gael o'r Bwrdeistrefi yn 1891 mai etholaeth ddosbarth-canol oedd hi, yn bennaf, gyda dylanwad y teuluoedd Toriaidd uchelwrol yn parhau'n gryf yn y Bwrdeistrefi, tra bod canran helaeth o'r dosbarth gweithiol, er gwaetha'r drydedd Ddeddf Diwygio, heb gofrestru neu'n anghymwys i gael y bleidlais. Roedd hyn yn fwy o broblem i Lloyd George.

Er enghraifft, ym mwrdeistref Caernarfon, yn ôl etholrestr 1891, dim ond 1,476 oedd â'r bleidlais, o blith poblogaeth dros 21 oed o 9,804, a dim ond 15 lodjar yn eu plith. Yn rhannau tlotaf, dosbarth-gweithiol y dref, y *courts*, y tai gefn-wrth-gefn, ychydig iawn oedd â'r bleidlais, er enghraifft, yn Palace Street Court (un bleidlais) ac Elisa's Court (un bleidlais).

Ar y llaw arall, mewn stryd ddosbarth-gweithiol o bobl fwy cyfforddus eu byd, pleidleisiai 16 yn Assheton Terrace, er nad oedd gan fwyafrif y bobl yn y stryd hon bleidlais o gwbl. Fodd bynnag, yn strydoedd dosbarth-canol y Fwrdeistref, roedd nifer y pleidleiswyr lawer yn fwy niferus, er enghraifft, yn North Road—lle trigai bwrdeiswyr fel Issard Davies, Tori amlwg, a Henry Jonathan,

Gladstoniad Rhyddfrydol a dyn busnes ariannog—roedd pob un o'r 37 tŷ-ddeiliad yn pleidleisio. Felly roedd hi hefyd yn St. David's Road, South Road a Bangor Street. Roedd gan y dref hefyd bleidleiswyr militaraidd yn 1891, y *service voters*. Roedd pleidlais gan naw Swyddog y Fyddin ym Marics y dre, a chan 37 o filwyr—prin y byddent hwy'n ffafrio'r cenedlaetholwr radicalaidd Cymreig.

Tebyg oedd natur yr etholaeth ym Mwrdeistref Cricieth, yn 1891, gyda dim ond 249 o'r boblogaeth o 1,410 yn pleidleisio. Fel yng Nghaernarfon, roedd gan y byddigions lleol bleidlais eiddo yno, er eu bod yn byw y tu allan i'r fwrdeistref. Gwŷr busnes a chrefftwyr oedd mwyafrif y pleidleiswyr ac amryw o bysgotwyr hunan-gyflogedig. Ychydig o blith trigolion y tai teras tlotaf, fel Lôn Bach a Dinas Terrace a bleidleisiai, ac am fod Lloyd George, yn 1890, yn byw gyda'i deulu-yng-nghyfraith ym Mynydd Ednyfed, nid oedd ef ei hun yn gymwys i bleidleisio yn yr etholiad. Roedd pleidlais hefyd gan rai ffermwyr a oedd yn byw ar gyrion y fwrdeistref.

Tebyg oedd natur yr etholaeth yn Nefyn yn 1891, lle nad oedd ond 366 yn pleidleisio o blith poblogaeth o 1,798, ac ym Mhwllheli lle nad oedd ond 587 â phleidlais o blith poblogaeth o 3,231—unwaith eto llawer o'r dosbarth gweithiol heb bleidlais a'r etholrestr wedi ei chanoli ar y dosbarth canol o wŷr busnes a galwedigaethau proffesiynol.

Gellir casglu o'r dadansoddiad anochel gyfyngedig hwn (am nad yw'r dystiolaeth yn gyflawn) o natur y bwrdeistrefi bod yr etholaeth yn cynnwys, yn bennaf, y dosbarth canol goludog, ynghyd â nifer o grefftwyr a'r hunan-gyflogedig llai breintiedig, a chanran o'r rhan honno o'r dosbarth gweithiol oedd wedi cael y bleidlais ar ôl 1884. Yn wir, gan mai dim ond 33.7% o'r gwrywod dros 21 oed oedd ar yr etholrestr yn 1891, dyma brawf pendant mai etholaeth gyfyngedig iawn oedd Bwrdeistrefi Caernarfon. Prin ei bod yn addawol i Lloyd George, gan gofio hefyd—yn ôl Cyfrifiad 1891—fod rhan helaeth o'r 8,118 o Saeson unieithog a drigai yn Sir Gaernarfon ar y pryd, o blith poblogaeth o 119,349, yn byw oddi mewn i'r Bwrdeistrefi.

Roedd natur etholaeth Bwrdeistrefi Caernarfon, felly, yn gryn anfantais i Lloyd George wrth iddo wynebu'n gyn-amserol ei etholiad cyntaf, yn arbennig y dylanwadau Torïaidd a Seisnig, heb sôn am bresenoldeb dosbarth canol na fyddai'n croesawu ei syniadau colectifistaidd.

Anhawster arall iddo, yn 1890, oedd bod rhai o'r dosbarth gweithiol wedi cael eu perswadio er 1886 i bleidleisio i'r Torïaid yn ystod gweinyddiaeth Salisbury ac roedd y dylanwad a'r drefniadaeth Dorïaidd yn gryf yn y Bwrdeistrefi.

'Ein Hiaith, ein Gwlad, ein Cenedl': David Lloyd George ym 1890.

Roedd clybiau gweithwyr Ceidwadol ym mhob un o'r bwrdeistrefi ac yr oedd ym Mangor, yn 1890, dri chlwb Ceidwadol, heb sôn am gangen lwyddiannus o'r *Primrose League* i'r merched, a dylanwad trwm y Gadeirlan ar y Fwrdeistref, yn ogystal â dylanwad ystadau'r Faenol a'r Penrhyn. Bangor, o blith y chwe bwrdeistref, oedd yr un fwyaf Torïaidd—ond fel y dangosodd yr etholiadau cyntaf i'r Cyngor Sir yn 1889, roedd Conwy a Chaernarfon hefyd wedi ethol mwyafrif o aelodau Ceidwadol. Roedd Conwy, fel Caernarfon, yn dref garsiwn, gyda chlybiau Ceidwadol yn drwm eu dylanwad ar y bwrdeistrefi hyn; yng Nghaernarfon, hyd yn oed, roedd dau gapel Anghydffurfiol yr *English Cause* yn 1890, yn dyst i elfennau Seisnig yno.

Hyd yn oed yn y Fwrdeistref Ddeheuol, nid oedd yr arwyddion yn addawol i Lloyd George yn 1890, megis yng Nghricieth, lle roedd dwy Eglwys Anglicanaidd, capel yr *English Cause*, clwb tennis lawnt (wedi ei gyfyngu i'r uchelwyr lleol) a chlwb Ceidwadol llwyddiannus.

Mewn cyfnod pan oedd enwadaeth yn rhemp hefyd—enwadaeth yr oedd ef ei hun wedi gorfod ei gorchfygu tra oedd yn canlyn ei wraig, Margaret, oherwydd mai 'Batus bach' ydoedd—nid oedd ei gefndir crefyddol ef, fel aelod o enwad bychan a radicalaidd ei ogwydd gwleidyddol, yn fantais iddo. Fel y dengys Cyfrifiad Crefyddol Gee, 1889, roedd mwyafrif sylweddol o Anghydffurfwyr yn y Bwrdeistrefi ond, yn dra gwahanol i etholaethau Eifion ac Arfon, roedd presenoldeb cryf gan yr Anglicaniaid, yn arbennig yng Nghaernarfon a Chonwy. Roedd cefndir 'Batus bach' Lloyd George yn ddiamau'n anfantais iddo, fel y nododd Beriah Gwynfe Evans yn ei gyfrol, *The Life Romance of David Lloyd George*, 1915:

> That of the 4 dissenting sects in the constituency, that to which he belonged was the weakest in numbers, in influence and in wordly wealth and when he entered the lists, the various nonconformist bodies, each aspiring to political power, regarded each other with almost as great distrust as that which they regarded the Established Church.

Yn wir, awgrymodd Beriah fod mwyafrif y Bedyddwyr (nid y 'Batus Bach') yn yr etholaeth, fel yn Nefyn, yn Dorïaid, ac 'nad oedd un Bedyddiwr yn ei gefnogi yn Nefyn yn ystod is-etholiad 1890'.

Er gwaetha'r ffactorau anfanteisiol hyn, yn deillio o natur boliticaidd, gymdeithasol a chrefyddol y bwrdeistrefi, a'i anawsterau personol ef ei hun, roedd ganddo rai manteision cryf o'i blaid wrth wynebu'r is-etholiad. Y fwyaf amlwg, efallai, oedd mai ef oedd y cyntaf yn y

ras, oherwydd i'r Torïaid gael eu siglo gan farwolaeth annhymig Swetenham. Adroddodd *The South Wales Daily News* (Mawrth 27) fod Lloyd George wedi cychwyn ymgyrchu cyn i Swetenham gael ei gladdu:

> Mr George has not let the grass grow under his feet . . . he has already met with an enthusiasm which augurs well for his chances . . . In marked contrast is the frantic flutter of the Conservatives.

Ni fu'n hawdd i'r Torïaid ddewis ymgeisydd chwaith. Dim ond ar ôl hir drafod ac ar ôl iddo wrthod y gwahoddiad i ddechrau, y penderfynodd Sgweiar Llanystumdwy a Phlas Gwynfryn, Ellis Nanney, sefyll yn erbyn ei gyn-blwyfolyn a'r bachgen a oedd wedi arwain gwrthryfel yn ei erbyn a gwrthod adrodd catecism yr Eglwys o'i flaen flynyddoedd ynghynt. Roedd sibrydion hefyd fod y Torïaid wedi ceisio cael ffigurau llawer mwy blaenllaw a galluog na Nanney i sefyll yn yr is-etholiad ond eu bod, am amryw o resymau, wedi gwrthod. Yn wir, roedd Nanney yn ymgeisydd aneffeithiol ac wedi methu sawl tro mewn etholiadau blaenorol. Mynegodd *The Western Mail* (Mawrth 25), ar ôl iddo gael ei ddewis, anfodlonrwydd â'r penderfyniad, yn ôl sylw deifiol ei erthygl flaen:

> Surely, there is no lack of good men and true in the county of Caernarvon who could have been prevailed upon to stand.

Roedd gan Lloyd George fanteision eraill hefyd. Roedd ganddo beiriant etholiadol campus, ar ôl cryn ymdrech ar ei ran i wella system gofrestru'r Rhyddfrydwyr. Sylwodd *The Western Mail* yn bryderus:

> The Separatists have their candidate well before the constituency . . . the greatest attention has been bestowed upon the registration and organization of the Radical Party, so that the Unionists cannot count upon the unpreparedness of their opponents.

Yn wir, mor gynnar â'r 26ain o Fawrth roedd stabl newyddiadurol *Y Genedl*, gyda'i dri newyddiadur grymus, wedi cyhoeddi rhifynnau etholiadol arbennig i hyrwyddo achos Lloyd George.

Yn ddiamau, hefyd, roedd y tueddiadau gwleidyddol yng Nghymru a Phrydain o blaid Lloyd George, neu'n sicr o blaid y Rhyddfrydwyr, ym mis Mawrth 1890. Er Etholiad 1886, roedd mwyafrif y Torïaid wedi disgyn i 70 erbyn 1890, ar ôl cyfres o golledion mewn is-etholiadau. At hynny, yng Nghymru, roedd chwech o aelodau ifanc Cymreig, yn cludo baner Cymru Fydd, wedi eu dychwelyd mewn is-etholiadau, er bod Bwrdeistrefi Caernarfon yn etholaeth lawer mwy ffiniol na'r etholaethau eraill oedd wedi dychwelyd gwleidyddion radicalaidd cenedlaethol fel S. T. Evans, Canol Morgannwg a David Randell dros Abertawe.

Mewn is-etholiad, hefyd, gallai gyfrif ar bleidlais brotest a chael cefnogaeth eang i'w ymgyrch. Gallai hefyd obeithio trefnu'r gwahanol ddiddordebau Anghydffurfiol yn yr etholaeth o'i blaid, er bod atgasedd mawr ymhlith llawer o'r diddordebau hyn, yn enwedig y Methodistiaid Calfinaidd mwyafrifol, at ei syniadau eithafol—yn arbennig ei bolisïau colectifistaidd a'i ymlyniad at *Home Rule* i Gymru.

Yn sicr, fodd bynnag, ar ddechrau'r ymgyrch, gyda'r Toriaid mewn cryn anhrefn, roedd y Rhyddfrydwyr yn hyderus o ennill buddugoliaeth, gyda'r *South Wales Daily News* (Mawrth 25) yn cyhoeddi'n ffri: 'The Seat is already in the bag'. Roedd hyd yn oed newyddiaduron fel *Seren Gomer* yn datgan: 'Caiff y sedd ei hennill yn hawdd'.

Roedd y datganiadau optimistaidd hyn, fodd bynnag, yn cael eu hyngan yn erbyn hinsawdd o ofn bod Lloyd George, y cenedlaetholwr a'r radical eithafol, yn annhebygol o adennill sedd anodd. Ar drothwy'r pôl, mynegodd yr Aelod Gladstonaidd, cymedrol dros Arfon, William Rathbone, ofnau lawer o Ryddfrydwyr mewn llythyr at R. D. Williams, Ysgrifennydd y Bwrdeistrefi: 'I am afraid that with Lloyd George as your candidate, he will, as you say, cause the loss of the seat'—ofn a rannai R. D. Williams ei hun, mae'n amlwg, ac yntau'n ymwybodol ers degawdau o natur etholaeth y Bwrdeistrefi.

Roedd y wasg Dorïaidd leol hefyd yn ymwybodol o'r tyndra yn y gwersyll Rhyddfrydol rhwng yr hen Ryddfrydiaeth a'r newydd. Roedd *Y Gwalia* (Mawrth 26), er enghraifft, yn barod i wneud yn fawr o'r gwahaniaeth rhwng Lloyd George a'r Blaid Ryddfrydol Gladstonaidd:

> Mae yn hysbys ym mhob un o'r bwrdeistrefi fod rhan fawr o'r Blaid Ryddfrydol na fynnent ddim ohono, oherwydd iddo gael ei wthio ymlaen gan fechgynnos di-brofiad ac uchelgeisiol, ac y mae pobl bwyllog yn mynegi eu barn yn rhydd, tra yn hoffi Rhyddfrydiaeth, nad ydynt yn hoffi egwyddorion Mr George.

Wrth i Lloyd George gyrraedd camfa anoddaf ei yrfa, wynebai'r dasg o ennill is-etholiad ac yntau'n cael ei adnabod fel un o bleidwyr Cymru Fydd, nid fel Gladstoniad Rhyddfrydol. Gyda hynny mewn golwg, bu raid iddo wynebu cyfyng-gyngor—a fyddai'n gorfod ufuddhau i'r *party-line* swyddogol a chefnu ar y polisïau radicalaidd-cenedlaethol yr oedd wedi eu pregethu mor feiddgar yn y blynyddoedd cyn hynny? Ynteu a fyddai wedyn, o wneud hynny, yn cael ei ddarlunio gan ei elynion nid yn unig fel pragmatydd ond, yn waeth, fel oportiwnydd a oedd yn fodlon aberthu ei egwyddorion o dan bwysau etholiadol?

Dechreuodd yr ymgyrch, a oedd i ennyn cyhoeddusrwydd i Lloyd George a sylw ledled Prydain, o ddifrif ddau ddiwrnod wedi cynhebrwng Swetenham, pan gyhoeddodd Lloyd George ei faniffesto etholiadol. Enynnodd ei faniffesto lid ei elynion yn syth, llid a barhaodd gydol yr ymgyrch, a chreu rhwyg hefyd yn y rhengoedd Rhyddfrydol.

Ddeuddydd yn ddiweddarach, cyhoeddodd Ellis Nanney ei faniffesto: 'To the free and independent electors of the Caernarvon Boroughs'.

Yn fwriadol gymedrol, gyda'i ddogn o bolisïau progresif wedi eu hanelu at y dosbarth gweithiol, daeth â chynnwrf i galonnau cefnogwyr Lloyd George. Er i'r ddogfen bwysleisio ymlyniad Nanney at bolisi Gwyddelig Balfour ac 'Undod ac integriti yr Ymerodraeth Brydeinig', canmolai'r maniffesto gyfraniad y Torïaid at Ddeddf Addysg Ganolraddol 1889, gan rag-weld hefyd bwerau cynyddol i'r Cynghorau Sir newydd. Addawai Nanney hefyd ragor o ddeddfwriaeth i hybu rhyddid crefyddol, er ei fod yn nodi ei wrthwynebiad i Ddatgysylltiad yr Eglwys. Honnai fod llywodraeth Salisbury wedi cynyddu'r economi ac wedi gwella cyflwr y dosbarth gweithiol. Roedd hefyd o blaid gweithredu ar yr argymhellion yr oedd y Pwyllgor Seneddol ar y pryd yn debygol o'u cyhoeddi ar bwnc llosg Rhydd-freinio'r Prydlesoedd. Yn ogystal, roedd o blaid gwella'r pysgodfeydd lleol, ac addawai 'na fyddai diddordebau lleol yn dioddef o dan ei ddylanwad ef'.

Felly, roedd maniffesto Nanney nid yn unig yn apelio at y pleidleiswyr Torïaidd ond roedd yn ddigon craff hefyd i ddenu pleidlais Anghydffurfwyr ac i apelio at yr elfen honno o'r dosbarth gweithiol oedd ar yr etholrestr.

O ganlyniad, ymosododd y Wasg Ryddfrydol yn llym arno, gan ddangos nerfusrwydd mawr. Honnai'r *North Wales Observer and Express* (Mawrth 14) fod ei raglen yn dwyllodrus—'decked in the most becoming of cast off Radical clothing'—sylw a ddatgelai'r ofn y gallai rhaglen etholiadol Nanney apelio at lawer o Anghydffurfwyr a dosbarth gweithiol sigledig eu cefnogaeth i Ryddfrydiaeth yr etholaeth.

Roedd maniffesto Lloyd George i brofi'n llawer mwy dadleuol nag eiddo'i wrthwynebydd o Blas Gwynfryn—roedd ei gynnwys yn gyfle i'w wrthwynebwyr honni mai maniffesto rhagrithiol ydoedd.

Yn wir, nid oedd y maniffesto'n adlewyrchu ei syniadau beiddgar radicalaidd o gwbl ond, yn hytrach, yn plygu glin i'r *party-line* Gladstonaidd swyddogol.

Prin y gellir cytuno â John Grigg yn ei gyfrol, *The Young Lloyd George*, tud. 82: 'He realised that his best issue would be Welsh nationalism'; nac â gosodiad Kenneth O. Morgan yn ei *Modern Wales, Politics, Places and People*, tud. 374, bod cenedlaetholdeb Cymreig wedi bod yn flaenllaw yn ei faniffesto eithriadol—'dominated his election address in the by-election for the Caernarfon Boroughs in April 1890'.

Yn wir, yr hyn sy'n amlwg yw bod Lloyd George, y cenedlaetholwr a'r radical, wedi lliniaru llawer ar ei wir deimladau a chyhoeddi maniffesto ceidwadol nad oedd yn arddel ei genedlaetholdeb chwaith.

Ei brif addewid, yn groes i'r hyn yr oedd wedi ei bregethu cyn yr etholiad, oedd addo y byddai'n rhoi blaenoriaeth i bolisi swyddogol Gladstone o *Home Rule* i Iwerddon yn hytrach nag i Ddatgysylltu'r Eglwys yng Nghymru. Wedyn, roedd cyfeiriad niwlog at ddiwygio cyfreithiau'r tir ac amodau llafur—unwaith eto yn enghraifft o liniaru ar bolisïau llawer mwy radical gwladoli'r tir, y bu'n eu pregethu yn yr 80au. Ond efallai mai yn y modd yr oedd ei faniffesto'n osgoi unrhyw gyfeiriad pendant at *Home Rule* i Gymru yr adlewyrchai'r ffordd yr oedd, o dan bwysau etholiadol, wedi cymedroli llawer iawn ar raglen Cymru Fydd. Yn y maniffesto cynigiodd yn unig, 'the liberal extension of the principle of de-centralisation'—unwaith eto niwlogrwydd ac amwysedd bwriadol i gelu ei alwadau taer dros hunanlywodraeth ffederal, wythnosau'n unig cyn yr ymgyrch etholiadol, annisgwyl.

Un o gyd-awduron ei faniffesto oedd ei frawd, William George, a nododd yn ei gyfrol, *My Brother and I*, (1958), am y maniffesto: 'It embodied the reforms which were nearest to the author's heart', ond prin bod hynny'n wir, gan mai ymgais ydoedd i gyfarfod ag anghenion tymor-byr etholiadol a theilwrio'r cyfan i guddio gwir gydym-deimladau cenedlaethol a llafurol Lloyd George.

Y bwriad oedd ceisio apelio at y bleidlais gonsensws yn yr etholaeth a phlygu i bwysau mawr gan y sefydliad Rhyddfrydol. Yn wir, mae tystiolaeth ym mhapurau Stuart Rendel fod A. C. Humphreys Owen droeon wedi pwyso ar Rendel ac ar y Gladstoniad cymedrol, J. Bryn Roberts, Aelod Seneddol Eifion, a oedd yn llwyr wrthwynebus i bolisïau llafurol a chenedlaethol Lloyd George, i'w gael ef i ufuddhau i'r polisi Rhyddfrydol swyddogol. Roedd A. C. Humphreys Owen wedi dweud wrth Rendel: 'We must get pledges from George for the cessation of the villification which he has used persistently against the Federation'—gan gyfeirio at yr angen iddo ymladd yr etholiad ar bolisi swyddogol y Blaid Ryddfrydol yn unig. Mewn llythyr arall, yng nghasgliad Stuart Rendel yn y Llyfrgell Genedlaethol yn Aberystwyth, daeth neges hefyd ato gan A. D. Acland, AS, a sicrhâi Rendel: 'The moderate men are in line with us'. Roedd hi'n amlwg fod pwysau mawr wedi bod ar Lloyd George, hyd yn oed gan radical fel Acland, i gydymffurfio â Rhyddfrydiaeth swyddogol.

Roedd hi'n amlwg hefyd fod ei faniffesto'n plesio'r papurau cymedrol Ryddfrydol yn yr etholaeth, sef papurau Cwmni'r *Herald* (a drodd yn erbyn Lloyd George ar ganol yr ymgyrch). Adroddodd y *Carnarvon and Denbigh Herald* (Mawrth 28):

> The Manifesto appeals to all sound Liberals and wisely avoids the few controversial topics upon which his enemies and a handful of injudicious friends would wish to see him impaled.

gan gyfeirio at ei ymwneud blaenorol, honedig beryglus, â Chymru Fydd.

Roedd gohebydd Llundeinig *Baner ac Amserau Cymru* (Ebrill 2), Gladstoniad pybyr, yr un mor falch o'r maniffesto. Croesawai'r ffaith 'fod ganddo'r gallu i fod yn gyfrifol wrth gymedroli ei safbwyntiau'. Roedd *Y Genedl Gymreig* (Mawrth 28), fodd bynnag, papur a fu'n gymaint cefn i'w ymgyrchu dros *Home Rule*, yn gorfod ceisio cyfiawnhau'r newid cwrs drwy honni am y maniffesto: 'Fe ddylai fodloni amcanion y mwyaf eithafol o'r blaid heb beri unrhyw amhariad i gefnogwyr mwyaf selog Rhyddfrydiaeth draddodiadol'—paradocs o gasgliad, a grynhoai'r benbleth a wynebai Lloyd George drwy gydol yr ymgyrch.

Yn wir, manteisiodd y Wasg Doriaidd ar y cyfle euraid a roddai maniffesto—rhyfeddol o lugoer—Lloyd George i fwrw sen arno ef a'i bragmatiaeth. Cyhoeddodd *The North Wales Chronicle* (Mawrth 29) ei fod wedi cael ei orfodi i ollwng unrhyw gyfeiriad at *Home Rule* er iddo fod yn 'one of the most pronounced representatives of Young Wales', gan ychwanegu, 'if he believes in what he preaches in South Wales, he does not muster sufficient courage to enunciate the same to the Caernarvon Boroughs'.

Yn fwy damniol i Lloyd George a'i ddisgwyliadau yn yr etholiad, fodd bynnag, ni chyfyngwyd y sylwadau maleisus amdano yn newid cwrs ei ymgyrch i'r Wasg Doriaidd. Yn wir, fe ddaeth gwrthwynebiad chwyrn i'w safbwynt cymedrol o roi hyd yn oed Ddatgysylltiad yr Eglwys yng Nghymru yn ail i *Home Rule* i Iwerddon—gwrthwynebiad a ddaeth yn ei gyfarfod cyhoeddus cyntaf yng Nghaernarfon yn ystod yr etholiad—o'r gwersyll Rhyddfrydol Cymreig, ac o ganolbwynt ei ddarpar etholaeth, Caernarfon.

Cododd un o weinidogion Methodistaidd amlycaf y dref a gogledd Cymru, y Parchedig Evan Jones, Moriah, ar ei draed yng nghyfarfod etholiadol cyntaf Lloyd George yng Nghaernarfon, a'i gondemnio am iddo droedio'r llwybr Gladstonaidd swyddogol, trwy beidio â rhoi blaenoriaeth i Ddatgysylltiad yr Eglwys yng Nghymru ond yn hytrach i *Home Rule* i Iwerddon. Honnodd Evan Jones ymhellach fod Lloyd George, mewn gwirionedd, yr un mor wrthwynebus i bolisi swyddogol Gladstonaidd ei blaid ag yr oedd ef ei hun, honiad y ceisiodd Lloyd George ei ateb ond, yn ôl y Wasg, heb fawr o argyhoeddiad.

Roedd ymyriad Evan Jones a'i fygythiad i beidio â phleidleisio i Lloyd George, wrth iddo gerdded mewn dull theatrig allan o'i gyfarfod yng Nghaernarfon, yn fêl ar fysedd y Wasg Doriaidd.

Ymfalchïai'r *Western Mail* (Ebrill 5) yn ymyriad Jones, gan gyhoeddi'n hunanfodlon bod y *Carnarvon and Denbigh Herald* (Hydref 28), wedi rhoi gofod i Evan Jones ailadrodd ei anfodlonrwydd â safbwynt llugoer Lloyd George yn yr etholiad, mewn papur Rhyddfrydol y tro hwn. Llawenychai'r newyddiadur Eglwysig, *Y Llan* (Ebrill 3) yn y ffrwgwd Rhyddfrydol, a honnodd y *Gwalia* yn yr un wythnos fod 'Evan Jones yn llawer mwy egwyddorol a chyson na Lloyd George'.

Ceisiodd y wasg radicalaidd dyneru'r ergyd gyda'r *South Wales Daily News* (Ebrill 3), yn cyhoeddi:

> Of the Nonconformists in the district, the Calvinistic Methodists are the dominant sect . . . and it is somewhat unfortunate that the Rev. Evan Jones should have come into collision with his fellow Liberals.

Tebyg oedd sylwadau'r *North Wales Observer and Express*, a fynnai fod sylwadau Jones wedi eu mynegi ar adeg anffodus, tra galwai'r newyddiadur Methodistaidd *Y Goleuad* (Ebrill 2), 'am gau'r bwlch yn syth' rhwng Evan Jones a Lloyd George. Fodd bynnag, ni fu cyfannu ar y bwlch rhyngddynt gydol yr etholiad, a mawr fu'r difrod a wnaeth hynny i'r ymgyrch.

O ganlyniad, bu raid i Lloyd George ddyblu ei ymdrechion yn yr is-etholiad, drwy gynnal ymgyrch a ymylai ar y ffrenetig, fel y dengys papurau ei asiant etholiadol, J. T. Roberts. Mae papurau Roberts yn dangos y modd y pwyswyd ar wleidyddion o bob cwr o Brydain i ddod i Gaernarfon i helpu'r achos. Ceir llythyrau a ysgrifennwyd at grwpiau gwthio ac unigolion, ymhell y tu hwnt i'r etholaeth, yn gofyn iddynt ddatgan yn y Wasg eu cefnogaeth i Lloyd George. Nodir y modd didostur y defnyddiodd y Rhyddfrydwyr ddulliau canfasio oedd yn ymylu ar y diegwyddor i bwyso ar yr etholaeth i'w gefnogi. Defnyddiwyd hefyd ganeuon etholiadol i glodfori 'Mab y Bwthyn' a denwyd enwogion fel 'Mabon', sef William Abraham, Aelod Seneddol y Rhondda, nid yn unig i siarad drosto ond i ganu caneuon yn ei foli yn ei lais eisteddfodol melodaidd.

Nid Mabon, yn wir, oedd yr unig un o'r personoliaethau amlwg a ddenwyd i'r etholaeth mewn ymgyrch o dyndra a chyffro mawr. Daeth eraill hefyd i gefnogi Lloyd George, rhai fel Thomas Gee, Dr Herber Evans a'r pregethwr Wesleaidd huawdl, y Parchedig John Evans, Eglwysbach.

Chwaraeodd Dr Evan Herber Evans hefyd rôl ganolog yn yr ymgyrch yn ceisio gwrthweithio effeithiau dinistriol Evan Jones gan wadu honiadau'r Wasg Dorïaidd ei fod yn rhannu'r un syniadau â Jones a'i fod wedi gwrthwynebu enwebiad seneddol Lloyd George. Wedyn, cafwyd cyfarfod lle bu Thomas Gee, fel rhyw arholwr 'Rhodd Mam', yn croesholi Lloyd George ar goedd er mwyn rhoi cyfle iddo fynegi ei fod yn driw i'r polisi swyddogol Rhyddfrydol. Ar yr 28ain o Fawrth, daeth Gee â mab Gladstone, Herbert, i Neuadd y Penrhyn, Bangor, i annerch cyfarfod mawr gyda Lloyd George a thrwy hynny ddangos bod popeth yn gytûn yn y gwersyll Gladstonaidd. Roedd bendith mab y '*Grand Old Man*' yn dangos i ba raddau yr oedd Lloyd George, dros dro, wedi gorfod ufuddhau i bolisi swyddogol ei blaid.

Anerchodd Mabon amryw o gyfarfodydd yn yr etholaeth hefyd, yn ogystal â'r Aelod Seneddol Gwyddelig, S. T. O'Connor, yn yr achos yma er mwyn gwrthweithio tacteg y Torïaid o ddod ag aelodau Presbyteraidd o Ulster i'r etholaeth i gondemnio *Home Rule* i Iwerddon ac ennill serchiadau Methodistiaid Calfinaidd y Bwrdeistrefi. Cafodd Lloyd George hefyd gefnogaeth S. T. Evans, Aelod Seneddol newydd-etholedig Canol Morgannwg, un o'r ychydig aelodau amlwg o Gymru Fydd a gafodd gyfle i'w amlygu ei hun mewn ymgyrch a oedd yn amlwg wedi ei theilwrio'n fwriadol ofalus i osgoi radicaliaeth genedlaethol Lloyd George.

Yn ystod dyddiau olaf yr ymgyrch, cynhaliwyd cyfarfodydd enfawr yn y Pafiliwn yng Nghaernarfon, â S. T. Evans, Herber, Mabon a'r diwygiwr dirwest enwog, Syr Wilfred Lawson, yn annerch. Cafwyd cyfarfodydd cyffelyb ym Mangor gyda'r un siaradwyr ac, ar ôl hir berswâd, bu Stuart Rendel, Aelod Seneddol Maldwyn a Chadeirydd y Blaid Seneddol Gymreig, hefyd yn annerch.

Yn y cyfarfod olaf hwn, arweiniodd Mabon y gynulleidfa mewn cân, 'Unwch y Blaid', a oedd yn ymdrech fwriadol i geisio cyfannu'r rhwygiadau yn y blaid a dychwelyd Lloyd George i San Steffan. Cynhaliwyd cyfarfodydd eraill yn y Bwrdeistrefi Deheuol ar drothwy'r pôl, gan orffen ym Mhwllheli ar y noson cyn y cownt, gan mai hon, efallai, oedd y fwrdeistref fwyaf ffafriol i Lloyd George. Yno cafwyd, yn ôl ei gyfaill, D. R. Daniel, 'a jolly party at the Eifl Temperance' a theimlai Daniel, yn ôl ei ddyddiadur, 'that great progress has been made since the commencement of the campaign', er nad ymdebygai'r ymgyrch o gwbl i'r syniadau sosialaidd a chenedlaethol yr oedd Daniel a Lloyd George yn eu rhannu.

Fodd bynnag, nid oedd yr ymgyrch wedi bod yn un gwbl lwyddiannus, yn sgil y cyfaddawdu a'r cymedroli y bu raid i Lloyd George eu gwneud a'r ffrwgwd a grëwyd gan hynny. Yn sicr, bu raid i Lloyd George a oedd eisoes, ac yntau'n un o brif sylfaenwyr *Yr Udgorn Rhyddid*, yn feistr ar y wasg, ddefnyddio'r cyfrwng hwn yn eang i wrthweithio nid yn unig feirniadaeth lem a maleisus y Wasg Doriaidd arno, ond hefyd y modd y trodd papurau Rhyddfrydol yr *Herald* yn ei erbyn yng nghanol yr ymgyrch.

Yn sicr, cafodd Lloyd George gefnogaeth y papurau Llundeinig Rhyddfrydol a fu'n gohebu ar yr ymgyrch: yn ddyddiol, roedd *The South Wales Daily News* yn llawn cydymdeimlad, ac oherwydd iddo gymedroli ei safbwynt cafodd gefnogaeth gref *Baner* fawr a *Baner* fach Thomas Gee.

Fodd bynnag, papurau Gwasg y Genedl yng Nghaernarfon, ynghyd â'r *Udgorn Rhyddid*, oedd ei arfau mwyaf dylanwadol wrth iddo wrthweithio effeithiau negyddol papurau'r *Herald*. Roedd *The North Wales Observer and Express* yn arbennig o ddylanwadol. Ar y 4ydd o Ebrill, ar drothwy'r pôl, datganodd yn herfeiddiol mewn erthygl flaen hirfaith a oedd yn ymylu ar athrod:

> So we might say that the present struggle is one between intelligence and . . . well, something which we must leave our readers to designate for themselves.

Bu'r *Genedl Gymreig* a'r *Werin*, y papur dosbarth gweithiol dan olygyddiaeth W. J. Parry, yr un mor ymosodol, gan ymylu ar yr athrodus wrth gyfeirio'n aml at 'y sgriw Torïaidd', 'pwysau asiantwyr y stadau ar denantiaid', 'y defnydd o ragfarn crefyddol' a'u parodrwydd i 'bardduo'n gyhoeddus fyfyrwyr colegau Bangor'.

Rhan fwyaf allweddol papurau Gwasg y Genedl, fodd bynnag, oedd cyhoeddi, ar yr unfed awr ar ddeg, rifyn eithriadol arbennig o'r *Genedl Gymreig* (Ebrill 9), er mwyn gwrthweithio rhifyn blaenorol o'r *Carnarvon and Denbigh Herald* a oedd wedi lladd ar ymgyrch Lloyd George. Wedi'r ymgyrch ysgrifennodd ef lythyr at David Edwards, golygydd cyffredinol y papurau, yn mynegi'r farn: 'It was, I believe, of immense help to bring about the Liberal victory'.

Roedd papur dosbarth gweithiol *Y Werin*, cwmni Gwasg y Genedl, o fudd mawr iddo hefyd yng nghwrs yr ymgyrch, yn arbennig wrth gynnwys llu o ganeuon a cherddi etholiadol fel 'Si lasi ba, Si lasi basa, Lloyd George yw'r dyn i ni'. Hefyd cyhoeddodd *Y Werin* lythyrau cefnogol gan grwpiau gwthiol fel un gan Undeb Gweision Ffermydd, Ap Ffarmwr a'r U.K. Alliance, y mudiad dirwest yr oedd Plenydd a D. R. Daniel yn gysylltiedig ag ef. Cyhoeddwyd llythyrau gan Gladstone, Tom Ellis (a oedd yn wael ar y pryd), Cochfarf, y radical amlwg o Gaerdydd, a llythyrau gan Michael D. Jones, heb sôn am doreth o lythyrau dan ffugenwau megis 'Etholwr' ac 'Owain Glyndwr'. Trowyd pob carreg mewn ymgyrch newyddiadurol i ethol Lloyd George i San Steffan, a hynny mewn etholiad ffyrnig a budr.

Eto i gyd, roedd yr holl ymdrechion hyn, i raddau, wedi eu difetha gan ddylanwad difaol papurau'r *Herald*. Nid yn unig yr oeddynt wedi rhoi tragwyddol heol i Evan Jones rwygo'r blaid Ryddfrydol, ond yn *Yr Herald Cymraeg* (Mawrth 25), a'r *Carnarvon and Denbigh Herald* dridiau'n ddiweddarach, roeddent wedi cyhoeddi llythyr gan 'Etholwr' yn bwrw sen ar Lloyd George ac yn dyrchafu Ellis Nanney i'r entrychion.

Hawliai'r awdur fod ar yr etholaeth angen tir i godi Ysgolion Canolraddol newydd, ac na fedrid ei gael ond trwy haelioni'r tirfeddianwyr mawr, lleol. Dim ond Ceidwadwyr allai ddenu diwydiannau newydd i'r etholaeth. A gwell o lawer, meddai'r awdur, oedd i'r etholwyr gefnogi galwad Nanney am ymestyn pwerau'r Cynghorau Sir nag am *Home Rule* i Gymru y credai Lloyd George ynddo go iawn. Roedd hynny'n fater a fyddai'n dychryn pobl estron o ddiwydianwyr rhag buddsoddi yng Nghymru. Honnai'r 'Etholwr' hefyd fod Lloyd George o blaid talu i Aelodau Seneddol a

Chynghorwyr Sir ac y byddai hynny'n codi'r trethi ac yn difetha busnesau'r etholaeth.

Roedd y llythyr hwn yn ddamniol i Lloyd George, ond ni fodlonodd papurau'r *Herald* ar hynny'n unig; yn ogystal rhoddwyd sylw mawr i gyfarfodydd Ellis Nanney a chynnwys ei lun ym mhob adroddiad a llythyrau yn ei gefnogi.

Heb amheuaeth, achosodd y papurau hyn boen mawr i Lloyd George gydol yr ymgyrch. Roedd cwmni'r *Herald* wedi gwneud hyn yn rhannol oherwydd i Lloyd George benderfynu peidio â thalu am hysbysebion etholiadol ym mhapurau'r *Herald*, tra oedd yn noddi papurau'r *Genedl*. Roedd Nanney hefyd wedi cyfrannu'n helaeth i goffrau'r *Herald*. Ymhellach, roedd yr *Herald* yn credu mai rhagrithiol oedd cymedroldeb Lloyd George yn ystod yr ymgyrch ac yr oedd y papurau'n awyddus i'w dieithrio eu hunain oddi wrth ei safbwyntiau milwriaethus yn yr etholiad ei hun.

I bentyrru ei ofidiau, bu ymgyrch ddiddiwedd ym mhapurau eraill y Toriaid i'w ddifrïo, yn arbennig yn *The Western Mail*, a honnai'n feunyddiol mai *sham* oedd ei safbwynt yn yr etholiad a'i fod mewn gwirionedd yn 'Separatist' ac yn 'Radical peryglus'. Difrïai'r *Gwalia* hefyd ei honiad mai 'Mab y Bwthyn' ydoedd, gan honni bod ei swydd broffesiynol a'i awch am sedd seneddol, ar unrhyw gost, yn tanseilio'r ddelwedd honno. Mewn rhifyn arbennig o faleisus (Ebrill 2), honnodd y papur mai rhagrith oedd cefnogaeth myfyrwyr diwinyddol Coleg Bala Bangor i ymgyrch Lloyd George, pan oedd Ellis Nanney wedi cyfrannu rhodd o £500 i goffrau'r Coleg a 'Lloyd George heb gyfrannu hyd yn oed bum ceiniog'.

Ar drothwy'r pôl, cafwyd rhifyn arbennig o'r *Western Mail* lle honnai'r papur:

> The only qualification Lloyd George possesses is an inordinate belief in his own powers and in a radical creed so extreme that even his own friends have to apologise for it.

Cyhoeddodd y *Gwalia* (Ebrill 9), erthygl gan 'Ryddfrydwr' honedig yn datgan y byddai'n barod i bleidleisio i 'Ryddfrydwr gofalus, onest a sobor' ond nid i 'wleidydd uchelgeisiol a'i unig amcan oedd hybu ei yrfa ei hun'. Ac ar drothwy'r pôl, ymwelodd y Postfeistr-Cyffredinol Toriaidd, Cecil Raikes, â'r etholaeth, gan fwrw sen ar 'y Bachgen Henadur' mewn ymosodiad personol ciaidd, a barodd i'r *South Wales Daily News* ddatgan bod 'Mr Raikes with his Muck-Rake' wedi gostwng yr ymgyrch i waelod y gasgen.

Felly, erbyn dydd y cownt, roedd yr ymgyrch egnïol yr oedd Lloyd George wedi ei hymladd wedi mynd o chwith wrth iddo orfod cyfaddawdu a thrwy hynny agor y drws i gyhuddiadau mai oportiwnydd ydoedd. Roedd wedi disgyn rhwng dwy stôl—heb lwyddo i argyhoeddi ei gefnogwyr radicalaidd a chenedlaethol ei fod yn ddiffuant, na chwaith lwyddo i argyhoeddi llawer o Ryddfrydwyr traddodiadol fod y safiad cymedrol a gymerodd yn ddiffuant. Yn wir, mewn nodyn at ei wraig, Margaret, cyffesodd: 'I am very much afraid of an adverse verdict'.

Yn yr un cywair ysgrifennodd R. A. Hudson, yr *apparatchik* Rhyddfrydol, o bencadlys y blaid yn Llundain at Tom Ellis, a oedd dramor yn ceisio gwella o salwch dybryd:

> We look hopefully to Caernarvon and I trust our confidence is not misplaced. If we do not win, I fear the poor candidate will have a lot of blame thrown on his young shoulders, whether he deserves it or not.

Wrth ddisgwyl y cownt roedd Lloyd George, ar ôl ymgyrch fawr i geisio celu ei wir syniadau radicalaidd a chenedlaethol, yn nerfus ac yn wynebu'r posibilrwydd o golli'r sedd a'i gael ei hun yn y diffeithwch gwleidyddol, fel yr oedd llythyr R. A. Hudson at Tom Ellis wedi awgrymu. Heb amheuaeth, byddai'n cael ei feio'n ddidrugaredd gan y ddwy garfan yn ei blaid—gan gefnogwyr Cymru Fydd ar y naill law a chan y Sefydliad Rhyddfrydol ar y llaw arall pe bai'n colli'r etholiad.

Yn wir, cyn yr ymgyrch ei hun, roedd y cyfyng-gyngor a wynebai, sef pa rôl y dylai ei chymryd yn ystod yr etholiad—a'i benderfyniad i gyfaddawdu—wedi cynddeiriogi rhai o'i gefnogwyr mwyaf radicalaidd-cenedlaethol, rhai fel Morgan Richards, Bangor (Morgrugyn Machno) a oedd wedi ei gefnogi fel ymgeisydd ar gyfer enwebiad Bwrdeistrefi Caernarfon ar docyn Cymru Fydd. Roedd Richards wedi ysgrifennu ato, ar ôl iddo gyhoeddi ei Faniffesto cyfaddawdol, yn ei gystwyo:

> On carefully reading your address today, with a view to moving a vote of confidence in you at our meeting tonight, I was sorry and greatly disappointed to find that you in it truckle to party and electioneering exigencies and make expediency the measure of your political faith: you have been bidding for the last two years or three years for political popularity by dangling before the constituency Home Rule for Wales and nationalization of the land. In vain do I look for the mention of these great subjects in your common-phrased-stereotyped address.

> I presume you have quietly dropped them to conciliate the moderates whom you have always denounced.

Nid oedd Lloyd George, fel yr awgrymodd John Grigg yn ei gyfrol *The Young Lloyd George*, wedi ymladd yr etholiad o gwbl fel radical-cenedlaethol—'Lloyd George stood to gain by campaigning first and foremost as a Welsh patriot'. Yn hytrach, roedd wedi ildio i Rydd-frydiaeth swyddogol ac wedi gollwng, dros dro o leiaf, ei safbwyntiau milwriaethus.

A fyddai'r '*expediency*', a gondemniodd Morgan Richards, yn colli neu yn ennill yr is-etholiad iddo? Dyna'n sicr y cwestiwn ym meddyliau'r miloedd o bobl a oedd wedi tyrru i Gaernarfon ar ddydd y cownt, yn un o'r is-etholiadau mwyaf egr a syfrdanol a gafwyd yn hanes y Gymru fodern. A chroesffordd, os nad crocbren, yn hanes Lloyd George ei hun.

Er mai etholaeth fechan oedd y Bwrdeistrefi a bod cyfanswm y pleidleiswyr yn isel, roedd ei natur wasgarog, a'r ffaith y byddai'r is-etholiad yn sicr o fod yn gystadleuaeth glòs, yn golygu y byddai hir-gyfrif. Ac felly y bu—cafwyd cyfrif ac ail-gyfrif cyn y datganiad cyhoeddus.

Ar ôl y cyfrif cyntaf, credai'r Torïaid eu bod wedi ennill. Ond nid felly y bu. Roedd Lloyd George wedi cael 1,963 pleidlais a Nanney 1,945: mwyafrif bychan i'w ryfeddu o 18 i Lloyd George. Roedd y pôl wedi bod yn drwm iawn, y cyfanswm uchaf erioed yn yr etholaeth—404 yn rhagor wedi pleidleisio nag yn 1886 a 127 yn rhagor nag yn 1885. Roedd Lloyd George wedi cynyddu pleidlais y Rhyddfrydwyr o 279 pleidlais yn rhagor nag yn 1886, ond roedd Nanney hefyd wedi sicrhau mwy o bleidleisiau nag a gafodd Swetenham yn 1886.

Roedd Lloyd George, felly, wedi ennill o drwch blewyn gan beri i'r *North Wales Chronicle* honni yn ei rifyn wedi'r datganiad y byddai wedi colli'r etholiad pe bai nifer o bysgotwyr o Nefyn, Torïaid un ac oll, wedi cael cyfle i bleidleisio. Roeddynt wedi cael eu dal mewn tywydd garw ar y môr ar ddydd yr etholiad.

Ar ôl y cyhoeddiad, chwiliodd Ellis Nanney—yn ôl *Y Genedl Gymreig*—am gysur ym mar y Sportsman Hotel, gan gael ei hebrwng yno gan 'riff-raff meddw y dref'. Aeth Lloyd George, fodd bynnag, ar daith fuddugoliaethus drwy'r bwrdeistrefi, gan gyrraedd Mynydd Ednyfed, cartref ei wraig, yn hwyr y nos. Yno bu wrthi am oriau'n darllen, yn ôl *Y Genedl Gymreig*—'delegramau o bob cwr o'r Deyrnas'.

Liberal candidate.

THE POLLING DAY.

The polling took place on Thursday. The population of the boroughs, according to the census of 1881, was 28,391, and the present electorate numbers 4628, distributed as follows:—Carnarvon, 1517; Bangor, 1509; Conway, 580; Pwllheli, 522; Nevin, 370; and Criccieth, 215. The following are the results of previous elections;—

1885.

Mr. Jones Parry (L.)	...	...	1923
Mr. Swetenham (C.)	...	...	1858
Majority ...	...	...	65

1886.

Mr. Swetenham (C.)	...	...	1820
Mr. Jones Parry (L.)	...	...	1684
Majority ...	...	...	136

CARNARVON.

Polling began very briskly at the two booths in Carnarvon, no fewer than 50 electors recording their votes duriug the first half-hour, both parties being well represented.—In the Western Ward polling booth (Guild Hall), Mr. Richard Parry acted as presiding officer; Mr. E. H. Morris being the polling clerk. Mr. W. J. Williams was in charge of the Liberal committee rooms, while Mr. George Owen took charge of the Conservative committee rooms, assisted by Mr. J. M. Clayton. The first that voted was Mr. Robert Roberts, tailor, Northgate-street. Up to one o'clock about 400 persons had voted, which number was increased by 7 p.m. to 720. The presiding officer at the Eastern Ward (the polling station for which was the National School) was Mr. R. Ll. Jones, Mr. William Evans acting as the polling clerk. The Liberals were represented by Messrs. John Jones, druggist, and R. O. Roberts, solicitor, while the Conservatives were represented by Mr. John Williams, saddler. Mr. J. T. Parry took charge of the Liberal committee rooms, and Mr. H. Ll. Carter of the Conservative committee rooms, assisted by Mr. J. J. Roberts. The first to record his vote was Mr. J. Owen Jones, Eryri Shop, Pool-street. Up to 12 noon about 300 had voted, and by 5 p.m. the number had increased to 500. Both parties were well supplied with vehicles, those on the Liberal side being lent by Mrs. Pugh, Llysmeirion; Colonel Hunter, Plas Coch, Anglesey; Mr. Owen Jones, Green Bank; Mr. J. Thomas, broker; Mr. Jones Hughes, Post-office, Rhostryfan; Mr. O. Jones, Bronceres; Mr. Walker Hughes, Penhos; Mr. Edward Hughes, ironmonger; Mr. Herbert Jones, Penygroes; Mr.

... was creating immense interest in the hearts of the people.

RESULT.

The result of the election was declared by the Mayor as follows:—

Lloyd-George	...	...	1963
Ellis-Nanney	...	...	1945
Majority	...	...	18

THE VICTORIOUS CANDIDATE.

Mr. Lloyd George was drawn in a carriage through the town by tremendous crowd, and he was accompanied by Mr. Acland, M.P., Mr. John Bryn Roberts, M.P., Dr. E. O. Price, Bangor, Mr. J. T. Roberts, and others. Arriving at Castle-square, Mr. Lloyd George, speaking in Welsh, but first of all greeted with "three cheers for the boy M.P.," which were lustily given, said:—My dear fellow-countrymen, the county of Carnarvon to-day is free (loud cheers). The banner of Wales is borne aloft and the boroughs have wiped away the stains (loud cheers). I hope that whoever will be contesting the next election (cries "It will be you") will not fail to achieve a similar victory. The contest has been carried on by both sides in the best possible good humour. It has been a battle of principles (cries, "Coal," and laughter). I thank you from my heart, and all those who have worked so hard for the Liberal cause. I specially wish to thank the Ladies' Liberal League (three cheers were here given to the Ladies' League). Mr. George concluded by saying that he hoped the majority would be largely increased by the general election.

The carriage afterwards proceeded up Pool-street, followed by a great crowd.

After the declaration of the poll, Mr. Ellis Nanney was carried to the Conservative Club by his supporters with almost as much shouting as if he had been victorious. The large room of the club was at once filled with a large and excited crowd, who, for about five minutes, cheered Mr. Ellis Nanney in a remarkably lusty fashion. The cheers having subsided, Mr. Ellis Nanney rose and addressed his supporters. He said he was very happy to meet them all at the close of the contest which had been so gloriously fought, and which he regretted to say they had not won ("Shame"). The

Canlyniad is-etholiad 1890, Carnarvon and Denbigh Herald, 11 Ebrill 1890.

Byr fu'r dathlu, fodd bynnag, oherwydd yn sgil yr is-etholiad cafwyd ton o feirniadaeth, nid yn unig o du'r Wasg Ryddfrydol ond o gyfeiriad y garfan radicalaidd-genedlaethol a fynegai anfodlonrwydd mawr â natur yr ymgyrch a'r canlyniad. Roedd y Wasg Doriaidd hefyd yn uchel ei chloch wrth dynnu sylw at ymgyrch Lloyd George, tra bod cefnogwyr Lloyd George ond yn rhy barod i gyfiawnhau'r fuddugoliaeth fain.

Yn sicr, roedd papurau Gwasg y Genedl yn amddiffynnol iawn eu hagwedd wrth geisio cyfiawnhau pa mor fain oedd mwyafrif Lloyd George—a'r *North Wales Observer and Express* (Ebrill 18), yn datgan bod hynny wedi digwydd oherwydd: 'The intolerable influence of the Screw, the bribery, the threats and the boycotting'. Yn yr un rhifyn, roedd R. A. Griffith, cyfaill cenedlgarol Lloyd George, yn gandryll oherwydd iddo bron golli'r sedd gan honni:

> The ladies of the Primrose League canvassed the slums and gave away half-crowns to the children of the poor: to show the popularity of the Tory cause, the loafers, blackguards and prostitutes of each borough were forced into a bullying and blastering brigade and their enthusiasm was kept up by a constant flow of beer . . . Indecent pictures were exhibited on the walls of Tory clubs to prove that Ireland is a land of crime and violence.

Hawliodd *The North Wales Observer and Express* hefyd fod ymyriad bradwrus Evan Jones wedi bod yn ddamniol, tra bod *Y Genedl Gymreig* yn beio brad papurau'r *Herald*, er mwyn cyfiawnhau mwyafrif bychan Lloyd George. Ychwanegodd iddo ennill 'er nad oedd ganddo ddylanwad, na statws cymdeithasol nac amgylchiadau ffodus . . . dim ond cryfder ei egwyddorion a grym ei alluoedd a'i huotledd'.

Honnai *Baner ac Amserau Cymru* Thomas Gee hefyd i Evan Jones wneud drwg dirfawr i'w achos a bod cancr enwadaeth yn y Bwrdeistrefi wedi cyfrannu at ei fwyafrif bychan. Beiodd *Y Goleuad* frad llawer o gapelwyr yn pleidleisio i Ellis Nanney a chafwyd barn debyg gan newyddiaduron y Bedyddwyr, *Seren Gomer* a'r *Greal*, a'r *Gwyliedydd* Wesleaidd.

Roedd rhai newyddiaduron Rhyddfrydol yn llai parod i gyfiawnhau ei fuddugoliaeth fain, fodd bynnag, gan awgrymu ei fod wedi ymladd ymgyrch ragrithiol a disgyn rhwng dwy stôl wrth wneud hynny.

Honnodd *The Cambrian News* ei fod 'in many respects the weakest candidate that the Liberals could have brought forward'. Honnai'r *Carnarvon and Denbigh Herald* mai prin y gellid dweud bod ei ymgyrch yn 'fuddugoliaeth i genedlaetholdeb Cymreig', tra bod y newyddiaduron Annibynnol, *Y Cronicl* ac *Y Diwygiwr*, yn hallt eu beirniadaeth am iddo newid cwrs yn yr etholiad. Roedd *Y Dydd* yn parhau i amddiffyn safiad y Parchedig Evan Jones a beirniadu maniffesto llugoer Lloyd George. Ac ar ôl i'r pwysau etholiadol gilio, mynnodd *The South Wales Daily News* (Ebrill 12) fod Lloyd George

D. Lloyd-George, M.P.
Ymddangosodd y llun hwn ar glawr rhifyn cyntaf y cylchgrawn Young Wales, Ionawr 1895.

bron wedi colli'r sedd am nad oedd yr etholwyr yn ymddiried ynddo, am iddo ymddangos fel pe bai'n Rhyddfrydwr traddodiadol, pan wyddent mewn gwirionedd ei fod yn wleidydd a goleddai syniadau eithafol cenedlaethol a radicalaidd. Rhannai *Y Celt* yr un dadansoddiad gan gollfarnu'r modd y lliniarodd ar ei gefnogaeth gynharach i sosialaeth y tir ac achos *Home Rule* i Gymru. Dyna hefyd farn y cylchgrawn *Cymru Fydd* ym Mai 1890.

Tanlinellai ymateb y Wasg Ryddfrydol, yn ei amrywiaeth safbwynt a'i nwyd angerddol, nid yn unig pa mor glòs fu buddugoliaeth Lloyd George, ond hefyd y diffygion a welwyd yn ystod yr ymgyrch wrth i Lloyd George orfod wynebu beirniadaeth lem a chyhuddiadau ei fod yn fradwrus ac anghyson. Nid yn annisgwyl, roedd y wasg Dorïaidd yn siomedig oherwydd i'r blaid golli'r sedd, ond hefyd—gyda pheth cyfiawnhad—yn fwy na pharod i gondemnio ymgyrch Lloyd George gan gredu mai buddugoliaeth wag oedd hi. Meddai'r *Western Mail*: 'It was a dishonourable and inconsistent policy of responding too readily to the wire-pullers of the Liberal Federation', gan ychwanegu hefyd na fyddai Lloyd George wedi cipio'r sedd oni bai fod ymgeisydd y Torïaid yn un gwan a'u hymgyrch yn un araf ac aneffeithiol.

Roedd y cylchgrawn eglwysig, *Y Llan*, yr un mor feirniadol, yn honni mai siom fawr oedd buddugoliaeth Lloyd George, o gofio ei fod wedi cael blwyddyn i nyrsio'r etholaeth a bod ei ymgyrch 'wedi cychwyn cyn i gorff y diweddar Aelod oeri'. Condemniodd *The North Wales Chronicle* hefyd ddiffyg unrhyw gyfeiriad gan Lloyd George at Ymreolaeth i Gymru, yn ei faniffesto ac yn ei ddatganiadau etholiadol, gan ychwanegu:

> His campaign was not conducted under his true colours . . . Mr George turned his back on the Young Wales Party and promised to throw oil on troubled waters and to fawn upon moderate and immoderate politicians alike.

Er bod y wasg Dorïaidd, yn anochel, yn faleisus a chondemniol o'i fuddugoliaeth fain, nid oedd y feirniadaeth heb elfen gref o wirionedd, ac adlewyrchid hynny hefyd yn rhai o bapurau a chylchgronau'r Rhyddfrydwyr.

Daeth beirniadaeth hefyd o du'r Rhyddfrydwyr, yn arbennig y garfan genedlaethol a sosialaidd. Roedd E. Pan Jones a Keinion Thomas, golygydd *Y Celt*, wedi bod yn arbennig o feirniadol o'r modd yr oedd Lloyd George wedi celu ei wir safbwyntiau, fel yr oedd

Morgan Richards. Mynegodd hyd yn oed ei gyfaill, R. A. Griffith, yn *The North Wales Observer and Express* (Ebrill 18), 'that in the by-election there was a general feeling that the contest was fought without a distinct issue', gan gyfeirio, mae'n debyg, at ddiffyg cyfeiriad o gwbl at Senedd Ffederal i Gymru, yr oedd ef a Lloyd George wedi pregethu mor huawdl drosti yng Nghaernarfon yn 1889.

Er bod Ellis Jones Griffith yn un o gefnogwyr Cymru Fydd, bu'n rhaid iddo gyfaddef, mewn sylwadau yn *The Liverpool Mercury* (Ebrill 19), na fedrai Lloyd George fforddio rhoi pwyslais ar y mater hwnnw mewn etholaeth mor anodd. Nododd yng nghwt ei erthygl, 'The present contest was a real triumph for the moderate politician'. Mewn llythyr a anfonwyd o'r Aifft at W. J. Parry ar ôl yr etholiad, bu raid i Tom Ellis hefyd gyfaddef: 'The Caernarfon election has very many lessons for the thoughtful nationalist. Welsh Home Rule is in the educative stage'.

Serch hynny, mewn llythyr at Lloyd George ei hun ar ôl yr etholiad, llongyfarchodd ef ar ei fuddugoliaeth gan nodi pa mor falch ydoedd o'i sylwadau ar ddiwedd ei ymgyrch y byddai, ar ôl y canlyniad, yn ymladd am ryddid i Gymru. Ac yn wir, rai misoedd yn ddiweddarach yn y Bala, byddai Tom Ellis yn traddodi anerchiad a bwysleisiai fod ar Gymru angen hunanlywodraeth ffederal, uwchlaw popeth.

Fodd bynnag, o edrych ar natur yr is-etholiad a'r ymateb i'r canlyniad, prin y gellir cytuno â safbwynt K. O. Morgan yn ei gyfrol, *David Lloyd George, Welsh Radical as World Statesman*, 1963 ac, yn wir, sylwadau myrdd o gofianwyr Lloyd George, fod y fuddugoliaeth yn 'considerable triumph for the tribune of his people'.

I'r gwrthwyneb, yn wir, er bod rhaid cyfaddef iddo wynebu anawsterau enfawr mewn etholaeth anodd a ffiniol yn 1890, prin bod yr is-etholiad wedi bod yn uchafbwynt ei yrfa gynnar, oherwydd bu bron â cholli'r etholiad, pan oedd cryn fanteision o'i blaid ar ddechrau'r ymgyrch. Efallai mai ei etholiad cyntaf, yn groes i'r clod a gafodd y 'fuddugoliaeth' honno gan fyrdd o haneswyr, oedd mewn gwirionedd yr ymgyrch etholiadol fwyaf siomedig ac ansicr a ymladdodd.

Eto i gyd, er na ellir gwadu y bu bron iddo ddioddef hunanladdiad gwleidyddol yn 1890, roedd wedi cipio'r sedd ac wedi cael troedle ar y ris seneddol. Yn bwysicach na hynny, hefyd, ni fyddai Lloyd George yn cefnu ar ei ymlyniad wrth Gymru Fydd, unwaith yr oedd sedd Bwrdeistrefi Caernarfon yn ei feddiant. Yn wir, ar ôl yr etholiad, ac wedi iddo fynd i Lundain a chael ei draed tano yn y Senedd

Imperialaidd a dechrau mwynhau, i raddau, yr hyn a alwodd unwaith 'the contaminating influence of London society', ni fyddai'n anghofio ei ymlyniad wrth achos Cymru Fydd.

Yn wir, wedi 1890, byddai yn anad neb—hyd yn oed Tom Ellis—yn cymryd arno'i hun y cyfrifoldeb o arwain fersiwn newydd o fudiad Cymru Fydd a'i roi ei hun ar ben blaen y gwir fudiad politicaidd cyntaf i geisio sicrhau hunanlywodraeth ffederal i Gymru—Cynghrair Cymru Fydd 1894-6. Byddai Lloyd George nid yn unig yn arwain gwrthryfel yn erbyn ei blaid ei hun ond hefyd yn peryglu ei ddyfodol gwleidyddol wrth atgyfodi unwaith eto'r ymgyrch dros hunanlywodraeth yr oedd wedi ei phregethu mor huawdl cyn arwain at yr isetholiad tyngedfennol yn 1890.

PRIF FFYNONELLAU

Cyfrifiad 1891: Gwasanaeth Archifau Gwynedd, Caernarfon Boroughs By Election Papers 1890; Carnarfon, Nevin, Cricieth, 1890; *Y Genedl Gymreig*, 1890; *Carnarvon and Denbigh Herald*, 1890; *The South Wales Daily News*, 1890; *The Western Mail*, 1890; *Y Gwalia*, 1890; *Seren Cymru*, 1890; *The North Wales Chronicle*, 1890; *The North Wales Observer and Express*, 1890; *Baner ac Amserau Cymru*, 1890; *Y Goleuad*, 1890; *Y Cronicl*, 1890; *Y Dydd*, 1890; *Seren Gomer*, 1890; *Yr Udgorn Rhyddid*, 1890.

Llyfrgell Genedlaethol Cymru: Papurau J. Bryn Roberts; Papurau Stuart Rendel.

Gwasanaeth Archifau Gwynedd: Papurau J. T. Roberts.

Gweler eto draethawd MA Emyr Price, pennod IX, X ac XI.

DARLLEN PELLACH

Beriah Gwynfe Evans, The Life Romance of David Lloyd George (Caerdydd, 1915).

Emyr Price, 'Lloyd George and the By-Election in the Caernarfon Boroughs, 1890', Trafodion Hanes Sir Gaernarfon, 1975.

PENNOD 8

'The Parliamentary Raver' a'r Parnell Cymreig, 1890-2

Yn sgil ei fuddugoliaeth yn is-etholiad 1890, a gorfod cyfaddawdu ar ei radicaliaeth a'i genedlaetholdeb milwriaethus, roedd disgwyl y byddai rhaid i Lloyd George droedio'n ofalus yn ystod ei ddwy flynedd gyntaf yn y senedd. Roedd rhybudd Tom Ellis mewn llythyr at W. J. Parry, cyfaill Lloyd George, rai dyddiau wedi'r pôl, bod Senedd i Gymru yn yr '*educative stage*' yn unig, yn rhybudd iddo yntau hefyd bod rhaid ymbwyllo peth rhag rhoi blaenoriaeth i hunanlywodraeth Gymreig wedi 1890.

Fodd bynnag, ni fyddai'n anghofio'r amcan hwn, na chwaith yn ymwrthod â mynnu lle blaenllaw i Faterion Cymreig wedi 1890. Ni fyddai chwaith yn derbyn y *party-line* Rhyddfrydol yn slafaidd ond, ar adegau, ac er mawr ofid i fwyafrif ei gyd-Seneddwyr Cymreig, byddai'n gwrthryfela'n ffyrnig, nid yn unig yn erbyn ei blaid, ond hefyd yn erbyn ei harweinydd, W. E. Gladstone. Byddai hefyd yn creu enw iddo'i hun yn San Steffan fel *obstructionist* seneddol â'r un feistrolaeth ar derfysg seneddol â'r blaid genedlaethol Wyddelig. Yn wir, gelwid ef gan ei elynion pennaf yn 'Parnell Cymreig'.

At hynny, gydag egni nodweddiadol, teithiodd ledled Cymru yn ystod y ddwy flynedd, 1890-2, gan ganolbwyntio'n arbennig ar gymoedd diwydiannol de Cymru, i hyrwyddo ei neges fod 'Cymru'n Un' a'i bod, wedi'r hir ddisgwyl, yn haeddu Deddfwriaeth Gymreig. Byddai'n galw'n daer am Ddatgysylltiad i Gymru ac am roi'r gwaddoliadau yn nwylo Senedd Gymreig neu Gyngor cenedlaethol etholedig. Roedd hefyd am weld arian y degwm yn mynd i helpu'r tlawd a'r anghenus ac i bwrpas rhoi addysg i bawb. Ond yn y cyfnod hwn, yn fwyaf arwyddocaol, byddai'n galw nid yn unig am ddydd gwaith wyth awr i lowyr ond hefyd, yn ei Faniffesto Etholiad yn 1892, am bensiwn i'r henoed wedi ei ariannu o'r degwm ac o drethu tir a chyfoeth tirfeddianwyr a diwydianwyr mawr. Ni chrybwyllwyd yr ail ffaith gan unrhyw un o'i gofianwyr cyn hyn, ac eithrio B. B. Gilbert mewn cyfeiriad byr yn ei gyfrol, *David Lloyd George, A Political Life*. Myth yw'r gred mai yn ddiweddarach yn ei yrfa y daeth i goleddu syniadau'r Ryddfrydiaeth newydd. Erbyn 1892, roedd o blaid ymestyn y dreth ar farwolaeth, addysg rydd seciwlar, trethu'r cyfoethog, dinasoli tai a thir, a threthu elw ar rent ac elw cyfoethogion. Mewn gair, ail-ddosbarthu cyfoeth. Byddai'n dadlau hefyd ar adegau, rhwng 1890 ac 1892, y gallai Senedd Gymreig ddeddfu ar y pethau hyn cyn y gwnâi Senedd Brydeinig hynny, a bod Cymru'n fwy aeddfed na Lloegr i groesawu newidiadau fel hyn.

Yn ystod ei ddwy flynedd gyntaf yn y Senedd, Lloyd George yn anad un o'r Seneddwyr Rhyddfrydol Cymreig—hyd yn oed Tom Ellis, a oedd am gyfnod hir yn wael ac yn ceisio adfer ei iechyd dramor—fu'n mynnu, yn aml iawn heb fawr o ffydd yn y blaid Gladstonaidd, bod angen iddi newid cwrs yn ei hagwedd at Gymru. Oni wnâi'r blaid hynny, bygythiai na fyddai ganddo ond un dewis, sef arwain ei gyd-Ryddfrydwyr i sefydlu plaid Annibynnol Gymreig a fynnai hunanlywodraeth i Gymru.

Yn wir, yn y cyfnod 1890-2, cyn sefydlu Cynghrair Cymru Fydd yn 1894, roedd yn barod i gymryd safiad annibynnol yn aml. I'r pwrpas hwnnw, ar drothwy Etholiad 1892, meddiannodd wasg bwerus y Genedl yng Nghaernarfon, nid yn unig fel erfyn etholaethol dylanwadol mewn etholaeth simsan fel Bwrdeistrefi Caernarfon, ond hefyd fel cyfrwng i ledaenu ei neges genedlaethol ledled Cymru. Gyda'i bapurau ei hun, a chan ychwanegu rhifyn de Cymru at *Y Genedl Gymreig* ogleddol, byddai'n lledaenu ei neges i gymoedd diwydiannol y de. Ar lefel Gymreig a Seneddol, felly, rhwng 1890 ac 1892, roedd yn barod i arwain ymgyrch genedlaethol a'i gosodai ben ac ysgwydd uwchlaw unrhyw wleidydd arall fel arloeswr cenedlaethol Cymreig. Gwnaeth hynny gan beryglu ei ddyfodol politicaidd mewn sedd oedd gyda'r fwyaf ffiniol yng Nghymru ac etholaeth nad oedd fawr o gefnogaeth i'w genedlaetholdeb milwriaethus ynddi, hyd yn oed ymhlith *activists* ei blaid yn lleol. Prin ei fod yn haeddu cael ei alw '*the Playacting Rebel*', fel y cyfeiriodd John Grigg ato yn ei gyfrol wrth sôn am ei gyfnod fel ymgyrchwr Cymreig yn y cyfnod hwn.

Yn rhyfeddol, os rhyfeddol hefyd, oedodd wythnosau cyn traddodi ei araith forwynol yn y Senedd. Roedd ei frawd, William, a'i ewythr, Richard Lloyd, ar dân eisiau iddo siarad ar bwnc amserol dirwest o fewn dyddiau iddo gael ei ethol i San Steffan, gan ei gymell mewn llythyrau ato i wneud hynny. Ond, yn hirben iawn, roedd Lloyd George am oedi cyn siarad ar bwnc llosg iawndal i dafarnwyr, fel y nododd mewn llythyr atynt ar yr 16eg o Fai:

I shan't speak in the House this side Whitsuntide holidays . . . let the cry against Compensation increase in force and intensity; then is the time to speak.

Daeth ei gyfle, ar y 14eg o Fehefin, i siarad yn erbyn mesur y Toriaid i roi iawndal sylweddol i dafarnwyr a oedd wedi colli eu trwyddedau. Cefnogodd welliant yn awgrymu y dylai'r arian fynd yn hytrach i bwrpas addysg rad a seciwlar i blant Cymru. Honnodd yr hanesydd K. O. Morgan, yn *Lloyd George and Welsh Liberalism*, nad oedd ganddo wir ddiddordeb mewn addysg fel cyfrwng i newid cymdeithas. Eithr i fater addysg y neilltuodd ei araith forwynol ac yn 1891 byddai'n dychwelyd at hynny yn y Senedd gan gefnogi addysg rad seciwlar a fyddai'n rhydd o grafangau enwadaeth a'r Eglwys.

Cafodd ei araith forwynol sylw mawr yn y wasg Lundeinig a'r wasg Gymreig, o'r *Times* i'r *Genedl Gymreig*. Galwodd *Y Genedl* hi'n 'feistrolgar', ac er na fu Lloyd George erioed cystal areithydd yn Nhŷ'r Cyffredin ag y bu ar lwyfannau cyhoeddus, roedd ef mewn ewfforia hunanglodfawr ar ôl ei thraddodi, fel y nododd mewn llythyr at ei wraig, Margaret, y noson honno:

There is no doubt that I scored a success and a great one . . . I have been overwhelmed with congratulations both yesterday and today . . . There is hardly a London Liberal or even provincial paper which does not say something commendatory about it.

Roedd wedi taro tant Anghydffurfiol Cymreig yn ei araith gyntaf yn Nhŷ'r Cyffredin, heb anghofio cyplysu hynny â galwad seciwlar fodern yn ei araith forwynol, ond cyn hynny roedd wedi gofyn cwestiwn seneddol mwy arwyddocaol. Ym mis Ebrill 1890, gofynnodd i Ganghellor y Trysorlys a oedd gan y llywodraeth unrhyw fwriad gweithredu argymhellion y Pwyllgor Seneddol a oedd eisoes wedi awgrymu rhyddfreinio'r prydlesoedd. Cafodd ateb negyddol. Nid rhyfedd iddo ofyn ei gwestiwn seneddol cyntaf ar hyn oherwydd roedd y pwnc wedi bod yn ganolog yn Rhaglen Anawdurdodedig Chamberlain yn 1885 ac wedi mynd â bryd y Lloyd George ifanc yr adeg honno fel mater a allai wella stad y gweithiwr diwydiannol a'r gwledig. Roedd hi'n gwbl arwyddocaol, ar ddechrau ei yrfa seneddol, mai'r mater radicalaidd llafurol hwn oedd ei gwestiwn seneddol cyntaf. Tanlinellai'r ffaith nad materion Anghydffurfiol Cymreig oedd swm a sylwedd ei radicaliaeth. Roedd elfennau'r Rhyddfrydiaeth newydd yn ei gredoau cynnar.

Yn ystod ei fisoedd cyntaf yn y senedd byddai'n ceisio cyplysu'r hen Ryddfrydiaeth a'r newydd—a dyma fyddai ei strategaeth yn y 90au cynnar, sef anelu at ddiwygiadau tymor byr a diwygiadau Anghydffurfiol gan ymgyrchu ar yr un pryd am fesurau llafurol ynghlwm â galw am senedd Ffederal i Gymru. Nid Datgysylltu oedd ei unig nod ond, hefyd, sicrhau gwell cymdeithas—ac o fewn y patrwm hwnnw gwelai Gymru'n esiampl i'r byd o genedl ymlywodraethol flaengar. Roedd yn nod yr hoffai ymgyrraedd ato, er difrawder ei gyd-Gymry at genedlaetholdeb gwleidyddol.

Cyn gynted ag yr oedd wedi cyrraedd San Steffan, ac yn sgil y cyhoeddusrwydd eang a gafodd ei is-etholiad, bu pwysau mawr arno i areithio mewn gwahanol lefydd yng Nghymru a Lloegr ac yn arbennig yng nghylchoedd y Cymry yn Llundain. Mor gynnar â'r 23ain o Ebrill, roedd *The Western Mail* Torïaidd yn bwrw sen ar yr eilunaddoli ohono yn y cylchoedd hynny:

> His invaluable services are indispensible towards ensuring the success of certain London Welsh tea parties and he has cheerfully accepted the onerous duties of chairman at sundry of these convivial gatherings . . . Such are some of the penalties of greatness.

Nid oedd y sylw a gafodd yn Llundain yn ystod ei fisoedd cyntaf yn gwneud bywyd yno'n fêl i gyd. Bu'n rhaid iddo aros mewn fflat anghysurus yn Craven Street ar ei ben ei hun tra oedd ei wraig gartref yng Nghricieth yn disgwyl babi ac yn amharod i ymuno ag ef yn Llundain. Mewn amryw o lythyrau at ei wraig cwynai'n enbyd ar ei fyd, megis mewn llythyr ati ar y 12fed o Fehefin:

> I can't stand this solitude much longer. It is unbearable. Here the House adjourns in a few minutes now, that's it at 6 and I go to my lodgings like a hermit or a prisoner to his cell. Dark, gloomy dungeon, my room is. I don't know what I would give now for an hour of your company. It would scatter all the gloom and make all the room so cheerful.

Fodd bynnag, nid oedd yn barod i fyw bywyd meudwy yn Llundain yn ystod ei dymor seneddol cyntaf. Arferai fynychu *restaurants* crand yn y ddinas, megis St. James's, Picadilly, a Frascati, i yfed gwin a smocio sigârs yng nghwmni ffrind o'r un anian, S. T. Evans, Aelod Seneddol Canol Morgannwg a chenedlaetholwr Cymreig; dau newyddian i'r senedd ar docyn Cymru Fydd, a dau aderyn y nos. Ar y Suliau, yn lle mynychu'r capel, aent yn aml ar anturiaethau ar yr Afon Tafwys, a arweiniodd i Margaret Lloyd George geryddu ei gŵr, mewn llythyr, am galifantio ar y Sul yn lle mynd i'r capel. Atebodd ef hi yn herfeiddiol ar y 13eg o Awst, gan ddangos pa mor bell o fod yn Biwritan Cymreig yr oedd ef :

> There is a great deal of difference between the temptation to leave your work for the pleasure of being cramped up in a suffocating, malodorous chapel listening to some superstitions I have heard thousands of times before and on the other hand the temptation to have a pleasant ride on the river in the fresh air with a terminus at one of the loveliest gardens in Europe.

Fodd bynnag, er ei agwedd chwerw-felys at Lundain, ac er y jolihoitian yng nghwmni Sam Evans, politics oedd ei wir ddiléit. O'r cychwyn cyntaf roedd yn benderfynol o gymryd safbwynt annibynnol yno. Gwnaeth hynny mewn cytgord â D. A. Thomas, Aelod Seneddol Merthyr, a'r perchennog glofeydd cyfoethog. Er mawr ofid i Gladstone ac i Stuart Rendel, Aelod Seneddol Maldwyn ac arweinydd y blaid seneddol Gymreig, gwnaeth ef a Thomas safiad rebelgar yn y trafodaethau ym mis Mehefin ar Fesur Degwm y Llywodraeth Doriaidd. Gwrthododd y ddau gefnogi gwelliant F. T. Stevenson a fynnai ailbrisio'r degwm a'i ostwng; yn hytrach, fe bleidleisiodd y ddau gyda'r Toriaid. Dadleuai Lloyd George yn neilltuol fod angen gwarchod swm y degwm tan i'r Eglwys gael ei Datgysylltu ac wedyn, gyda Senedd Gymreig neu Gorff Cenedlaethol yn gweinyddu'r arian, ei ddefnyddio i wella cyflwr y dosbarth gweithiol. Roedd y ddau'n ymwybodol mai'r landlord, nid y tenant, fyddai'n talu'r degwm dan amodau'r ddeddf newydd.

Beirniadwyd y ddau yn hallt, fodd bynnag, am bleidleisio'n groes i'w plaid yng Nghymru ac yn groes i Gladstone a chyda'r Toriaid. Gweithred 'anesboniadwy' oedd hon, yn ôl *Seren Cymru* (Mehefin 13) a mynnodd *Y Cymro* 'mai gorau po gyntaf y gelwir Lloyd George i roddi cyfrif am ei oruchwyliaeth', tra galwodd *The South Wales Daily News* (Mehefin 16) nhw yn '*The Two Unfortunate Tory Voters*' . Ac yn naturiol roedd *The Western Mail* (Mehefin 7) yn fwy beirniadol fyth gan nodi, yn agos iawn at y gwir yn achos Lloyd George: 'This was the first outward and visible sign of the Welsh Radical Vote against Gladstonianism'.

O'r cychwyn cyntaf, nid oedd Lloyd George yn barod i fod yn hàc pleidiol, a mwynhâi ei safiad rebelgar a chael ei alw gan y papur eglwysig, *Y Llan*, yn 'Ebol Radicalaidd' (Mehefin 27). Ond cafodd gefnogaeth ei blaid yn lleol a chan wrth-ddegymwyr amlwg fel Thomas Gee ac Alun Lloyd a John Parry Llanarmon-yn-Iâl, heb sôn am bapurau fel *Y Celt* (Mehefin 20) a'r *Genedl Gymreig* (Mehefin 18).

Ysgrifennodd at ei wraig hefyd ar y 15fed o Orffennaf, wedi iddo egluro i'w etholwyr ym Mangor ei safiad dadleuol ar y pwnc:

> They appeared highly delighted with my success. I explained my tithe vote but it was hardly necessary . . . they were all satisfied on the point.

Wedyn mewn cyfarfod ym mis Gorffennaf, yn Aberdâr, tra oedd ar daith yno yng nghwmni ei gyd-rebel, D. A. Thomas, cyfiawnhaodd ei weithred ac, yn ôl *The Western Mail* (Mehefin 8), mynnodd mai eiddo'r Cymry oedd y degwm ac y dylid ei wladoli er mwyn yr anghenus gan Gorff Cenedlaethol Cymreig. Achubodd hefyd ar y cyfle i fwrw sen ar bennaeth yr Eglwys, y frenhines Victoria: 'The Church is English in its head, its origins, its liturgy and its bailiffs', oedd ei eiriau lliwgar.

Cyn gorffen ei dymor seneddol cyntaf yn haf 1890, cafodd Lloyd George gyfle arall i ychwanegu at ei enw fel Seneddwr na fynnai droedio'r llwybr cul pleidiol. Gyda S. T. Evans yn ei gefnogi, ymosododd yn uniongyrchol ar y frenhiniaeth, drwy fynnu gostyngiad yn yr arian a delid o'r pwrs cyhoeddus i'r teulu brenhinol, gan nodi mewn llythyr at ei wraig, Margaret, ar y 7fed o Awst, 1890:

> S. T. Evans and I intend objecting to making some Princeling of Royal Lineage a Knight of the Garter at an expense of £400 to the country. People are starving or, what is worse, dragging a miserable existence through penury, poverty and toil, while these vile aristocratic and Royalist vagabonds are spending the nation's money in idle frippery of this sort. Don't you think, old Maggie, I ought to have a fling at them, even if the Tories howl me down and brand me as a wild, revolutionary fanatic?

Bu cythrwfl mawr yn sgil hyn a barodd i'r Frenhines Victoria ei hun fynnu ymddiheuriad gan Gladstone. Barnwyd y ddau yn llym hefyd gan y wasg Dorïaidd ond plesiwyd y Radicaliaid yn eu plaid, o leiaf.

Ar derfyn ei dymor cyntaf yn y senedd, gallai Lloyd George ymfalchïo iddo gael cyhoeddusrwydd mawr. Ond, ar yr un pryd, roedd ei safbwyntiau dadleuol yn peryglu ei ddyfodol yn ei etholaeth simsan. Yn y brif dref, Bangor, roedd y papur Torïaidd, *The North Wales Chronicle*, yn fwy na pharod i ymosod arno a'i lasenwi ar derfyn y sesiwn seneddol '*the Parliamentary Raver*' (Awst 30, 1890).

Roedd y blaid Dorïaidd yn yr etholaeth hefyd yn benderfynol o gael gwared ag ef, doed a ddelo. I'r perwyl hwnnw, o fewn misoedd i'r is-etholiad roeddynt wedi dewis ymgeisydd seneddol arall a hwnnw'n Gymro Cymraeg, yn Eisteddfodwr mawr ac yn aelod seneddol profiadol. Yn ôl y sôn, roedd wedi gwrthod sedd ddiogel, yn Devonport, er mwyn dychwelyd i Gymru i gael gwared â'r '*Parliamentary Raver*'. Syr John Puleston oedd hwn, meddyg, yn hanu'n wreiddiol o Ddyffryn Clwyd ac yn ewythr i'r gweinidog dall enwog, Puleston-Jones. Parodd ei ddewis banig llwyr yn rhengoedd y Rhyddfrydwyr a chymell papur Thomas Gee, *Baner ac Amserau Cymru* (Mehefin 25), i alw'n daer ar etholwyr y Bwrdeistrefi i ddyblu eu hymdrechion dros Lloyd George:

> Bellach nid oes gan gefnogwyr Mr George ond gwneud yr hyn oll sydd yn eu gallu i baratoi ar gyfer y frwydr i ddod, oblegid mae yn eithaf amlwg fod y Torïaid yn bwriadu gwneuthur ymdrech egnïol arall i ad-ennill y sedd hon.

Wedyn, ar y 1af o Orffennaf, cynyddodd y tyndra wrth i'r papur Torïaidd, *The Western Mail*, honni'n ddiflewyn-ar-dafod o hyderus: 'Sir John Puleston will win the Caernarvon Boroughs and the radicals know it'.

Yn ddiweddarach yr haf hwnnw, llwyddodd Syr John Puleston i gael lle mwy blaenllaw na Lloyd George ar ddau o lwyfannau pwysig Cymreig yn etholaeth y Bwrdeistrefi a thrwy hynny beri braw yn y gwersyll Rhyddfrydol. Gwahoddwyd ef i gymryd rhan amlwg yn Eisteddfod Genedlaethol Bangor, ac yn Sasiwn Methodistiaeth Arfon yng Nghaernarfon. Wedyn, mewn penodiad sinicaidd o ddidostur, penodwyd ef gan yr Ysgrifennydd Cartref yn Gwnstabl Castell Caernarfon—segur swydd a oedd yn un o ddylanwad mawr yn nhref y Cofis ac a roddai gyfle iddo ei defnyddio i gipio'r etholaeth. Ymhyfrydai'r *Western Mail* (Awst 11), nad segur swydd mohoni ac y byddai Syr John, drwy ei haelioni ei hun, yn adnewyddu'r Castell a'r Amgueddfa oddi mewn iddo, heb unrhyw gost i bobl Caernarfon a denu miloedd o ymwelwyr i'r dref.

Yn sicr, roedd penodiad Syr John i'r Castell a'i radlonrwydd personol, ynghyd â'r ffaith fod ganddo dŷ ym Mhwllheli a chysylltiadau Cymreig, yn gryn boendod i Lloyd George, er na fu hynny'n ysgogiad o gwbl iddo liniaru arno ef ei hun fel 'Parnell Cymru' yn y cyfnod hwn. Ond gwyddai hefyd nad mater hawdd iddo fyddai ei wrthwynebu mewn etholiad cyffredinol, er nad oedd arno ofn Syr John, fel y nododd mewn llythyr at Margaret ar y 7fed o Awst:

> Puleston is a great hypocrite and fraud . . . Puleston trades on an appearance of good fellowship. But cunning as he is, I shall see that he does not win the seat with the ease he imagines . . .

Yn wir, heb gymryd fawr o wyliau yn haf 1890, aeth Lloyd George ati mewn cyfarfod ym Mhwllheli ym mis Awst i achub ar y cyfle i felltithio Puleston ac, yn ôl *Y Genedl Gymreig* (Medi 1), yn ddiweddarach, i fynnu mai ei rôl ef fel Aelod Seneddol oedd rhoi anghenion Cymru yn gyntaf, o flaen hyd yn oed ei blaid ei hun. Roedd hyn ar ôl i Syr John honni bod Lloyd George yn genedlaetholwr gwyllt ac yn anffyddlon i'w blaid a'i etholaeth.

Mewn araith gyffelyb, ym mis Tachwedd, yng Nghaernarfon, trosglwyddodd yr un neges ac wedyn ym Mangor, pryd y mynnodd y byddai'n ledio plaid annibynnol Gymreig oni châi Cymru Ddatgysylltiad gan y llywodraeth Ryddfrydol nesaf. Felly, nid trwy gyfaddawdu ar ei genedlaetholdeb yr ymatebodd Lloyd George i her Puleston ond trwy sefyll yn gadarn fel radical a chenedlaetholwr pan ddaeth y newydd ysgytiol mai Puleston fyddai ei wrthwynebydd. Ac fe gafwyd cadarnhad o'i natur rebelgar yng Nghynhadledd Brydeinig y Rhyddfrydwyr yn Sheffield yr un mis pan aeth mor bell ag awgrymu bod ei gyn-arwr, y cyn-Ryddfrydwr Joseph Chamberlain, wedi bod yn ddiffuant o blaid Datgysylltu a '*Home Rule All Round*' i Gymru ac yn llawer mwy parod i roi hynny nag yr oedd Gladstone. Mynnodd yno hefyd, pe bai Gladstone yn gwrthwynebu Datgysylltu'r eglwys eto, y byddai ef a'i gyd-genedlaetholwyr Cymreig Rhyddfrydol yn ffurfio plaid annibynnol ar fodel y Gwyddelod—gosodiad a barodd i'r *Western Mail* (Tachwedd 21) ei gystwyo am weithredu fel '*The Welsh Parnell*'.

Roedd yr arwyddion yn y gwynt, hyd yn oed yn 1890, na fyddai'n barod i ufuddhau i orchmynion ei blaid, pan ddeuai'r amser, ond y byddai, yn hytrach, yn gwrthryfela yn ei herbyn. Yn wir, mewn llythyr at Tom Ellis ar y 27ain o Dachwedd, nododd y byddai'n ymladd ei etholiad nesaf nid ar y polisi Rhyddfrydol swyddogol o roi blaenoriaeth i Iwerddon, ond mynnu mai materion Cymreig a gâi'r flaenoriaeth; os datgysylltiad oedd hwnnw rhoddai hynny gyfle iddo hefyd ganolbwyntio ar bethau oedd yn bwysicach ganddo, sef materion llafur a Senedd Gymreig:

> For Wales I see but one way out of the difficulty and that is to fight the next election on disestablishment and practically to ignore the Irish Question.

Wedyn pregethodd yr un neges ar ddiwedd Tachwedd yn etholaeth D. A. Thomas ym Merthyr, gan fynnu y dylid neilltuo'r degwm i addysg seciwlar, trethu'r cyfoethogion a sefydlu Senedd Gymreig a fyddai nid yn unig yn deddfu ar faterion Anghydffurfiol ond ar fesurau llafur hefyd (*The South Wales Daily News*, Tachwedd 18).

Gwelai ddatgysylltiad fel cyfrwng i sefydlu Senedd Gymreig drwy Gorff etholedig i weinyddu'r degwm—Corff a allai ddeddfu hefyd ar fesurau arloesol yn ymwneud â budd a lles.

Er bod bygythiad Syr John Puleston yn real iawn i Lloyd George, felly, nid trwy gymedroli ei safbwyntiau yr ymatebodd i'r her ond, yn hytrach, trwy arddel ei safbwyntiau blaengar. Er iddo, yn ymddangosiadol, roi blaenoriaeth i Ddatgysylltiad, roedd ganddo hefyd agenda gudd o hunanlywodraeth a deddfu ar faterion llafurol. I'r perwyl hwnnw bu datblygiad allweddol yn ei yrfa seneddol ym mis Tachwedd 1890, pan addunedodd i ysgrifennu colofn seneddol i'r *Genedl Gymreig* o dan y teitl 'O'r Senedd'—cyfle i hyrwyddo ei agenda Gymreig gyda phapur a oedd wedi bod yn allweddol yn y broses o sicrhau ei le yn San Steffan a chyn hynny'n hybu ei ddewis fel y '*Nationalist Candidate*' yn y Bwrdeistrefi. Roedd yn gyfle iddo hefyd ychwanegu at ei incwm prin fel y daeth cyfle, yn ddiweddarach yn y cyfnod hwn, trwy gyfrannu colofn i'r *Manchester Guardian* a'r *London Star*.

Yn ei gyfraniad cyntaf i'r *Genedl* (Tachwedd 26), cafwyd erthygl ganddo o Gynhadledd y Rhyddfrydwyr yn Sheffield. Roedd yn gyfle iddo ymffrostio ei fod wedi bygwth gwrthryfel yno yn erbyn Gladstone oni fyddai'n rhoi Datgysylltiad i Gymru yn ystod y Weinyddiaeth nesaf. Wedyn, yn ei ail erthygl yr wythnos ganlynol, trafodai sgandal Parnell a datgeliad ei garwriaeth odinebus â Kitty O'Shea.

Gofalodd Lloyd George, er mwyn plesio ei ddarllenwyr Anghydffurfiol, gondemnio godineb Parnell ond edmygai ei ddawn fel arweinydd. Rhagwelai hefyd gyfle, gyda'r rhaniad yng ngwersyll Parnell yn sgil y sgandal, i wthio materion Cymreig i'r brig ond, yn fwy arwyddocaol efallai, roedd am weld Michael Davitt, ei arwr yn yr 80au, gyda'i bwyslais ar wladoli'r tir a materion llafur, yn arwain y blaid Wyddelig. Ond gweld cyfle i achub y blaen ar Iwerddon yn seneddol oedd ei brif neges, gan fygwth: 'Ni fydd Cymru yn foddlawn i aberthu rhyddid crefyddol ar allor Mrs O'Shea'. Sylw arwyddocaol iawn oedd hwn, a sylw hefyd nad oedd heb ei rybudd iddo ef ei hun, oherwydd gwyddai'n dda fod ganddo yntau elfen nwydwyllt yn ei gymeriad a allai ddinistrio ei yrfa gyhoeddus.

Nid y wasg na Thŷ'r Cyffredin na'r llwyfan cyhoeddus fu'r unig gyfryngau i hybu ei yrfa yn y cyfnod hwn. Ar drothwy'r Nadolig dychwelodd at gyfrwng arall i hyrwyddo ei amcanion, sef y gwrth-dystiad cyhoeddus, a hynny mewn ocsiwn atafaelu. Aeth i ocsiwn y degwm yn Llannor ger Pwllheli ac yno, yn ôl *Y Faner* (Rhagfyr 24), areithiodd yn fyrfyfyr, ar wahoddiad y dorf, gan gymell y ffermwyr i gadw'r heddwch ond gan fynnu hefyd fod rhaid i Gymru gael datgysylltiad, beth bynnag am *Home Rule* i Iwerddon ac oni châi hynny, bygythiodd, y canlyniad fyddai torcyfraith. Bu ymateb chwyrn disgwyliedig gan y wasg Doriaidd, gyda *Yr Haul* (Ionawr 1890) er enghraifft yn galw ei weithred yn 'Farbareiddiwch Cymru' a'r *Western Mail* (Rhagfyr 20) yn ei gondemnio am ymyrryd mewn gweithred derfysglyd ac yn galw am ei ymddiswyddiad o'r senedd am efelychu tactegau Gwyddelig: 'A grave responsibility rests on men like Lloyd George who are inciting the ignorant peasantry,' oedd barn y papur. Roedd ef wedi dangos unwaith eto, fodd bynnag, bod ei fryd ar gyplysu gweithrediadau seneddol â thactegau a ymylai ar yr anghyfansoddiadol, er mwyn hyrwyddo ei achos cenedlaethol, gan fygwth torcyfraith hyd yn oed oni fyddai anghenion Cymreig yn cael eu bodloni.

Egwyl fer gafodd Lloyd George oddi wrth wleidydda dros y Nadolig 1890 ac erbyn dechrau mis Ionawr, roedd yn ôl yn yr harnais yn tymheru'r farn gyhoeddus yng Nghymru.

Ailafaelodd yn ei golofn seneddol ar y 7ed o Chwefror a thrafod ei ymweliad ag is-etholiad Hartlepool lle aeth i gefnogi'r ymgeisydd radicalaidd yn hytrach na Rhyddfrydwr arall. Roedd ef o blaid y diwrnod wyth awr i weithwyr, o blaid y Streic Reilffyrdd a oedd mewn grym ar y pryd ac, yn wir, o blaid gwladoli'r rheilffyrdd. Yn ei golofn cydsyniai Lloyd George â'r polisïau a'r safbwyntiau hyn—ffaith sy'n dangos unwaith eto, er na ellid galw Lloyd George yn sosialydd didactig, ei fod, yn y cyswllt hwn, ymhell i'r chwith i'r Blaid Ryddfrydol Gladstonaidd. Ffaith sydd hefyd yn tanlinellu nad cenedlaetholwr cul ydoedd, â'i fryd yn unig ar sicrhau diwygiadau Anghydffurfiol Cymreigaidd, ond bod ei olwg ar fesurau cymdeithasol pellgyrhaeddol y gallai Senedd Gymreig ddeddfu arnynt. Yn ei golofn yr wythnos ganlynol, ar y 14eg o Chwefror, ailymdynghedodd ei gefnogaeth i'r streicwyr ac i streic gyffelyb yn yr Alban, gan honni y gallai Senedd Albanaidd ddelio'n fwy sensitif â'r dosbarth gweithiol nag y gallai Senedd neu lywodraeth Brydeinig.

Yn y golofn hon hefyd beirniadodd yn hallt Ffederasiwn Rhydd-frydol Gogledd Cymru am iddynt wrthod galw ar y blaid yn ganolog i roi Datgysylltiad yr Eglwys ar frig yr agenda wleidyddol. Adroddodd yn ei golofn ei fod, er gwaethaf gwrthwynebiad mwyafrif yr aelodau Cymreig, am fynd at y blaid Wyddelig a chael addewid ganddi y byddent yn cefnogi Datgysylltiad pe gwnâi'r Cymry yr un modd â *Home Rule* i Iwerddon. Honnai'r *Western Mail* (Chwefror 15) fod hyn yn sarhad uniongyrchol ar Gladstone, gyda Lloyd George yn dangos nad oedd ganddo unrhyw ymddiriedaeth y byddai ei Arweinydd yn caniatáu Datgysylltiad Cymreig. Yn ôl papur Caerdydd, roedd Lloyd George hefyd yn cydweithio â therfysgwyr Gwyddelig.

Daeth cyfle eto iddo hyrwyddo'r Mesur Datgysylltiad yn ystod misoedd Chwefror a Mawrth drwy wrthwynebu'n ffyrnig, ochr yn ochr â S. T. Evans, Fesur Degwm y llywodraeth. Cynigiodd y ddau welliant ar ôl gwelliant i'r mesur ac achub ar y cyfle i drafod yr angen am fesurau budd a lles a'r galw am Gorff Cymreig a dyfai'n Senedd i weinyddu'r degwm.

Bob wythnos, ar gyfer ei etholwyr a chynulleidfa ehangach yn ei golofn 'O'r Senedd', ceid disgrifiadau o ystrywiau'r ddau wrth iddynt efelychu eu cefndryd Gwyddelig yn y gelfyddyd o darfu ar waith y Senedd. O'r Aifft, lle roedd yn ceisio adfer ei iechyd bregus, anfonodd Tom Ellis lythyr canmoliaethus atynt yn clodfori eu hymdrechion ac yn tanlinellu pa mor bwysig oedd yr ymgyrch am ei bod hefyd yn braenaru'r tir gogyfer â chael Senedd Gymreig a pharatoi'r ffordd at ddiwygiad cymdeithasol ehangach na datgysylltu:

> Your attacks were able, skilful and daring and apart from the satisfaction I feel that the younger members have so distinguished themselves individually, I am delighted to think what an impetus and strengthening the fight will give to the national movement.

Deuai hyn ychydig o fisoedd ar ôl i Ellis gael ei siomi ar ôl yr ymateb llugoer i'w gri am hunanlywodraeth ffederal i Gymru mewn araith fawr yn y Bala ym mis Medi 1890, pryd y datganodd:

> Dymunwn weld rhyddhau y gwaddoliadau [Eglwysig] at amcanion cenedlaethol . . . cael gwella'r cytundebau fel bod y rhai sy'n trin y tir yn cael gwobr deilwng a chartref diogel: mynnwn y gofal mwyaf dros

> fywydau ein glowyr; galwn am ddatblygu ein pysgodfeydd, am ddefnyddio tiroedd y Goron a'r tiroedd segur, am blannu coed i gysgodi a harddu moelni ei bryniau, am leihau nifer ein tafarnau a'u rheoli, am uno ein rheilffyrdd a'u gweithio er budd y genedl, am feithrin ei chrefftau pentref a sefydlu rhwydwaith o lyfrgelloedd a neuaddau pentref; mae arnom eisiau Prifysgol i Wyddoniaeth a'r Celfyddydau a Llyfrgell Genedlaethol . . . Uwchlaw popeth gweithiwn am Senedd wedi ei hethol gan ddynion a merched Cymru . . . yn symbol o'n hundod a'n cyfrwng i weithredu ein delfrydau cymdeithasol a budd a lles diwydiannol . . .

Gwyddai Tom Ellis a Lloyd George pa mor fregus oedd yr achos *Home Rule* yng ngolwg y Cymry, a hyd yn oed yn rhengoedd eu plaid eu hunain; nid oeddynt am ildio'r ddelfryd honno, fodd bynnag, ond yn hytrach am geisio ymgyrraedd at y nod trwy gyfrwng mesurau megis Datgysylltiad, a thrwy bwyso'n gyson am le blaenllaw i faterion Cymreig yn y Senedd ac yng nghynghorau Cymru. Gwelai elfennau o'r wasg Gymraeg hefyd sut y gallai gweithgarwch megis gwrthryfela yn San Steffan arwain at greu hinsawdd o ddeffroad cenedlaethol. Yng nghanol y ddadl ar y Mesur Degwm, ymfalchïai papurau fel *Seren Cymru* (Chwefror 20) yn eu hegni: 'Tywysogion y Fyddin Gymraeg oedd Mr D. Lloyd George a Mr S. T. Evans a wnaethant rhyngddynt 95 o areithiau yn erbyn y Mesur'. Yng nghanol y trafodaethau hefyd cafwyd Dadl ar Ddatgysylltu ac, yn ddiflewyn-ar-dafod, er mawr ofid i Stuart Rendel a'r Rhyddfrydwyr cymedrol Cymreig, beirniadodd Lloyd George Gladstone yn bersonol yn ei golofn 'O'r Senedd' (Chwefror 25) am 'ymgadw o'r Ddadl a'r dylanwadau clerigol fu'n chwareu ar ei feddwl' rhag cymryd rhan.

Parhaodd wedyn i fynnu rhoi Datgysylltiad ar flaen yr agenda wleidyddol yn ei golofn 'O'r Senedd' (Ebrill 1) trwy gondemnio eto Ffederasiwn Rhyddfrydol y Gogledd am lusgo traed ar y mater ac ufuddhau'n slafaidd i Gladstone. Ar yr un pryd yn y Senedd galwodd am ostyngiad o £500 yn amcangyfrifon y fyddin, am iddynt ddefnyddio dulliau treisgar i sathru ar wrthdystwyr y degwm yn Llannefydd, Sir Ddinbych. Ymffrostiodd am hynny mewn llythyr at Thomas Gee ar yr 2il o Chwefror, gan honni y byddai hynny hefyd yn dyfnhau yr ymwybyddiaeth genedlaethol yng Nghymru:

> Of course, we shall be defeated but by these discussions we manage to keep the pot boiling and the Liberal Party is awakening to the fact that Welsh Questions are very useful—quite as useful as Irish ones to throw at the Government.

Parhaodd ar ôl hyn i gadw'r pair cenedlaethol i ffrwtian weddill 1891. Ym mis Ebrill, condemniodd Gyfrifiad 1891 am i'r cyfrifwyr mewn sawl ardal yng Nghymru beidio â nodi faint o Gymry unieithog oedd yn eu hardaloedd. Wedyn, mewn cyfarfod nodedig ym Mangor ym mis Mai gyda Tom Ellis, cafwyd ganddo araith ysgubol a danlinellai mai cyplysu llafuriaeth a datganoli i Gymru oedd ei agenda gudd. Gan gyfeirio at y Faenol a'r Penrhyn, yr Arglwyddi Tir a'r diwydianwyr mawr, condemniodd gyfalafwyr a thirfeddianwyr gan fynnu gweld system o drethiant ar eu tir a'u henillion er mwyn ailddosbarthu cyfoeth; roedd hefyd am weld sefydlu Corff cenedlaethol Cymreig i weinyddu'r degwm a'i ddefnyddio i sicrhau arian i'r tlawd a'r henoed. Croesawai *Y Genedl Gymreig* (Mai 27) ei sylwadau ac ymhyfrydai yn y ffaith bod Tom Ellis—er gwaethaf methiant ei araith dros hunanlywodraeth yn y Bala yn 1890, araith a ddisgynnodd ar dir caregog—wedi galw'n glir yng Nghaernarfon am Senedd Ffederal Gymreig. Roedd Datgysylltiad i Lloyd George yn erfyn i wyntyllu syniadau llawer mwy radicalaidd gan ddangos bod ei agenda wleidyddol yn llawer ehangach nag un y mwyafrif o'r Rhyddfrydwyr Cymreig.

Roedd hefyd yn seciwlarydd, fel y dangosodd ei gyfraniad ar Fesur Addysg Rydd y llywodraeth ym mis Mehefin pryd y galwodd ar i addysg gael ei gweinyddu'n seciwlar, yn rhydd o ddylanwadau eglwys a chapel. Ar ddiwedd y tymor seneddol ym mis Gorffennaf cafodd gyfle pellach i hybu'r deffroad cenedlaethol a'i gysylltu â materion llafur ac â'r iaith Gymraeg trwy ymuno ag Aelod Seneddol y Rhondda, William Abraham (Mabon), i gondemnio penodi Sais i ymchwilio i ddamweiniau glofaol yng Nghymru (*Y Genedl Gymreig*, Gorffennaf 15). Yn yr un modd ag y galwodd am ddefnyddio'r iaith fel cyfrwng swyddogol yng Nghyngor Sir Arfon yn 1889, roedd hefyd am weld y Gymraeg yn cael lle swyddogol yn y gweithle—ffaith sy'n tanlinellu, yn groes i farn K. O. Morgan (gweler Pennod 6) mai iaith sentiment oedd y Gymraeg yn ei olwg ac nad oedd ganddo weledigaeth i'w defnyddio fel iaith swyddogol fodern. I'r gwrthwyneb, ar adeg pan oedd diffyg parch at yr iaith yn ymdreiddio trwy fywyd Cymru, roedd Lloyd George yn gofyn am ei hestyn i bob cwr o fywyd gan gynnwys diwydiant a llywodraeth.

Wedi i'r senedd gau ym mis Awst ni fu pall ar ei weithgarwch. Aeth ati i ailgynnau'r symudiad a gychwynnodd fel 'Y Bachgen Henadur' yn 1889, sef ceisio sefydlu Cymdeithas Cynghorau Sir i Gymru a fyddai'n ffurfio Corff Cymreig a ddatblygai ymhen amser i fod yn egin Senedd (*Y Faner*, Awst 12) gan ddangos ei fod yn barod i ddefnyddio pob cyfrwng i wyntyllu achos *Home Rule* i Gymru.

Parhâi, fodd bynnag, i hyrwyddo achos Datgysylltiad ac, yn yr hydref 1891, ef yn anad neb fu y tu cefn i'r symudiad i godi cronfa o £2,500 er mwyn lansio ymgyrch i fynnu bod y mater yn cael blaenoriaeth gan lywodraeth nesaf y Rhyddfrydwyr. Yn y cyfnod hwn, er ei fod yn amau didwylledd Gladstone dros yr achos, roedd yn barod i roi siawns i'r llywodraeth o'i eiddo ddeddfu ar y mater, ond ar yr un pryd rhybuddiai y byddai'n ffurfio mudiad annibynnol yng Nghymru oni wnâi hynny. Mewn araith ym Mhontypridd ym mis Medi bu'n bygwth hynny ac ar yr un pryd, yn ôl *The South Wales Daily News* (Medi 11), galwodd am Senedd i Gymru. Wedyn, ym Maesteg yn ôl yr un papur (Hydref 8) cyfeiriodd at y Swistir fel cenedl rydd lewyrchus—model i Gymru ei hefelychu—gan ychwanegu y byddai Cymru'n deddfu ar faterion llafurol a chymdeithasol mewn dull llawer mwy blaengar nag unrhyw lywodraeth Seisnig. Nid tacteg yn unig oedd y tu cefn i alwadau Cymreig Lloyd George yn y 90au cynnar, fel y mae amryw o'i gofianwyr fel John Grigg wedi awgrymu, er mwyn rhoi pwysau ar lywodraeth neu'r Blaid Ryddfrydol Brydeinig i ddeddfu ar faterion Cymreig. Roedd ganddo hefyd weledigaeth sut y byddai cael Senedd Ffederal i Gymru yn gweddnewid ei bywyd—achos a oedd yn ymdreiddio drwy ei holl weithgarwch yn y cyfnod hwn, er mawr berygl i'w ddyfodol gwleidyddol mewn etholaeth mor simsan ac o fewn plaid oedd â'i gwrthwynebwyr llym i hunan-lywodraeth Gymreig.

Yn amlwg, roedd yn chwarae'r ffon ddwybig wrth bwyso am Ddatgysylltiad i Gymru drwy'r peiriant Rhyddfrydol tra oedd ar yr un pryd yn paratoi i ddilyn agenda fwy eithafol, gan chwythu'n oer ac yn boeth ar fater Ymreolaeth a sefydlu plaid 'Wyddelig' Gymreig.

Ym mis Tachwedd 1891 yng nghynhadledd y National Liberal Federation yn Newcastle, lle areithiodd yn gryf dros Ddatgysylltiad, penderfynodd y Blaid yn ganolog y byddai'r mater yn cael ei roi yn ail i *Home Rule* i Iwerddon ym Maniffesto'r Rhyddfrydwyr yn etholiad cyffredinol 1892. Bodlonodd ef dros dro ar hynny er iddo eto fynd yn groes i'w blaid cyn yr etholiad a pharhau i amau yn gryf gymhellion Gladstone ynglŷn â datgysylltiad.

Erbyn diwedd 1891, roedd Lloyd George wedi ei amlygu ei hun fel cenedlaetholwr mwyaf milwriaethus Cymru yn y Senedd a thu hwnt ac wedi defnyddio tactegau a ymylai ar wrthryfel yn erbyn y blaid ei hun. Ym mis Tachwedd 1891, ffromodd Gladstone eto ar ôl ymosodiad chwyrn gan Lloyd George ar yr Eglwys pan honnodd fod Cyngres yr Eglwys yn Y Rhyl, a'r Archesgob yn bresennol, yn 'nofio ar lyn o gasgenni cwrw'. Parodd yr honiad hwn i'r *Llan* (rhifyn Rhagfyr) ei gystwyo am 'ddiffyg chwaeth a diffyg gwybodaeth' ac i'r *Western Mail* ei labyddio; ond hawliai'r *Seren Cymru* Bedyddiol ar yr 11eg o Ragfyr fod 'pob Bedyddiwr yn falch o'r cenedlaetholwr a'r Rhyddfrydwr trwyadl hwn'.

Erbyn trothwy'r flwyddyn 1892, ac etholiad cyffredinol ar y gorwel, yr oedd yn ddiamau wedi creu enw iddo'i hun ledled Cymru gyda'i fynych deithiau i'r de fel pleidiwr Cymreig nad oedd arno ofn lledaenu syniadau newydd a beiddgar. Er yr 80au cynnar, roedd wedi gweld mor rymus y gallai'r wasg fod, ac ar drothwy 1892 daeth y newydd ei fod wedi arwain symudiad i brynu Gwasg y Genedl yng Nghaernarfon. Roedd hynny fel twrnai'r cwmni ac fel un o lofnodwyr erthyglau cyfansoddiadol y cwmni newydd, ochr yn ochr â chenedlaetholwyr eraill fel Tom Ellis ac Alfred Thomas, Aelod Seneddol Pontypridd. Roedd Lloyd George a W. J. Parry wedi bod wrthi'n ceisio prynu'r papurau, ynghyd â phrynu papurau'r *Herald* yn yr un dref, gan wybod pa mor allweddol oeddynt i sicrhau ei ailethol i'r senedd a chadw'r momentwm cenedlaethol i fynd.

Ni lwyddwyd i rwydo'r *Herald*, ond gyda'r *Genedl*, *Y Werin* a'r *North Wales Observer and Express* dan ei reolaeth gallai eu defnyddio yn arfau grymus. Ac i goroni'r cyfan cyhoeddwyd wrth lansio'r rhifyn cyntaf, ar ddechrau mis Ionawr 1892, y ceid rhifyn De Cymru ac y byddai'r papurau'n dangos mai 'y nod uchaf yw gwneud hwy yn newyddiaduron gwir genedlaethol yn talu sylw arbennig i hawliau meibion Llafur ac yn dehongli a hyrwyddo y deffroad cenedlaethol'. Gofalodd Lloyd George hefyd fod yr arian byw hwnnw o newyddiadurwr, Beriah Gwynfe Evans, yn cael ei hudo o'r *South Wales Daily News* i olygu'r papurau a gofalodd nad oedd ef ei hun yn aelod o Fwrdd y Cyfarwyddwyr, er mwyn osgoi'r cyhuddiadau mai ei bapurau personol ef oeddynt. Dyna oedd y gwir, fodd bynnag, fel y nodai rhifyn Ionawr 1892 o'r *Llan* yn sarrug: 'Udgorn Lloyd George oeddent i ganu ei glod a seinio ei rinweddau'.

O dan y drefn newydd, parhâi ei golofn 'O'r Senedd', gyda Tom Ellis hefyd yn cyfrannu ati'n wythnosol. Ym mis Ionawr hefyd cafodd ei daith i Bontypridd sylw mawr yn ei bapurau i gefnogi Mesur Seneddol yr Aelod Seneddol lleol, Alfred Thomas, a fynnai sefydlu Cyngor Etholedig Cymreig ac Ysgrifenyddiaeth i Gymru. Cafwyd ymateb ffiaidd yn *The Western Mail* (Ionawr 15) i alwad Lloyd George yno am Senedd Gymreig, a'i alw'n 'Bachgen y Barilau' ar ôl ei ymosodiad ar yr Eglwys a'i gystwyo fel un oedd 'yn fwy afradlonaidd ei haerllugrwydd na neb'. Nid ataliodd hyn Lloyd George, fodd bynnag, rhag honni y byddai Senedd Gymreig yn gwladoli tiroedd y Goron yng Nghymru a thiroedd yr uchelwyr—prawf eto bod ei fryd ar gyplysu Senedd Gymreig a chyfunoliaeth eithafol.

Wedi i'r senedd ailymgynnull ym mis Chwefror daeth â mater ieithyddol arall eto i'r amlwg gan gynnig pleidlais o gerydd ar y llywodraeth am benodi barnwr o Sais unieithog, Beresford, i Gylchdaith Canolbarth Cymru. Er iddo golli'r bleidlais, bu rhaid i Beresford symud oddi yno—pluen arall yng nghap twrnai'r bobl a chadarnhad bod yr iaith fel cyfrwng modern a democrataidd o bwys mawr iddo. Wedyn, yn ei golofn yn *Y Genedl* (Mawrth 16), ymffrostiai ei fod wedi cynnig pleidlais o gerydd yn erbyn cwmnïau rheilffyrdd yn ne a gogledd Cymru am roi dyrchafiadau i Saeson ar draul y Cymry. Yna, yn rhifyn olaf y mis hwnnw, cyhoeddodd ei fod yn eilio cynnig Mabon dros fesur diwrnod gwaith wyth awr i lowyr, ynghyd â galw am dâl i aelodau seneddol er mwyn galluogi gweithwyr ac eraill fel ef ei hun i ymgymryd â pholitics.

Ymgyrch fwyaf dadleuol Lloyd George cyn etholiad 1892, fodd bynnag, oedd ei efelychiad o dactegau'r Gwyddelod yn y Senedd. Am fisoedd, bu'n condemnio Mesur Disgyblu Clerigwyr y llywodraeth a gefnogid gan lawer o Ryddfrydwyr a chan Gladstone ei hun. Mynnai Lloyd George a S. T. Evans, fodd bynnag, nad lle y wladwriaeth oedd ymyrryd yn yr Eglwys; aethant ati gymal wrth gymal i gynnig gwelliannau i'r Mesur gan seinio ar yr un pryd o blaid gofynion Cymreig o bob math. Ar y 4ydd o Fehefin, aeth *The Western Mail* mor bell â honni bod eu hymarweddiad gwarthus yn sicr o arwain Lloyd George i'w dranc gwleidyddol yn ei etholaeth:

> In regard to Lloyd George there is the reasonable and exceedingly pleasant prospect that he will be defeated and Welsh politics will be purged of one of the principal factors that have made them stink in the nostrils of decent men.

Fodd bynnag, nid ofnai ef gerydd cyhoeddus na chynddaredd Gladstone, gan nodi wrth ei wraig ar yr 20fed o Ebrill:

> We defied everybody all round and kept them dancing until at least to closure us and even then we divided the house five times. We'll fight their confounded Bill in season and out of season, Gladstone or no Gladstone.

'A Nonconformist Genius': cartŵn gan Spy.

Er i bapurau fel *The Western Mail* a'r *North Wales Chronicle* ei bardduo fel '*the Welsh Parnell*' a '*professional agitator*' a darogan y byddai Syr John Puleston yn cipio ei sedd oherwydd ei ymarweddiad gwaradwyddus, nid oedd Lloyd George yn barod i liniaru dim ar ei ymgyrch. Cafodd ei bapurau ei hun i'w amddiffyn, gyda'r *Genedl*, ar yr 8fed o Fehefin, yn cyhoeddi rhifyn arbennig, 'Barn y Wlad Amdanynt'. Cyhoeddodd *Y Llan* (Mehefin): 'Mae y ddau wedi llwyddo i efelychu y Gwyddelod yn eu pengamrwydd' tra bod *The North Wales Chronicle* (Mehefin 4) yn darogan y collai Lloyd George ei sedd a'i fod ef a S. T. Evans wedi cynddeiriogi pob Rhyddfrydwr cymedrol:

> They have flouted Mr Gladstone and offended the more reasonable section of their party by their spiteful tactics . . .

Roedd Stuart Rendel, *confidant* Gladstone ac arweinydd y Rhyddfrydwyr Cymreig, hefyd yn gynddeiriog. Mewn llythyr at A. C. Humphreys-Owen honnodd:

> He and Evans have seriously disgusted not only the official Liberals but downright radicals . . . I fear our position as a party is gravely compromised.

I bentyrru gofid i Rendel a'i blaid torrodd storm o sgandal o gylch y ddau rebel ym mis Mehefin 1892 pan wrthododd Evans godi, mewn cinio yn y Mansion House yn Llundain, i gynnig llwncdestun i'r Frenhines Victoria a honnwyd bod Lloyd George heb godi ei wydr iddi chwaith. Yn yr etholiad bu'n rhaid i Lloyd George wadu'r cyfan.

Ar ôl yr holl gythrwfl cyhoeddwyd yr etholiad yn fuan wedyn gyda dydd y pôl yng Nghaernarfon ar y 9fed o Orffennaf. Wynebai Lloyd George glamp o dasg wrth ymladd yn erbyn Syr John Puleston, ac yntau wedi bod yn nyrsio'r etholaeth am bron i ddwy flynedd tra oedd Lloyd George yn Llundain neu'n teithio'r wlad. Roedd ei genedlaetholdeb a'i radicaliaeth eithafol hefyd yn broblem iddo a chanlyniadau gwael i'r Rhyddfrydwyr yn etholiadau'r Cyngor Sir yn y bwrdeistrefi rai misoedd ynghynt yn boendod iddo. Deisyfai amryw, hyd yn oed yn ei blaid ei hun, iddo golli ei sedd: rhai fel John Morley, aelod blaenllaw o'r cabinet a phennaf ffrind Gladstone. Roedd y Toriaid yn benderfynol o'i guro. Fel y nododd *Y Genedl Gymreig* yng nghwrs yr ymgyrch, y frwydr ym Mwrdeistrefi Caernarfon fyddai Waterloo Cymru, a'r cwestiwn ar wefusau pawb oedd—a fyddai gwleidydd mwyaf Cymreig a beiddgar y Rhyddfrydwyr yng Nghymru, ar ôl dim ond dwy flynedd yn y Senedd, yn cael ei fwrw i ddifancoll politicaidd?

Cyn i'r ymgyrch front a hir ddigwydd, fodd bynnag, roedd Lloyd George yn ystod ei fisoedd olaf yn y Senedd wedi gofalu gofyn nifer o gwestiynau seneddol ar faterion a ddeuai â chlod iddo yn lleol. Ym misoedd Mai a Mehefin gofynnodd sawl cwestiwn ar gymorth ariannol i bysgotwyr lleol; gostyngiad ar drwyddedau pysgota mewn afonydd lleol; pwyso ar gyngor Sir Gaernarfon i fynnu cyflog teg i chwarelwyr 'sets' yr etholaeth, a mynnu gostyngiad ar *royalties* ar lechi lleol er mwyn gwarchod y chwareli a phorthladd Caernarfon.

Dangosodd ei genedlaetholdeb a'i lafuriaeth hefyd ar y 3ydd o Fehefin, trwy holi'r Postfeistr Cyffredinol ai am eu bod yn Gymry Cymraeg yr oedd tri phostmon ym Mhwllheli wedi eu diswyddo, gan fynnu ymchwiliad i'r mater. Nid un â'r iaith yn fater o sentiment yn unig iddo oedd y Lloyd George ifanc, ond un a'i gwelai fel rhan annatod o'i genedlaetholdeb.

Fodd bynnag, er y gweithgarwch lleol hwn, amddiffynnai fwyafrif bregus ac yr oedd darogan mawr ar goedd ac yn breifat, oherwydd ei record filwriaethus, y gallai'n hawdd golli ei sedd. Dyna'n wir gred Stuart Rendel mewn llythyr at A. C. Humphreys-Owen, ar yr 28ain o Fai: 'Puleston is in for a triumph' oedd ei farn ac, i raddau, ei obaith hefyd.

Ar yr 22ain o Fehefin, roedd *Y Genedl Gymreig* yn nerfus iawn hefyd rhag ofn bod y Toriaid a'r Eglwys 'am ddefnyddio pob ystryw i ofalu na chaiff byth fyned i'r senedd eto a bod Napoleon y Toriaid am ei orchfygu'.

Bu papurau Gwasg y Genedl yn erfyn allweddol iddo drwy gydol yr ymgyrch, fodd bynnag, gyda'r golygydd, Beriah Gwynfe Evans, yn dioddef o'r cramp, yn ôl E. Morgan Humphreys, am iddo ysgrifennu cymaint. Yn ogystal â'r tri phapur, bob dydd Iau cyhoeddwyd rhifyn etholiadol arbennig, 'Gwerin yr Etholiad', a mynd ati i gyhoeddi pamffledi arbennig ar ei ymgyrchoedd seneddol a'i record pleidleisio ac areithio yn San Steffan. Roedd y pamffledi'n cyferbynnu hynny ag absenoldeb cyson Syr John o'r senedd. Honnwyd hefyd fod 'Napoleon Cymru' wedi rhoi'r gorau i Devonport nid er mwyn Cymru ond am mai sedd ffiniol oedd hi. Cyhoeddodd papurau Gwasg y Genedl nifer fawr o ganeuon etholiadol i'w canu yng nghyfarfodydd Lloyd George ac mewn ralïau awyr agored a gynhaliwyd yn ystod haf poeth 1892.

'Lloyd George yw'r dyn i ni' oedd un o'r hoff ganeuon, a'r neges yn glir ynddi:

Daw datgysylltiad yn ei dro
Hwrê! Hwrê!
A daw addoliad gydag o
Hwrê! Hwrê!
A'r Mesur Tir gaiff weled dydd
Daw Cymru gaeth yn Gymru Rydd
Dros ein hawliau, boys, Lloyd George yw'r dyn i ni.

Efallai nad oedd fawr o ddawn lenyddol i'w gweld yn y caneuon, ond roeddynt yn erfyn cryf o'i blaid i wrthweithio dylanwad y wasg Dorïaidd, a'r *Gwalia* a'r *North Wales Chronicle* yn arbennig. Er enghraifft, ar yr 2il o Orffennaf, cyhoeddodd y *Chronicle* erthygl yn gofyn 10 cwestiwn milain am Lloyd George, yn eu plith:

> A oeddent yn credu bod digon o gyfreithwyr cyfrwys yn y senedd yn barod? A oeddent o blaid rhoi cyflog i aelodau seneddol terfysglyd a chodi'r trethi? A oedd Lloyd George yn ddi-egwyddor yn mynychu pob capel i godi fôts? A oedd o yn eithafol o blaid Home Rule i Gymru ac yn rhoi lle eilradd iddo yn ei faniffesto?

Yn ei faniffesto, a gyhoeddwyd ar y 6ed o Orffennaf, yn wahanol i'r ymgyrch yn 1890, rhoddodd gryn sylw—os nad y lle blaenllaw—i Senedd Gymreig trwy gyhoeddi:

> I am a confirmed adherent of local self government . . . a measure conferring on Wales a large slice of it. I fail to understand why questions affecting our national system of education, our fisheries, or the Mineral resources of the Crown in Wales, which are far better understood and apprehended on the spot, should be administered by government clerks in London.

Er i'r maniffesto roi mwy o bwyslais ar Ddatgysylltiad, roedd Lloyd George hefyd yn pwysleisio y câi arian y degwm ei weinyddu gan Gyngor Cenedlaethol Cymreig, ar ôl sicrhau hynny; Cyngor a fyddai hefyd yn gofalu am faterion llafur. Llwyddodd, felly, i sicrhau ei fod yn amcanu at ddatganoli o ddau gyfeiriad. Ond y mater mwyaf diddorol i gyd, efallai, oedd ei ymdynghediad dros bensiwn i'r henoed, a hynny mor gynnar ag 1892. Rhagwelai y byddai'n cael ei ariannu o drethi a godid ar dirfeddianwyr a chyfalafwyr mawr—safiad sy'n dangos, yn groes i farn y mwyafrif o haneswyr, ei fod yn arddel y Ryddfrydiaeth newydd yn gynnar ac arloesol a'i fod yn gweld diwygiadau cymdeithasol pellgyrhaeddol o fewn cyd-destun Cymreig clir.

Yn ddiau, felly, er ei fod yn pwysleisio datgysylltiad ac yn mynnu cael hwnnw, ochr yn ochr â *Home Rule* i Iwerddon, fel ei brif flaenoriaeth—a hynny'n groes i roi Iwerddon yn gyntaf fel y mynnai Gladstone—nid osgôdd roi lle blaenllaw i genedlaetholdeb beiddgar a materion llafurol yn ei ymgyrch, er i'r *North Wales Chronicle* (Gorffennaf 2) honni: 'He has shirked the Welsh Home Rule issue in the campaign'.

Bu'r etholiad yn ymgyrch lawn tensiwn ac yn ymladdfa fudr. Cafodd Tom Ellis ei anafu yng Nghaernarfon gan riff-raff meddw y Toriaid lleol yn y dref, yn ôl papurau Gwasg y Genedl, a honnwyd bod fflam-dorchau wedi eu taflu at Lloyd George a'i wraig ym Mangor. Mynnai'r *Genedl* hefyd fod puteiniaid yn cael eu defnyddio i lwgr-wobrwyo dynion i bleidleisio i'r Toriaid yng Nghaernarfon a bod dosbarthu te a glo am ddim yn rhemp drwy'r Bwrdeistrefi. Honnwyd hefyd fod Issard Davies, cyn-Faer Caernarfon a Thori amlwg, yn sefyll wrth y bwth pleidleisio ar ddydd y pôl yn dylanwadu ar y trigolion i bleidleisio dros Puleston. Ychwanegwyd hefyd fod Puleston yn defnyddio ei swydd fel Cwnstabl y Castell i arddangos posteri ar y waliau.

Ar y llaw arall, honnai papurau fel *The North Wales Chronicle* fod y Rhyddfrydwyr ym Mhwllheli wedi trefnu i ddynion ifanc daflu baw a cherrig at Syr John; bod papurau Lloyd George yn cynnal ymgyrch fudr a chelwyddog yn ei erbyn a bod myfyrwyr Colegau Bangor wedi cynnal reiat yn y dref i amharu ar gyfarfodydd Toriaidd a defnyddio tactegau terfysglyd, Gwyddelig i darfu ar yr heddwch.

Yn ei ail etholiad seneddol, nid mater hawdd oedd adennill y sedd i Lloyd George heb yr holl adnoddau oedd wedi bod at ei alw yn yr is-etholiad, a gorfod amddiffyn ei safbwyntiau blaengar yn ogystal. Ond safodd ar raglen genedlaetholgar Gymreig gan honni mewn cyfarfod mawr gyda Tom Ellis yng Nghaernarfon, yn ôl *Y Genedl Gymreig* (Gorffennaf 6): 'Mae Cymru a'i gwladgarwch wedi ein dwyn i waith. Dyma Gymru Fydd ac y mae'n rhwym hefyd o fod yn Gymru Rydd'. Ychwanegodd hefyd fod Syr John, y Cymro honedig Eisteddfodol, yn 'gwastraffu ei wladgarwch mewn molawdau i Ysweiniaid ar lwyfannau eisteddfodol'.

Er ei holl weithgarwch yn yr ymgyrch, roedd pryder mawr a lwyddai i ddal ei afael yn y sedd, am iddo ei hymladd ar raglen filwriaethus, wrth-Gladstonaidd. Fodd bynnag, wedi hir gyfrif ar ddydd y pôl ac ensyniadau bod y Toriaid wedi cuddio pentwr o'i bleidleisiau o dan eu pecyn hwy, cyhoeddwyd ei fod wedi ennill y sedd gyda mwyafrif o 196, tipyn mwy nag yn 1890. Roedd wedi ennill cyfanswm o bleidleisiau a oedd yn record yn yr etholaeth, sef 2,154. Er i'r ymgyrch ddirywio erbyn y diwedd i fod yn ymladdfa bersonoliaethau a chyfnewid ymosodiadau haerllug, gallai Lloyd George deimlo cryn foddhad nad oedd wedi osgoi mynegi ei safbwyntiau mwyaf dadleuol yn ystod yr ymgyrch.

Yn wir, wedi iddo gael ei gludo drwy'r etholaeth ar ôl y canlyniad, roedd tyrfaoedd ym mhobman, yn ôl *The North Wales Observer and Express* (Gorffennaf 15), yn cludo baneri Cymru Fydd a'r geiriau '*The Triumph of Young Wales*' arnynt. Ar ei ffordd i Lundain wedi'r ymgyrch, arhosodd i draddodi araith yng Nghonwy a mynegodd ei benderfyniad i fynd â'i genedlaetholdeb gam ymhellach yn San Steffan wedi 1892, a hyd yn oed ystyried gweithredu'n annibynnol, oni châi Cymru ei haeddiant gan Gladstone. Yn ôl *The South Wales Daily News* (Gorffennaf 23), roedd ei neges genedlaethol yng Nghonwy yn glir a diamwys, ac yn ymylu ar flacmel yn erbyn Gladstone:

> The Welsh Members want nothing for themselves but they must get something for our little country and I do not think that they will support a Liberal Ministry—I care not how illustrious the Minister who leads it—unless it pledges itself to concede to Wales those great measures of reform upon which Wales has set its heart. Wales has lived long on promises. She has in hand a number of political IOU's . . . and is in a splendid position, by the exigencies of the electoral results, to insist on prompt payment.

Roedd 31 o blith y 34 o seddau Cymreig yn rhai Rhyddfrydol a dyfodol Llywodraeth newydd Gladstone yn dibynnu arnynt (ond hefyd yn dibynnu mwy ar y cenedlaetholwyr Gwyddelig). Credai ei frawd William George ar y pryd, fel y cofnododd yn ei gyfrol, *My Brother and I*, ei fod am fynnu hawliau i Gymru ar draul ei blaid: 'He roundly declared that henceforth Wales must be given its rightful place in the Liberal Party programme'.

Roedd y neges yn glir ar ôl 1892, fel yr awgrymodd *Y Brython Cymreig* (Awst 5) amdano: 'Ni fydd Lloyd George eto yn ymddangos fel un o gŵn mudion ei blaid'.

Gwir hynny, gan gofio na fu'n ufudd nac yn fud yn ystod ei ddwy flynedd gyntaf yn y Senedd. Yn wir, yn ystod y blynyddoedd nesaf byddai'n codi'r dwymyn genedlaethol i'r fath raddau yng Nghymru—

mewn ymgyrch herfeiddiol â hunanlywodraeth Gymreig a ffurfio plaid annibynnol ar ei brig—na welwyd ei thebyg yn hanes modern Cymru hyd hynny.

Ffolineb llwyr yw barn amryw o haneswyr, fel John Grigg, mai tacteg oedd y cyfan i bwyso am welliannau gan Ryddfrydiaeth Brydeinig, ac actio drama.

Roedd elfen o hynny, ac o flacmel, yn ei weithredoedd. Ond byddai hefyd—gyda Chynghrair Cymru Fydd—yn ymgyrchu'n eofn a dewr â'i holl egni, yn nannedd gwrthwynebiad ffyrnig, i sefydlu Cymru Rydd Ffederal yr oedd wedi amcanu ati ers canol yr 80au.

Nid rhethreg oedd ei ymlyniad at yr achos, a phan fethodd y mudiad roedd ei ddigofaint yn fawr a'i siom â'i gyd-Gymry ac â'r myrdd o Ryddfrydwyr a wrthododd ei arweiniad yn enbyd.

PRIF FFYNONELLAU

Carnarvon and Denbigh Herald, 1890-92; *Y Genedl Gymreig*, 1890-92; *The Western Mail*, 1890-92; *Seren Cymru*, 1890-92; *The North Wales Chronicle*, 1890-92; *The North Wales Observer and Express*, 1890-92; *Baner ac Amserau Cymru*, 1890-92; *Y Goleuad*, 1890-92; *Yr Herald Cymraeg*, 1890-92; *The Times*, 1890-92; *Y Celt*, 1890-92; *Y Llan*, 1890-92; *Yr Haul*, 1890-92; *Y Werin*, 1890-92; *Y Brython Cymreig*, 1890-92.

Llyfrgell Genedlaethol Cymru: gweler y cyfeiriadau yn y penodau blaenorol at y llawysgrifau.

DARLLEN PELLACH

Aled Jones, *Press, Politics and Society* (Caerdydd, 1993).

J. Graham Jones, 'Lloyd George, Cymru Fydd and the Newport Meeting of 1896' *Cylchgrawn Llyfrgell Genedlaethol Cymru/NLW Journal* Cyf. 29, Rhif 4. Gaeaf 1996.

W. R. P. George, *Lloyd George, Backbencher* (Llandysul, 1983).

PENNOD 9

Y Patriot Mwnci a Chymru Fydd, 1892-5

Er pan fu'n agos i Lloyd George gyflawni hunanladdiad politicaidd yn 1886 drwy gefnogi polisi '*Home Rule All Round*' Joseph Chamberlain a'i ddilyn i blaid yr Unoliaethwyr Rhyddfrydol (ac wedyn i'r blaid Doriaidd), a fyddai wedi golygu bod yn y diffeithwch gwleidyddol iddo, ni fu'n barod i ymwrthod â'i gred mewn hunanlywodraeth Gymreig. Gwir iddo gyfaddawdu'n llym ar y pwnc yn is-etholiad 1890, ond rhwng 1890 ac 1892, yn y Senedd a'r tu allan, nid yn unig roedd wedi pregethu gwrthryfel yn erbyn Gladstone gan fynnu Datgysylltiad yr Eglwys fel un cyfrwng i sicrhau Datganoli i Gymru drwy Gyngor Cenedlaethol Cymreig ond, ar achlysuron eraill yn yr un cyfnod, roedd wedi lleisio'n gyhoeddus o blaid hunanlywodraeth Gymreig.

Wrth gwrs, nid ffwndamentalydd o genedlaetholwr oedd Lloyd George a gwyddai'n dda am y perygl iddo—ar ôl etholiad 1892, a'r Cymry mewn sefyllfa fanteisiol yn y Senedd—o fynd ar ei union i'r pegwn eithaf a gwrthryfela'n syth yn erbyn Gladstone, er iddo fygwth gwneud hynny yn ei araith yng Nghonwy ar ôl etholiad 1892.

Fel y gwnaethai rhwng 1890 ac 1892, felly, ar ôl etholiad 1892 gallai chwarae'r ffon ddwybig—ar un wedd yn pwyso ar y llywodraeth am fesur fel Datgysylltu a thrwy hynny gael mesur o Ddatganoli ar ffurf Cyngor Cenedlaethol Cymreig, tra, ar yr un pryd, gallai hyrwyddo ei agenda gudd o hunanlywodraeth i Gymru a'r drefn honno'n arwain at ddeddfau cymdeithasol a llafurol. Nid oes amheuaeth ei fod yn disgwyl ei siawns—pe methai gael Datganoli drwy'r drws cefn, yn sgil mesur Datgysylltiad, byddai'n dod â'r gofyn am *Home Rule* i Gymru a'r galw am ffurfio plaid annibynnol Gymreig i frig ei agenda. Nid tacteg na *playacting* oedd hunanlywodraeth, ond achos y bu ganddo ddiddordeb cyson ynddo ers dechrau ei wir yrfa wleidyddol yn 1885-6.

Yn haf 1892, wrth gwrs, wynebai gyfyng-gyngor astrus pa opsiwn i ganolbwyntio arno ar ddechrau gweinyddiaeth olaf Gladstone: a fyddai o'r cychwyn cyntaf yn gwrthryfela yn erbyn Gladstone, neu'n rhoi cynnig i'w lywodraeth roi lle blaenllaw i bolisi Cymreig er y gwyddai'n dda mai obsesiwn Gladstone, uwchlaw popeth, oedd estyn *Home Rule* i Iwerddon ac iselhau'r flaenoriaeth i faterion Cymreig? Yn enwedig gyda Datgysylltiad yr Eglwys Anglicanaidd yng Nghymru gwyddai fod Gladstone, fel Uchel-Anglican, yn amharod i ddatgysylltu a dadwaddoli'r Eglwys.

Roedd problem arall yn wynebu Lloyd George hefyd ar drothwy'r weinyddiaeth newydd, ar ôl i'w gyfaill a'i gyd-genedlaetholwr Cymreig, Tom Ellis, gael ei wahodd i ymuno â'r weinyddiaeth fel chwip. A fyddai Lloyd George yn cefnogi'r penodiad—'*grasping the Saxon Gold*', fel y galwodd y cenedlaetholwr J. Arthur Price hynny, gan awgrymu na allai Ellis wedyn leisio'n rhydd dros faterion Cymreig? Ynteu a fyddai Lloyd George yn gweld dyrchafiad Ellis fel cyfle iddo ddylanwadu ar bolisïau Cymreig yn y coridorau grym?

Mae'n amlwg i'r cyfan brofi'n gyfyng-gyngor mawr i Lloyd George ac iddo adweithio'n ddeublyg ar y mater. Mewn llythyr at Ellis, ar yr 16eg o Awst, rhybuddiodd ef rhag cymryd y swydd, oni bai bod y weinyddiaeth newydd yn anrhydeddu ei haddewidion dros Gymru. Meddai wrtho: 'Unless it is an honourable one, I know you will not join in [y weinyddiaeth] at all'.

Mae'n amlwg iddo fendithio derbyniad Ellis o'r swydd rai dyddiau'n ddiweddarach, oherwydd roedd Ellis wedi ysgrifennu ato ar yr 21ain o Awst yn diolch i Lloyd George am gefnogi ei benderfyniad i dderbyn y swydd:

> I have received many congratulations—30 came this morning—but yours was the most generous . . . this is an experiment which I undertake relying upon the goodwill of my colleagues and their trustfulness that in this new sphere my ideals and loyalty shall be Welsh and, by being Welsh, democratic. Your letter deepens the conviction which our steadily growing friendship has planted in me that you will be my steadfast friend and outspoken counsellor . . .

Fodd bynnag, rhwng y ddau lythyr hyn, heb yn wybod i Tom Ellis, roedd Lloyd George wedi nodi mewn llythyr cyfrinachol at S. T. Evans, Aelod Seneddol Morgannwg Ganol, mai camgymeriad oedd i Ellis dderbyn swydd isel yn y llywodraeth, yn enwedig heb gael gwarant gan Gladstone y câi Cymru Ddatgysylltiad o leiaf, a hynny ar fyrder:

> My dear Sam,
>
> I quite agree with you that Ellis has made a great mistake in accepting office in such a broken winded Ministry. He could have done much better work outside as an independent member without being involved in the discredit which, I fear, must befall this Administration.

Byddai Lloyd George yn ailadrodd y feirniadaeth ar Ellis droeon ar ôl hynny. Fodd bynnag, er ei safbwynt deublyg ato, parhaodd yn gyfaill agos i Tom Ellis am gyfnod, hyd at 1893 ac ymddiswyddiad Gladstone, ac ni fu'n barod i wrthryfela yn ei erbyn fel Chwip y llywodraeth. Yn wir, bu'r ddau ohonynt yn mwynhau gwyliau gyda'i gilydd yng Nghricieth ac yn Nyffryn Clwyd ar ôl yr etholiad. Wedi hynny, ym mis Medi 1892, pan ddaeth Gladstone ar daith i Gaernarfon ac i Nant Gwynant i agor llwybr Watkin ar yr Wyddfa ac annerch yn amwys yno ar Ddatgysylltu, ni fu unrhyw wrthdaro rhwng Lloyd George ac Ellis a fu'n cymdeithasu'n gyfeillgar â Gladstone yn ystod y daith. Bu Lloyd George yn dawedog iawn ar ôl araith Gladstone yn Nant Gwynant, er mai niwlog iawn oedd ymrwymiad Gladstone yno i Ddatgysylltu Cymreig.

Yn wir, yn annodweddiadol ohono, bu Lloyd George yn dawedog iawn yn wleidyddol drwy gydol 1892, gyda'r Senedd wedi ei gohirio tan y flwyddyn newydd ar ôl mis Medi. Roedd rheswm arall dros ei absenoldeb o'r arena wleidyddol yn y cyfnod yma, hefyd. Er dechrau ei yrfa seneddol, roedd ei gynnal ei hun yn Llundain ac ymladd etholiadau, heb fod unrhyw gyflog na chostau'n cael eu talu i aelodau seneddol ar y pryd, yn fwrn ariannol arno ef a'i frawd William. Felly, roedd Lloyd George yn chwilio'n gyson am ffynhonnell ariannol i gynnal ei yrfa wleidyddol. Yn hydref 1892, aeth ati—yn or-hyderus ac yn or-fentrus—i geisio arwain syndicat a fyddai'n cloddio am aur ym Mhatagonia, gan gredu y byddai menter o'r fath yn llwyddiant mawr ac yn ffon-fara iddo tra oedd yn dilyn ei yrfa wleidyddol. Gydol gweddill 1892, rhoddodd ei holl egni a'i sylw i'r prosiect hwn, ac ar rai cyfnodau eraill yn ogystal, tan i'r antur chwythu ei blwc yn 1896.

Gwnaeth hynny'n arbennig yn 1892, ond gydag ailymgynnull y Senedd ym mis Ionawr 1893 dychwelodd i'r llwyfan gwleidyddol gan ymateb yn ymfflamychol i Araith y Frenhines a pholisi dadleuol Gladstone, yn ôl ei olwg ef. Rhoddai'r Araith flaenoriaeth i *Home Rule* i Iwerddon gan addo'n unig i Gymru '*The Welsh Church Suspensory Bill*'—mesur pitw a roddai arian (gwaddoliadau) yr Eglwys yn nwylo'r Goron, heb addewid y byddai hynny'n arwain at fesur Datgysylltiad a Dadwaddoliad llawn. Mewn araith a draddododd yn Lerpwl ar yr 20fed o Ionawr 1893, ar ôl clywed am fwriadau'r llywodraeth, lleisiodd Lloyd George ei ddigofaint yn erbyn y polisi a hynny mewn iaith dreisgar—'*seditious*', yn ôl adroddiad yn *The Liverpool Mercury* (Ionawr 20)—gan fygwth y byddai Cymru'n barod i dorri ei chysylltiad â'r blaid Gladstonaidd a hyd yn oed aberthu ei pharch at y gyfraith er mwyn sicrhau'r rhyddid crefyddol ac, ynghlwm â hynny, y Datganoli yr oedd yn ei ddeisyfu. Meddai:

> Wales was prepared, if needs be, to sacrifice her political connections, her devotion to great statesmen and even her respect for law, in order to ensure the freedom and equality upon which her soul was bent.

Wedi'r rhybudd hwn o weithredu annibynnol, fodd bynnag—gyda'i fryd ar ei Gwmni Aur ym Mhatagonia, a chyda'r mesur Gwyddelig yn monopoleiddio holl weithrediadau'r Tŷ yn San Steffan—bu'n dawedog am gyfnod hir. Roedd hynny yn rhannol oherwydd ei ffyddlondeb i Tom Ellis a'i awydd i roi cyfle i'w gyfaill geisio estyn dylanwad dros y llywodraeth i gael mesurau teilwng i Gymru, gan gynnwys Datgysylltiad.

Wrth i'r sesiwn seneddol yn 1893 fynd rhagddo, fodd bynnag, ac i unrhyw obaith am fesur Datgysylltiad gilio wrth i'r holl sylw fynd i'r mesur *Home Rule* i Iwerddon, dechreuodd Lloyd George anesmwytho. O ganlyniad, yn haf 1893, lluniodd lythyr at y Prif Weinidog, Gladstone—llythyr a lofnodwyd gan yr aelodau Cymreig Rhyddfrydol—yn mynnu addewid pendant ar fesur cyflawn o Ddatgysylltiad.

Nid oedd Lloyd George, fodd bynnag, yn barod eto i wrthryfela'n llwyr yn erbyn ei lywodraeth, er gwaetha'r ateb niwlog ac amwys a dderbyniodd i'w lythyr. Yn wir, ym mis Awst, mewn cydymdeimlad â Tom Ellis, cynorthwyodd i ddryllio cynllun gan D. A. Thomas, Aelod Seneddol Merthyr, i ffurfio plaid annibynnol Gymreig, yn wyneb difaterwch Gladstone at Ddatgysylltiad. Gwnaeth hyn yn rhannol am y gwyddai nad oedd D. A. Thomas yn Ymreolwr Cymreig, ond ei fod yn unig am gael Datgysylltiad a Dadwaddoliad a chael rhan helaeth o arian yr Eglwys i dde-ddwyrain Cymru. Gwyddai hefyd nad oedd D. A. Thomas am weld arweinyddiaeth mudiad annibynnol Cymreig yn mynd i'w ddwylo ef. Sylweddolai, er gwaethaf agwedd dadol, nawddogol Thomas at ei weithwyr, nad oedd yn ffafrio'r math o fesurau llafurol a gefnogai ef ei hun, megis diwrnod wyth awr i'r glowyr. Byddai D. A. Thomas, ymhen byr amser, yn dial ar Lloyd George am iddo wrthwynebu'r cynllun hwn yn haf 1893, ac yn taro'n ôl drwy danseilio ei Gynghrair Cymru Fydd.

Fodd bynnag, er i Lloyd George gilio rhag cymryd rhan annibynnol yng nghynllun Thomas yn Awst 1893, roedd yn benderfynol—er ei gyfeillgarwch â Tom Ellis—oni ddeuai addewid pendant erbyn y sesiwn seneddol newydd yn 1894 y câi Cymru Ddatgysylltiad, y byddai yn gwrthryfela yn erbyn ei blaid.

Erbyn dechrau 1894, a mesur *Home Rule* i Iwerddon yn gwegian wedi i Dŷ'r Arglwyddi ei wrthwynebu, a chydag ymraniadau yng nghabinet Gladstone cyn ac ar ôl y Nadolig 1893, roedd yr ysgrifen ar y mur i lywodraeth Gladstone. Daeth ei ymddiswyddiad anochel ar y 3ydd o Fawrth 1894. A Chymru heb dderbyn yr hyn yr oedd Lloyd George wedi galw amdano yn araith Conwy, 1892, roedd ef yn barod i wrthryfela a thorri cwys newydd yn hanes Cymru, gan ddod â'r agenda gudd o linell annibynnol ac ymgyrch dros hunanlywodraeth i'r wyneb ac i frig ei amcanion politicaidd.

Wedi ffurfio llywodraeth newydd dan arweiniad yr aristocrat a'r perchennog ceffylau rasio, yr Arglwydd Rosebery, yn sgil ymddiswyddiad Gladstone, roedd disgwyl y byddai Rosebery—a oedd yn llugoer ei agwedd at Iwerddon—yn rhoi lle blaenllaw i Ddatgysylltiad Cymreig yn rhaglen y weinyddiaeth newydd. Nid felly y bu, fodd bynnag, datblygiad a barodd i Lloyd George benderfynu ar gwrs o weithredu a'i gwelai'n cychwyn y broses o gynnal crwsâd cenedlaethol drwy gyfrwng mudiad newydd Cynghrair Cymru Fydd a fyddai'n trawsnewid gwleidyddiaeth Cymru. Ef, yn anad neb, fyddai'n arwain y mudiad hwnnw—y mudiad cenedlaethol politicaidd cyntaf o bwys yn hanes modern Cymru—nid fel 'canolbwynt grym' iddo'i hun yng ngwleidyddiaeth Prydain, fel y mae cynifer o haneswyr wedi honni, na chwaith fel erfyn uchelgeisiol iddo'i hun, ond yn hytrach i sicrhau patrwm o lywodraethu ar lefel Gymreig a fyddai'n arwain at fesurau blaengar a modern. Byddai'n gwneud hynny gydag egni a dewrder, gan ennyn dicter a chynddaredd yn ei blaid ac, yn naturiol, o du'r Ceidwadwyr a hefyd yn peryglu ei yrfa wleidyddol. Nid tacteg na *posturing* oedd ei arweinyddiaeth, nac ymdrech yn unig i ddylanwadu ar ei blaid yn Brydeinig ond, yn hytrach, cyfle i arwain mudiad a roddai weledigaeth o Gymru wahanol iawn i'r hon oedd yn bodoli yn y 90au cynnar.

Daeth yr ergyd gyntaf yn y symudiad cynhyrfus hwn yn fuan ar ôl i

Rosebery gyhoeddi ei raglen lywodraethol. Nid oedd lle blaenllaw i Ddatgysylltiad Cymreig ynddi. Mewn cyfarfod preifat ar yr 8fed o Fawrth, â Tom Ellis, a oedd erbyn hyn wedi cael ei ddyrchafu'n Brif Chwip y llywodraeth, ni chafodd Lloyd George unrhyw sicrwydd ganddo y byddai Rosebery'n cludo mesur Datgysylltiad drwy'r Senedd yn y sesiwn arfaethedig. Bedwar diwrnod wedi'r cyfarfod ag Ellis, bu cyfarfod rhwng Lloyd George, ynghyd â dirprwyaeth o aelodau Cymreig, ac arweinydd Tŷ'r Cyffredin, William Harcourt. Fodd bynnag, er i Harcourt addo rhoi ystyriaeth i'r cais am ddeddfu buan ar yr Eglwys, roedd Lloyd George wedi penderfynu na ddeuai'r mesur i fodolaeth a, beth bynnag, gwyddai y byddai Tŷ'r Arglwyddi yn sicr o'i ddryllio.

Roedd 'Gwrthryfel' yn anochel. Ar y 12fed o Ebrill, rhoddodd Lloyd George, Frank Edwards, Aelod Seneddol Brycheiniog a Maesyfed, a D. A. Thomas, wybod i ohebydd lobi *The Times* eu bod yn bwriadu ymwrthod â chwip y Rhyddfrydwyr a gweithredu fel aelodau annibynnol. Pan ddatgelwyd y newydd i'r cyhoedd, bu storm o gythrwfl o rengoedd eu plaid eu hunain a thu hwnt. Parodd hyn i Lloyd George orfod cynnal cyfarfod brys yng Nghaernarfon, canolbwynt ei etholaeth, ddeuddydd yn ddiweddarach, ar y 14eg o Ebrill.

Yno, yn ôl adroddiad ei bapur ei hun, *The North Wales Observer and Express* (Ebrill 20), wynebodd nifer o gwestiynau ffyrnig o'r llawr gan gynnwys cyhuddiad ei fod yn hollti ei blaid ac y gallai ei weithred arwain at ddymchwel y llywodraeth. Mewn araith herfeiddiol, fodd bynnag, cyfiawnhaodd ei wrthryfel, ac yn ôl *The North Wales Observer and Express* cafodd ei gymeradwyo'n unfrydol gan y dorf fawr oherwydd ei safiad. Yn ei araith honnodd mai 'Cabinet o Eglwyswyr' oedd gan y llywodraeth a bod rhaid 'sefyll ar dir annibyniaeth a dweud wrthi na chaent, eto, dorri eu haddewidion i Gymru'. Mewn perorasiwn, paratôdd y ffordd at sefydlu mudiad gwleidyddol annibynnol i Gymru, Cynghrair Cymru Fydd. Meddai:

> Were they to go to the government in a humiliating spirit and say they had transgressed and that they only meant to frighten like Sir Andrew Aguecheek, from Shakespeare, who after making a challenge, cowered when he found his opponent was ready to stand his ground? Had they as a nation not enough firmness? If not, they were not worth fighting for. They should rely upon their own strength. The English people who possessed self reliance and self respect were under the impression that

> the Welsh people were not in earnest. They regarded the Welsh people as parasites. He, however, would show them they were mistaken.

A'i elynion Toriaidd yn gweiddi am ei waed, a'r *North Wales Chronicle* (Ebrill 20, 1894) yn datgan: 'Mr Lloyd George shows himself off' a'i gystwyo am alw'r Cymry yn 'barasitiaid', roedd Lloyd George yn nannedd cythrwfl mawr, yn barod yn sgil 'Gwrthryfel y Pedwar' i sefydlu mudiad gwleidyddol, annibynnol Cymreig â hunanlywodraeth i Gymru yn nod waelodol iddo.

Ar yr 2il o Fai, mewn llythyr dadlennol at ei wraig, nododd mai dyma'n awr oedd ei fwriad, ar ôl ei hatgoffa ei fod ef wedi cael llu o negeseuon yn cefnogi'r 'Gwrthryfel':

> I receive daily resolutions from different parts of Wales in support of my action . . . the game now is an independent party at the next election.

Rai dyddiau'n ddiweddarach, ymunwyd yn y Gwrthryfel gan y pedwerydd aelod seneddol, y mwyaf cenedlaetholgar o'r pedwar, o bosib, sef J. Herbert Lewis o Benucha, Caerwys, Sir y Fflint, a oedd yn aelod dros Fwrdeistrefi Fflint. Fe geisiodd ef, yn aflwyddiannus ac efallai'n afrealistig, apelio ar Tom Ellis i ymuno â'r pedwar gan ddatgan yn ei lythyr:

> Wales is being led on from step to step without any definite goal in actual view, that we have nothing to gain by subservience to the Liberal Party and we shall never get the English to do us justice until we show our independence of them.

Ar ddiwedd ei lythyr at Ellis dangosodd Lewis ei fod, wrth wrthryfela yn erbyn y llywodraeth (fel Lloyd George), yn peryglu ei yrfa wleidyddol ond ei fod ef yn barod i dderbyn hynny, am y credai nad oedd ganddo ddewis. Meddai wrth ei gyfaill a oedd wedi derbyn swydd lywodraethol:

> This is the critical hour. On the one hand is an official career, on the other the hardship of a nation. To go into the wilderness without you would be terribly disheartening, but go I must . . .

Tanlinellai'r llythyr hwn nad mater bach i Herbert Lewis (nac i Lloyd George chwaith) oedd gwrthryfela. Er bod John Grigg yn honni nad oedd gan Lloyd George ddim i'w golli o wrthryfela, mae hynny—fel y dengys llythyr Herbert Lewis—ymhell o fod yn wir. Golygai ei safiad yn erbyn y llywodraeth feirniadu llym arno a cholli cyfeillgarwch un o'i ffrindiau pennaf, Tom Ellis, heb sôn am fynd i'r diffeithwch politicaidd.

Yn ddi-os, roedd 'Gwrthryfel y Pedwar' yn garreg filltir yn hanes Lloyd George a'i weithred yn peri loes i Tom Ellis, fel y nododd mewn llythyron at eu cyd-gyfaill D. R. Daniel. Ar y 30ain o Ebrill dywedodd:

> George is very threatening. He means to be on the warpath. His whole attitude is to upset the apple cart.

Er i Rosebery ymateb ar ôl dechreuad y gwrthryfel trwy gynnig mesur Datgysylltiad i Gymru, gwyddai Lloyd George yn dda na fyddai'r mesur yn mynd drwy'r Senedd yn ystod y sesiwn arfaethedig hwnnw. Gwyddai hefyd y byddai Tŷ'r Arglwyddi yn ei wrthod, beth bynnag, a gwireddwyd ei amheuon erbyn haf 1894 pan ddaeth trafodaethau ar y mesur i ben.

O ddechrau'r gwrthryfel ym mis Ebrill, hyd at yr haf hwnnw, bu'n llym ei feirniadaeth ar ei lywodraeth ei hun. Mewn araith ymfflamychol ym Mangor ar y 14eg o Fai, â'r tri rebel arall yn annerch yno hefyd, cyfiawnhaodd ei wrthryfel trwy ddatgan, yn ôl *The North Wales Observer and Express* (Mai 18):

> Our support has fetched nothing in the political market and it is time in the interests of Wales to initiate a new policy.

Y polisi hwnnw oedd sefydlu, yn ddiweddarach y mis hwnnw, fudiad newydd Cynghrair Cymru Fydd; felly, i raddau helaeth, roedd 'Gwrthryfel y Pedwar' dros Ddatgysylltiad, yng ngolwg Lloyd George beth bynnag, yn gyfle i lansio mudiad cenedlaethol annibynnol.

Yn ôl adroddiad *The North Wales Observer and Express* (Mai 18), ni chafodd ei ffordd ei hun yng nghyfarfod Bangor. Cododd un o Ryddfrydwyr amlycaf y ddinas, Dr E. O. Price, yng nghanol y cyfarfod a'i gyhuddo o hollti'r blaid Ryddfrydol trwy lansio plaid annibynnol Gymreig. Yn ôl y papur, a fu ym meddiant Lloyd George er 1892, gorchfygwyd ymyriad Dr Price a rhoddwyd 'pleidlais o gymeradwyaeth i Lloyd George'. Ond roedd gwrthwynebiad Dr E. O. Price yn arwydd o'r elyniaeth a'r gwrthwynebiad a wynebai ef a'i fwriadau cenedlaethol o gyfeiriad gwahanol garfanau Rhyddfrydol ymhen amser. Roedd ef ei hun, fodd bynnag, yn teimlo'n ewfforig ar ôl cyfarfod Bangor, gan ddatgan wrth ei wraig:

> Magnificent meetings. Immense—swept all before us. Made many converts by my speech last night. I was in fine form and carried them step by step, completely with me.

Yn arwyddocaol, fodd bynnag, nododd *The North Wales Observer and Express* nad Dr E. O. Price oedd ei unig wrthwynebydd yng nghyfarfod Bangor. Yno hefyd roedd ei gyd-aelod Rhyddfrydol o etholaeth Eifion, J. Bryn Roberts, Gladstoniad pybyr a adlewyrchai farn y garfan honno yng ngogledd Cymru, yn wir ym Mwrdeistrefi Caernarfon, at bolisi *Home Rule* Lloyd George. Meddai'r adroddiad (Mai 18): 'Mr Bryn Roberts, who was on the stage, did not say a word,' ond ymhen amser, wrth i fudiad Cynghrair Cymru Fydd fynd rhagddo yn ystod haf 1894, a thrwy gydol y blynyddoedd dilynol, byddai J. Bryn Roberts yn wrthwynebydd chwyrn i ymdrechion Lloyd George i weddnewid gwleidyddiaeth Cymru.

Nid yn ei etholaeth ei hun yn unig y cyfiawnhaodd Lloyd George 'Wrthryfel y Pedwar' a defnyddio hynny i godi'r dwymyn genedlaethol yn ystod haf 1894. Teithiodd hefyd ledled de Cymru ym mis Mai, gan ysgrifennu at ei frawd, William, ar y 30ain o Fai ei fod yn cael croeso twymgalon yno. Meddai: 'We are carrying all before us now.' Rai dyddiau cyn hynny, ar y 24ain o Fai, mewn cyfweliad â'r *Liverpool Daily Post*, roedd wedi datgan yn gwbl glir bod ei fryd ar sefydlu plaid annibynnol Gymreig. Meddai wrth brif bapur dyddiol gogledd Cymru:

> There are many who deny our national existence and we can hardly be surprised at that, because our support has been so entirely given to one party, that our separate entity has become merged into one political party. The ultimate result of this independent action will be to form a Welsh National Party.

Erbyn haf 1894, a'r mesur Datgysylltiad wedi cael ei ohirio, roedd amheuon Lloyd George ynglŷn ag amharodrwydd ei lywodraeth i ddeddfu dros Gymru wedi eu cadarnhau. Ond, i bob pwrpas, roedd y 'gwrthryfel' drosodd erbyn hynny a'r chwip wedi ei adfer i Lloyd George a'r tri arall. Fodd bynnag, er dechrau'r gwrthryfel, roedd ef wedi penderfynu mai gwrthryfel parhaol a gweithredu annibynnol fyddai ei gwrs bellach, ac y byddai'n rhoi ei holl egni i sefydlu mudiad annibynnol milwriaethus yng Nghymru drwy Gynghrair Cymru Fydd.

Bwriad y mudiad oedd trawsnewid y mudiad Cymreig blaenorol, Cymdeithas Cymru Fydd a sefydlwyd yn 1886, yn rym gwleidyddol pwerus yng Nghymru. Golygai hynny weddnewid hen Ffederasiynau Rhyddfrydol y De a'r Gogledd a'u hymgorffori mewn un corff canolog—Cynghrair Cenedlaethol Cymru Fydd/*The Welsh National Federation*, a fyddai'n penderfynu polisi. Byddai'r polisi hwnnw, yn waelodol, yn mynnu cael hunanlywodraeth ffederal i Gymru. Byddai Lloyd George yn ymroi bron yn gyfan gwbl o fis Mai 1894, gydol llywodraeth Rosebery ac wedi hynny, i'r amcan hwn. Adleisiai'r ymdrech debyg a wnaeth ef yn 1889 ac 1890 i drawsnewid y Ffederasiynau Cymreig, ymdrech a barodd gymaint o gythrwfl cyn ei is-etholiad yn 1890, gan ddangos y cyswllt parhaus yn ei ymrwymiad i *Home Rule* i Gymru.

Daeth y symudiad cyntaf i sefydlu'r Cynghrair ym mis Mai 1894, gyda llunio drafft o gyfansoddiad i'r mudiad (*The North Wales Observer and Express*, Mai 25). Wedyn, trafodwyd ef mewn cyfarfod mawr yng Nghaer ym mis Mehefin lle roedd 400 yn bresennol, yn ôl *Baner ac Amserau Cymru* (Mehefin 20). Eithr condemniodd *The North Wales Chronicle* Toriaidd ar yr un diwrnod y cyfarfod a galw'r gynhadledd yn '*The Monkey Patriots of Wales*'. Wedyn, pan aeth Cymru Fydd ati yn Llandrindod ym mis Awst 1894 i sefydlu Cynghrair Cymru Fydd gyda chynrychiolwyr yno o'r de a'r gogledd, galwodd papur Toriaidd Bangor y cyfan yn '*The Big Gooseberry of the Welsh Silly Season*' a Lloyd George, arweinydd y mudiad, yn '*The Monkey Patriot*' (*The North Wales Chronicle*, Mai 25).

Yn y cyfarfod blaenorol yng Nghaer, roedd y mudiad wedi cael bendith D. A. Thomas, un o gyd-rebelwyr Lloyd George yng 'Ngwrthryfel y Pedwar' ond, yn arwyddocaol, amodol oedd ei fendith. Nid oedd (ac ni fyddai) D. A. Thomas yn gefnogol i sefydlu 'Welsh National Federation' canolog cryf a chenedlaetholgar. Roedd ef am i'r mudiad yn ganolog fod yn drefn ffederalaidd lac, wedi ei rannu yn bedwar rhanbarth drwy Gymru, er mwyn sicrhau y gallai'r de-ddwyrain gael llais dylanwadol yn y mudiad. Roedd hefyd yn erbyn crwsâd dros hunanlywodraeth i Gymru. Nid syndod, felly, iddo ddatgan yng Nghaer, o'r cychwyn cyntaf, ei fod o blaid Cymru Fydd, ond yn unig ar yr amod na fyddai'n cael gwared â Ffederasiynau'r Gogledd a'r De, oherwydd i bob pwrpas ef a reolai weithgareddau Ffederasiwn De

Cymru. Byddai'r agwedd hon gan D. A. Thomas, ymhen amser, yn creu rhwygiadau a gwrthdaro ym mudiad Cymru Fydd.

Fodd bynnag, yn haf 1894, yn dilyn cyfarfodydd Llandrindod a Chaer, ymddangosai'r rhagolygon yn optimistaidd, yn sicr yng ngolwg Lloyd George. Roedd y mudiad wedi ei sefydlu ond eto heb gael cefnogaeth y Ffederasiynau Rhyddfrydol i greu Cynghrair Canolog Cenedlaethol cryf. Bwriad Lloyd George oedd dod â holl ganghennau Cymdeithas Cymru Fydd i mewn i'r mudiad newydd a sefydlu canghennau newydd ledled Cymru a fyddai naill ai'n uno â Chymdeithasau Rhyddfrydol y gwahanol etholaethau neu'n eu llyncu. Byddai'r rhain yn fudiadau lleol, democrataidd yn atebol i'r Cynghrair Cymreig Canolog. Y Cyngor hefyd fyddai'n ethol prif swyddogion y mudiad.

Roedd hi'n amlwg bod Lloyd George â'i fryd ar greu mudiad a fyddai'n trawsnewid yn llwyr y trefniant Rhyddfrydol yng Nghymru. Roedd gan y mudiad amcanion pellgyrhaeddol hefyd, sef sicrhau Datgysylltiad a Dadwaddoliad yr Eglwys Anglicanaidd; diwygio'r tir; rheoli'r fasnach feddwol drwy ddewisiad lleol; ymestyn addysg wladwriaethol; gwella cyflwr y llafurlu yn y maes glo a'r chwareli llechi; hyrwyddo'r iaith Gymraeg a phenodi swyddogion llywodraethol dwyieithog. Ond yr amcan sylfaenol oedd sefydlu system genedlaethol o hunanlywodraeth Gymreig.

Yn ôl casgliadau Emyr Wyn Williams yn ei erthygl, 'Liberalism in Wales and the Politics of Welsh Home Rule 1886-1911', roedd y cyfeiriad at anghenion llafurol glowyr a chwarelwyr yn allweddol ac yn newydd. Roedd, at hynny, yn gwahanu'r mudiad oddi wrth yr hen Gymdeithas Cymru Fydd. Mae K. O. Morgan, fodd bynnag, yn ei erthygl, 'Tom Ellis versus Lloyd George', (1995) wedi bychanu'r wedd hon fel '*somewhat vaguely conceived labour policies*'. Mae'r cwestiwn i ba raddau y bu Cynghrair Cymru Fydd yn fudiad llafurol yn bwnc llosg ymhlith haneswyr, fel y bu yn y cyfnod, ond yn ddiau bu Lloyd George yn ystod ei ymgyrchu drosto yn lleisio'n gryf y gred mai mudiad llafurol ydoedd, gan roi sylw mawr i geisio'n arbennig gefnogaeth glowyr de Cymru.

Yn sicr, credai Lloyd George ei fod yn fudiad chwyldroadol ac y byddai'n arwain at greu plaid annibynnol yng Nghymru. Mewn cyfarfod yng Nghricieth, yn ôl adroddiad *The North Wales Observer and Express* (Gorffennaf 6), galwodd am weithredu annibynnol. Meddai:

> The time has come for Wales to stand out for herself. The only nation worthy of support in its struggle was the nation which fights for itself. Wales must have a Welsh National Party.

Yn ei erthygl, y cyfeiriwyd ati uchod, awgryma K. O. Morgan nad dyma oedd ei fwriad wrth arwain y Cynghrair:

> He saw it primarily as a political instrument for uniting Welsh constituency parties and thereby putting pressure on the Liberal Party leadership and the London based party machine.

Mae'r awgrym gan K. O. Morgan yn glir nad mudiad ymlywodraethol oedd hwn yn bennaf. A dyna hefyd ddadansoddiad John Grigg yn ei gyfrol, *The Young Lloyd George*:

> He had never intended to be the Parnell of Wales in any sense but one—that he wanted to control the Welsh MPs and to make use of their corporate power.

Fodd bynnag, mae hyn yn bychanu dyheadau politicaidd Cymreig Lloyd George yn y cyfnod dros hunanlywodraeth, a'i weledigaeth o Gymru ymreolus lafurol—amcan a fyddai'n adleisio drwy gyfnod ymgyrchu Cymru Fydd. Mewn erthygl ddiweddar gan J. Graham Jones, 'Lloyd George, Cymru Fydd and the Newport Meeting of January, 1896,' (1996), mae'r awdur yn honni mai '*the temporary vessel for his ambitions*' oedd Cymru Fydd rhwng 1894 ac 1896, gan gadarnhau'r gred ymhlith haneswyr mai ymdrech egotistaidd i sefydlu canolbwynt grym yng Nghymru i hyrwyddo amcanion personol oedd y mudiad yng ngolwg Lloyd George. Wrth gwrs, ni ellir osgoi'n llwyr yr elfen o hunanoldeb yn arweiniad Lloyd George o'r mudiad, na gwadu chwaith fod y mudiad yn erfyn dylanwadol personol iddo, ond byddai'n aberthu llawer, yn peryglu ei yrfa ac yn cael ei feirniadu'n hallt am arwain Cymru Fydd. Nid oes amheuaeth, chwaith, fod ganddo gred mewn hunanlywodraeth ffederal, nid fel amcan ynddi'i hun, ond fel cyfrwng i greu cymdeithas well a thecach nag y byddai Prydain fel gwladwriaeth mor barod i'w chreu.

Yn sicr, ni fu pall ar frwdfrydedd Lloyd George dros ledaenu dylanwad Cymru Fydd ac adeiladu'r mudiad ym mhob rhan o Gymru oddi ar haf 1894. Erbyn hydref y flwyddyn honno, roedd wedi teithio i bob cwr o Gymru i geisio sefydlu canghennau Cymru Fydd, o Dredegar i Langefni, o Gaerdydd i Gaerffili, a thrwy hynny sefydlu trefniant gwleidyddol newydd a oedd yn cystadlu â'r blaid Ryddfrydol swyddogol ac yn wir yn ei bygwth.

Ym mis Medi, hyd yn oed yng nghanol ei etholaeth ei hun, aeth ati mewn cyfarfod mawr ym Mangor i geisio sefydlu cangen o Gymru Fydd gan lwyddo i ddenu cannoedd i uno yn y mudiad newydd, yn ôl *The North Wales Observer and Express* (Medi 28). Ond yn ôl adroddiad *The North Wales Chronicle* (Medi 29), roedd Cadeirydd Cymdeithas Ryddfrydol Bangor, Dr Rowland Jones, wedi tarfu ar y cyfarfod ac wedi honni bod Lloyd George, wrth sefydlu canghennau Cymru Fydd, yn hollti'r blaid Ryddfrydol yn lleol ac yn genedlaethol. Gwrthwynebai hefyd grwsâd cenedlaetholgar y mudiad dros ymreolaeth gan honni nad dyna agwedd llawer o Ryddfrydwyr Cymreig at Gymru. Honnai fod Rhyddfrydiaeth Cymru'n cynnwys amrywiol liwiau o bobl ac o farn ac nad oedd hunanlywodraeth yn flaenoriaeth ganddynt. Meddai am Gymru Fydd:

> It is nothing, in effect, but a scheme for the coercion of the multi-coloured Liberalism of Wales into a single political organization, animated by legislative autonomy for Wales, as its most vital principle.

Yn ôl *The North Wales Observer and Express*, fodd bynnag, llais beirniadol unigol oedd Dr Rowland Jones ond eto i gyd adlewyrchai anniddigrwydd mawr ymhlith Rhyddfrydwyr cymedrol yn etholaeth Lloyd George gan danlinellu pa mor radical a sylfaenol oedd bwriadau Lloyd George.

Fis yn ddiweddarach, cafwyd adlais o feirniadaeth arall o'r mudiad pan anerchodd Lloyd George dorf fawr yn Llandudno er mwyn sefydlu cangen o'r Cynghrair yno. Er i gannoedd ddod ynghyd, yn ôl *The North Wales Chronicle* (Hydref 26), cododd rhai aelodau i brotestio mai mudiad '*Wales for the Welsh*' ydoedd a'i fod yn cau allan y Saeson Rhyddfrydol yng Nghymru. Hefyd, lleisiwyd ofn y byddai cangen Cymru Fydd yn Llandudno yn fygythiad i'r Gymdeithas Ryddfrydol leol. Gwadodd Lloyd George mai'r Cymry Cymraeg yn unig a gâi ymuno yn y mudiad, gan ddatgan ei fod yn fudiad i bawb yng Nghymru. Unwaith eto, felly, roedd amheuon yn cael eu mynegi ar garreg drws ei etholaeth ef ei hun.

Wedyn, yn ôl *The North Wales Observer and Express* (Hydref 12), condemniodd J. Bryn Roberts Gymru Fydd yn hallt ac yn gyhoeddus am y tro cyntaf wrth i Lloyd George sefydlu cangen yn Llanberis, yn etholaeth Roberts. Honnai Bryn Roberts mai ymdrech oedd ei grwsâd i lunio plaid annibynnol newydd yng Nghymru gyda'r bwriad o greu gwlad ymlywodraethol. Byddai Aelod Seneddol Eifion, maes o law, yn codi ei lais yn groch yn erbyn Lloyd George a'i arweiniad o Gymru Fydd.

Er gwaetha'r feirniadaeth hon, cenhadodd Lloyd George dros y mudiad drwy hydref 1894 ym mhob rhan o Gymru. Yn ôl *The North Wales Observer and Express* (Hydref 12), anerchodd gynulleidfa fawr yng Nghaerdydd gosmopolitanaidd gan wadu mai mudiad '*Wales for the Welsh*' ydoedd a'i fod yn ystyried pawb yng Nghymru, boed Sais, Gwyddel neu Sgotyn, yn ddinasyddion Cymreig. Pwysleisiodd eto'r angen am Senedd Gymreig a methiant Senedd adweithiol Brydeinig i ofalu am anghenion Cymru, drwy ddatgan:

> The main factor in British legislation, therefore, is not so much which Ministry is in office but what is required by England at the hands of that Ministry. If any one suffers from the obstruction of the reactionary forces represented in the House of Commons, it is the Celtic nationalities of this Kingdom.

Erbyn mis Tachwedd 1894, roedd Lloyd George yn trefnu i gynyddu effaith Cymru Fydd ymhellach trwy sicrhau penodiad trefnydd amser llawn i'r mudiad. Ar y 23ain o Dachwedd, cyhoeddodd *The North Wales Observer and Express* fod Golygydd-Reolwr Cwmni'r Genedl, yr arian byw hwnnw o newyddiadur, Beriah Gwynfe Evans, yn ymadael â'i swydd i gymryd awenau Cymru Fydd, ac mewn cyfweliad yn y papur dywedodd: 'I am a Nationalist first and Liberal afterwards'.

Roedd R. A. Griffith, y bardd Elphin, hefyd yn flaenllaw yn y mudiad: cyfaill a chyd-ymgyrchydd cenedlaethol Lloyd George yn yr ymdrech i drawsnewid Rhyddfrydiaeth Gymreig yn ôl yn 1889-90. Yn wir, roedd wedi cael ei benodi, o'r cychwyn cyntaf ym mis Mai, yn Ysgrifennydd Gogledd Cymru i'r Cynghrair ac wedi datgan yn *The North Wales Observer and Express* (Mehefin 21):

> The Welsh Liberals have been firing blank cartridges for far too long. The time had come when if they wished their national character to be respected, they must be prepared for deeds as well as words.

Erbyn mis Ionawr 1895 roedd y Cynghrair hefyd wedi sefydlu ei gylchgrawn misol, *Young Wales*, dan olygyddiaeth J. Hugh Edwards. Yn y rhifyn cyntaf cynhwyswyd portread o Lloyd George a ymylai ar eilunaddoliaeth gan gadarnhau mai ef, uwchlaw unrhyw wleidydd Cymreig arall, oedd arloeswr a phrif seren Cymru Fydd:

> He is a man who believes with all soul's passion in the sacredness of Welsh nationalism and in the future of the Welsh nation . . . it requires not the faculty of a seer to perceive that Mr Lloyd George is leading in a new epoch in the history of Wales. The Youth of the nation are rallying round his standard and he, in turn, is consolidating their enthusiasm and energies and stimulating their activities by inspiring them to make the glorious hope of ushering in for this grand old country of Wales that golden age whose light is of the dawn.

Nid pawb a rannai'r optimistiaeth hon na'r dehongliad Meseianaidd o Lloyd George, ond erbyn trothwy'r flwyddyn 1894 parhâi ef i gredu bod y mudiad yn mynd o nerth i nerth. Erbyn hynny, hefyd, roedd hi'n ymddangos fel pe bai rhai datblygiadau addawol wedi digwydd ym mis Rhagfyr 1894 o ran ble yn union roedd Ffederasiwn Rhyddfrydol Gogledd Cymru yn sefyll yn ei pherthynas â'r Cynghrair.

Adroddodd *The North Wales Observer and Express* (Rhagfyr 14, 1894), fod y Ffederasiwn wedi cytuno i ymuno â'r Cynghrair, er nad dyna farn *The North Wales Chronicle* (Rhagfyr 29). Honnai'r papur Torïaidd hwn fod rhaniad yn y Ffederasiwn Gogleddol:

> The more moderate section of the Liberals opposed the formation of a Cymru Fydd League believing it to be antagonistic to the present Liberal Associations.

Ychwanegodd *The North Wales Chronicle* hefyd nad oedd Ffederasiwn y Gogledd wedi rhoi eu caniatâd llawn, ym mis Rhagfyr, i ymuno â Chynghrair Cymru Fydd ond bod amod y byddai'n disgwyl am ymateb Ffederasiwn y De. Roedd ymateb Ffederasiwn y De yn fwy annelwig ac amhendant nag eiddo un Ffederasiwn y Gogledd.

Mewn cyfarfod yng Nghaerdydd ar y 4ydd o Ionawr, 1895, rhwng cynrychiolwyr Cymru Fydd a'r Ffederasiwn Deheuol, roedd amwysedd mawr ynghylch beth yn union a ddigwyddodd wrth iddynt drafod ymuno â'r Cynghrair ai peidio. Dywed Emyr Wyn Williams yn ei erthygl, 'Liberalism in Wales and the Politics of Welsh Home Rule, 1886-1911' fod cytundeb wedi digwydd ar yr amod y byddai'r ddwy ochr yn gallu cytuno ar gyfansoddiad y Cynghrair mewn cyfarfod arall yn Amwythig. Wedyn, erbyn y Pasg, byddai'r Cynghrair yn galw cynhadledd yn Aberystwyth, lle sefydlid Cynghrair Cenedlaethol Cymru Fydd/*The Welsh National Federation*. Pwysleisia K. O. Morgan, fodd bynnag, yn ei *Wales in British Politics 1869-1922*, i D. A. Thomas, a arweiniai'r Ffederasiwn Deheuol, leisio'n gryf yng nghyfarfod Caerdydd ei wrthwynebiad i natur ganolog y Cynghrair Cenedlaethol arfaethedig ac i unrhyw ddiddymiad yng ngrym Ffederasiwn y De a'r De-ddwyrain yn neilltuol.

Yn sicr, rhwng misoedd Ionawr ac Ebrill, pryd y cynhaliwyd Cynhadledd Cymru Fydd yn Aberystwyth, datganodd Ffederasiwn y De ryfel agored yn erbyn mudiad Lloyd George, a'r frwydr honno'n cael ei harwain gan D. A. Thomas. Erbyn yr 2il o Fawrth, penderfynodd y Ffederasiwn Deheuol wrthod cymeradwyo cynllun i uno'r Ffederasiwn â'r Cynghrair yn Aberystwyth. Wedyn, yn ôl *The South Wales Daily News* (Ebrill 13), cyhoeddodd y Ffederasiwn dan arweiniad D. A. Thomas na fyddent yn mynychu'r Gynhadledd ond yn hytrach yn ei boicotio. Yn wir, mewn erthygl ffyrnig yn yr un papur (Ebrill 17), condemniodd D. A. Thomas Gynghrair Cymru Fydd, a thrwy ymosod ar Beriah Gwynfe Evans a'i genedlaetholdeb eithafol, ymosododd yn anuniongyrchol ar Lloyd George ei hun.

Er pan lansiwyd y mudiad yng Nghaer ym mis Mehefin 1894, bu gan D. A. Thomas amheuon mawr a sylfaenol parthed y mudiad. Yn wir, mae Emyr Wyn Williams yn ei erthygl, 'Liberalism in Wales and the Politics of Welsh Home Rule, 1886-1911', yn dadlau bod y perchennog glofeydd goludog wedi ei ysgytio ar ôl cyfarfod Caerdydd ym mis Ionawr 1895. Yno, roedd William Abraham, Aelod Seneddol y Rhondda, a William Brace o'r Undeb Glofaol wedi llwyddo i gael Cymru Fydd i gadarnhau ei bolisi llafurol. Roedd William Abraham (Mabon) a D. A. Thomas, wedi bod benben â'i gilydd gydol 1894 dros achos dadleuol y diwrnod gwaith wyth awr i'r glowyr. Ofnai D. A. Thomas fudiad Cymru Fydd felly, nid yn unig am ei symudiad i'r chwith ond am y credai hefyd y byddai, fel Corff Cenedlaethol eithafol, yn gwanychu Rhyddfrydiaeth y de-ddwyrain a'r Ffederasiwn Deheuol a reolid ganddo ef. Nid oedd D. A. Thomas chwaith o blaid y galw milwriaethus gan Lloyd George am hunanlywodraeth ffederal i Gymru.

Fel y mae B. B. Gilbert wedi dangos yn ei gyfrol, *David Lloyd George, A Political Life, 1863-1912*, roedd Thomas hefyd, gydag ailymddangosiad mesur Datgysylltu'r Eglwys gerbron y Senedd ym mis Chwefror 1895, wedi cael ei gythruddo gan benderfyniad Lloyd George i alw—yn ystod y drafodaeth ar y mesur—am Gyngor

Home Rule all Round.

RADICAL LEADERS SNUB THE IDEA.

In the current issue of "Young Wales," the main feature is an article by Mr Lloyd George, M.P., on "National Self-Government for Wales," and a discussion under the heading, "Our Round Table Conference," in which, in reply to an invitation from the editor, a certain number of leading Radicals express their views on "Home Rule all Round" in preference to disestablishment as the foremost plank. Altogether there are no less than 22 who have a word to say on the question. Mr Gladstone comes first, but he refuses to say "yes" or "no," being afraid that any opinion from him would "be more likely to cause embarrassment than advantage." Mr Asquith declares that "the matter is not one in which he has any title to intervene." Sir H. H. Fowler "is not prepared to express an opinion." Sir Robert T. Reid, after a dig at the House of Lords and a snub to Welsh Disestablishers, pooh-poohs the Home Rule all round fad. Sir Frank Lockwood laughs at the idea, and closes with fine ridicule, "I have not read the Home Rule All Round Bill, nor have I met with anyone who has." Sir Walter Foster wisely asks, "How can Home Rule all round, or even disestablishment, be carried under the supremacy of the House of Lords?" Mr Justin M'Carthy disclaims his ability to utter an opinion—a thing he evidently has not got on the question. Mr R. B. Haldane, Q.C., promises "to watch with interest the progress of the movement." Sir George Osborne Morgan prefers riding his old hack, Welsh Disestablishment, deeming it unwise to swop horses in crossing the stream. Mr T. P. O'Connor advises "Young Wales" to read some "lucid" speeches of his, and speaks of Home Rule for Ireland. Mr Timothy Healy is "not in a position to enter into the question." Sir Edward Grey does not think himself "competent, nor has he any desire, to give any advice upon a question of tactics." Mr D. A. Thomas rides behind Sir George Osborne Morgan on the old Disestablishment hack. Mr R. W. Perks considers the Young Wales Party are "demented" destroyed, in fact, by the gods. Mr John Dillon thinks it is a question for Welsh Liberals, the while keeping his eye on Irish Home Rule. Mr John Redmond is "most strongly opposed" for substituting "Home Rule all round" for "Home Rule for Ireland." Mr Henry Broadhurst agrees with the scheme, but regrets that Disestablishment "is not making great progress." Mr Joseph Arch swallows the pills, box and all. Mr R. M'Kenna, before replying, must feel the pulse of his "constituents." Mr Clifford Cory does not think Home Rule for Wales is "generally asked for." Mr Owen Phillips, Liberal candidate for the Montgomery Boroughs, jumps at the bait dangled before him. The Rev. Hugh Price Hughes, who comes in at the tail, puts one shoulder under Home Rule and the other under Welsh Disestablishment.

Thus "Young Wales" has received but little encouragement from the first meeting of its "Round Table Conference" to proceed with "Home Rule all Round."

Adroddiad o'r newyddiadur Torïaidd, The North Wales Chronicle, 26 Hydref 1895, sy'n ceisio dangos gwrthwynebiad Rhyddfrydol i arweiniad Lloyd George o'r ymgyrch 'Home Rule'.

Cenedlaethol Cymreig, a hwnnw wedi ei seilio ar gynghorau sir Cymru. Golygai hynny, yng ngolwg Thomas, y câi gogledd a chanolbarth Cymru ormod o ddylanwad ar ddosbarthu arian yr Eglwys ar draul y de-ddwyrain. Ffafriai Thomas Gyngor Cenedlaethol Cymreig a roddai gynrychiolaeth gref i'r de-ddwyrain a dosbarthu arian yr Eglwys yn ôl maint y boblogaeth, a fyddai'n fanteisiol i'r de-ddwyrain.

Rhwng popeth, felly, er i Gynhadledd Genedlaethol gael ei chynnal yn Aberystwyth ar ddiwedd mis Ebrill 1895 ac, yn ôl *The North Wales Observer and Express* (Ebrill 26), i'r Gynhadledd uno â Ffederasiwn y Gogledd a ffurfio Cynghrair Cenedlaethol Cymru Fydd, roedd rhwygiadau amlwg yn y patrwm cenedlaethol a'r mudiad yn anghyflawn heb gefnogaeth Ffederasiwn y De.

Roedd Ffederasiwn y De wedi peidio â mynychu'r Gynhadledd ac wedi mynegi drwy D. A. Thomas wrthwynebiad ffyrnig i'r Cynghrair Cenedlaethol; ailadroddodd ei wrthwynebiad i'r Cynghrair mewn llythyr mileinig yn *The North Wales Chronicle* (Ebrill 30), gan alw Cynhadledd Aberystwyth yn 'ffars'. Hefyd, i bentyrru gofidiau i Lloyd George, mewn llythyr yn *The South Wales Daily News* (Ebrill 27), gan ddangos parodrwydd perchenogion y papur i gydweithredu i geisio tanseilio Cynghrair Cymru Fydd, honnodd J. Bryn Roberts mai '*lobscouse organization*' oedd y Cynghrair Cenedlaethol a bod ei uniad â Ffederasiwn y Gogledd yn Aberystwyth yn anghyfansoddiadol, onid yn anghyfreithlon, ac na allai fodoli ond fel 'trefniant papur'.

Byddai'r gwrthdaro hwn rhwng Lloyd George a D. A. Thomas yn parhau weddill bodolaeth Cynghrair Cymru Fydd ar ôl y Gynhadledd yn Aberystwyth ym mis Ebrill, 1895. Fodd bynnag, ar ôl y boicotio yno ym mis Ebrill, parhaodd Lloyd George i drwmpedu ei gri dros fudiad annibynnol grymus yng Nghymru. Mewn cyfarfodydd ledled Cymru, parhaodd i alw am Senedd Gymreig; er enghraifft, yn Nhreorci yn y Rhondda, yn ôl *The South Wales Daily News* (Mai 31), galwodd am Senedd a fyddai'n deddfu ar faterion llafurol, â William Abraham AS (Mabon) yn rhannu llwyfan gydag ef. Wedyn yn y Blaenau, gydag Alfred Thomas AS, ar ddechrau mis Mai, dywedodd, yn ôl *The South Wales Daily News* (Mai 6):

> The future of Wales must be placed in the hands of the sons and daughters of Wales. The day was past when the people of Wales would be content to be governed by a group of Englishmen 300 miles away who knew absolutely nothing whatever of their circumstances and needs.

Nid yn unig yng Nghymru, ond ar lefel seneddol hefyd, corddodd Lloyd George yr ymdeimlad cenedlaethol ar ôl y cyfarfod aflwyddiannus yn Aberystwyth ym mis Ebrill. Yn wir, ar ddiwedd mis Mawrth roedd wedi eilio cynnig yr Aelod Sgotaidd, Henry Dalziel AS, ar '*Home Rule All Round*' gan honni mewn llythyr at ei wraig ar y 30ain o Fawrth, gyda'i egotistiaeth arferol:

> Biggest parliamentary stroke. I spoke tonight on Home Rule All Around, seconding Dalziel's motion. Never spoke better in the House of Commons in my life.

Wedyn, creodd gynnwrf seneddol ar yr 2il o Ebrill, pan dorrodd ar draws y Llefarydd yn y Tŷ er mwyn pwysleisio pa mor orthrymus oedd cwmni rheilffordd y *London and North Western* a oedd wedi diswyddo nifer o Gymry Cymraeg am nad oeddent yn medru siarad Saesneg. Dangosai hyn i ba raddau yr oedd ei fudiad, Cynghrair Cymru Fydd, yn fodern ac yn eang ei agwedd at yr iaith Gymraeg, gan fynnu ei bod yn iaith fusnes ac yn iaith lafur hefyd. Roedd yn fwy na hapus â'i ymyriad gan nodi wrth ei frawd, William, ar y 9fed o Fai, 'We made a pertinacious protest'.

Daeth y cyfle mwyaf iddo wrthryfela yn erbyn ei blaid a dangos ei annibyniaeth, fodd bynnag, yn y dadleuon hir ar fesur Datgysylltiad yr Eglwys o fis Chwefror hyd fis Mai 1895, ar ôl i'r llywodraeth ailgyflwyno Mesur 1894. Gwyddai Lloyd George yn burion na fyddai'r mesur yn arwain at Ddatgysylltiad nac at Ddadwaddoliad yr Eglwys, oherwydd nad oedd amser iddo fynd drwy Dŷ'r Cyffredin ac am y gwyddai y byddai Tŷ'r Arglwyddi, yn y pen draw, yn ei ladd. Ond roedd yn gyfle iddo godi'r tymheredd cenedlaethol yng Nghymru. Yn rhyfeddol hefyd, eisoes ym misoedd Ionawr a Chwefror 1895 roedd wedi dangos ei annibyniaeth ar y llywodraeth Ryddfrydol trwy geisio taro bargen gudd ag Eglwyswyr amlwg yn esgobaeth Bangor i gyfaddawdu ar Ddatgysylltiad a Dadwaddoliad a chael cydweithrediad Eglwyswyr i sicrhau hunanlywodraeth i Gymru.

Er i hyn fethu, tanlinellai'r pwyslais a roddai, yn sylfaenol, ar geisio cael Senedd ffederal Gymreig ac yr oedd, felly, yn barod yn ystod y trafodaethau ar y mesur Datgysylltiad i ddefnyddio pob cyfle yn y dadleuon i godi llais o blaid ymreolaeth Gymreig. Daeth ei gyfle pennaf i wneud hynny wrth i'r mesur gael ei drafod mewn pwyllgor o'r Tŷ, pryd y cynigiodd welliant cynhyrfus yn groes i'w blaid a'i lywodraeth, sef y dylid sefydlu Cyngor Cenedlaethol Cymreig wedi ei ethol o blith cynghorau sir Cymru i weinyddu arian degwm yr Eglwys. Dyma ddatganoli drwy'r drws cefn—achos yr oedd eisoes wedi ei hyrwyddo er y dydd yr etholwyd ef i'r Senedd.

Bu cynnwrf mawr wedi i H. H. Asquith—a oedd wedi arwain y mesur drwy'r Senedd—wrthod ei welliant, i ddechrau. Wedyn, cefnogwyd gwelliant Lloyd George gan y Toriaid am resymau tactegol, er mwyn ceisio gorchfygu'r llywodraeth. Ymddengys wedi hynny i Asquith addo i Lloyd George y câi ei welliant ei ystyried yn ddiweddarach yn nhrafodaethau'r Pwyllgor. Fodd bynnag, roedd y Toriaid yn mynnu y dylid pleidleisio ar welliant gwreiddiol Lloyd George. Felly, yng nghanol cyffro mawr, bu rhaid iddo bleidleisio yn erbyn ei welliant ei hun neu fe fyddai'r Toriaid wedi gorchfygu'r llywodraeth a hithau, ar y pryd, mewn cyflwr bregus.

Cafodd Lloyd George ei feirniadu'n hallt gan y mwyafrif o'i gyd-Ryddfrydwyr Cymreig yn y Senedd am fygwth dyfodol y llywodraeth. Yn naturiol hefyd, achubodd y wasg Doriaidd ar yr embaras a grëwyd i'r llywodraeth, a'r eironi fod Lloyd George wedi gorfod pleidleisio yn erbyn ei welliant ei hun.

Roedd *The Western Mail* (Mai 22) yn arbennig o ddeifiol yn ei sylwadau golygyddol, dan y pennawd dychanol:

> See the Conquering Hero—Not since the days of Llywelyn and Glyndŵr, Mr Lloyd George's beau ideals, have we had such a man of thews and sinews. Like Parnell in Ireland, he is now the uncrowned king of Wales . . . Though we have a wholesome hatred of Mr Lloyd George's politics . . . yet we cannot fail to admire this man's pluck, his independence of spirit and to all appearances, his disinterestedness and self sacrifice.

Roedd *The North Wales Chronicle* (Mai 23), yn fwy mileinig fyth ac yn darogan gwae i Lloyd George yn ei etholaeth ei hun:

> There is not now a single Radical in either of the Carnarvon Boroughs who is not thoroughly ashamed of the contemptible part which Lloyd George played in parliament last week.

Bu ei safiad rebelgar yn fodd, hefyd, i gythruddo D. A. Thomas am ei fod wedi mynnu Cyngor Cenedlaethol a ffafriai—yng ngolwg D. A. Thomas—ogledd Cymru, yn hytrach na'r de-ddwyrain, gan ymddieithrio Thomas ymhellach oddi wrth Gynghrair Cymru Fydd. Yn y tymor hir hefyd, ar ôl etholiad 1895, byddai'r holl helynt yn peri rhyfel agored rhwng Lloyd George a J. Bryn Roberts, a oedd wedi bod wrthi'n rhybuddio'r arweinyddion Rhyddfrydol mai cais at hunanlywodraeth oedd gwelliant Lloyd George dros Gyngor Cenedlaethol i weinyddu'r degwm.

Cafodd Lloyd George, yn naturiol, gefnogaeth ei bapurau ei hun yng Nghaernarfon, a phapurau Thomas Gee a chwmni'r *Herald* yn ei etholaeth, i'w safiad, ond gyda dymchweliad y llywodraeth Rhyddfrydol ar yr 21ain o Fehefin, fis ar ôl ei welliant dadleuol (a'r mesur Datgysylltu heb fynd drwy'r Tŷ), roedd yn agored i'w feio o gyfeiriad sawl cylch Rhyddfrydol.

Yn wir, honnai nifer fawr o Ryddfrydwyr fod ei ymyriad wedi gwanychu'r llywodraeth i'r fath raddau fel ei bod wedi ymddiswyddo ar fater arall, y *cordite vote*, ym mis Mehefin.

Gwadodd Lloyd George hynny, gan fynnu bod Asquith wedi derbyn ei welliant ar y Cyngor Cenedlaethol, ond parhâi'r cyhuddiadau ei fod wedi rhoi'r cyfle, gyda'i welliant cythryblus, i'r Toriaid fygwth y llywodraeth.

Fodd bynnag, roedd ei safbwynt dadleuol ar y mesur Datgysylltiad, a'i enw fel prif arloeswr a phleidiwr Cynghrair Cymru Fydd, wedi rhoi cyfle iddo ymgyrchu'n herfeiddiol o blaid ei genedlaetholdeb eirias. Eto i gyd, wynebai'n awr etholiad anodd a phryderus ym Mwrdeistrefi Caernarfon, a hynny mewn cyfnod pan oedd y Rhyddfrydwyr fel plaid ar y goriwaered. Yn sicr, mewn etholaeth ffiniol, a'i safbwynt wedi ennyn cynddaredd llawer o Ryddfrydwyr sefydliadol, gallai'n hawdd golli ei sedd.

Yn wir, lledaenodd y wasg Doriaidd sibrydion ei fod yn mynd i roi'r gorau i Fwrdeistrefi Caernarfon o blaid sedd ddiogel yn ne Cymru. Honnodd *The Western Mail* (Mehefin 27), ac mewn erthygl arall ar y diwrnod canlynol, ei fod yn symud i sedd ddeheuol am nad oedd ganddo obaith o ennill sedd ffiniol fel Bwrdeistrefi Caernarfon ar ôl ei safiad rebelgar dros Gymru Fydd. Meddai papur Toriaidd Caerdydd:

> The feeling of dissatisfaction is so profound, many hitherto trustworthy Liberals will absolutely decline to vote for Lloyd George.

Ar yr un diwrnod, yn *The North Wales Observer and Express*, fel y gellid disgwyl, gwadwyd yr honiadau ei fod yn bwriadu symud i'r de a honnwyd y byddai'n dal ei afael ym Mwrdeistrefi Caernarfon. Ond gyda dewis y Tori cymedrol, Ellis Nanney, i ymladd yn ei erbyn, bradychai ei bapur ei hun nerfusrwydd mawr ynglŷn â'r sedd gan ddatgan:

> The Conservatives have been fully prepared for the campaign and are confident of capturing the seat . . . the Tories in the Boroughs are leaving no stone unturned to bring about the overthrow of Lloyd George . . . already Ellis Nanney has made a thorough canvass of the Boroughs.

Y diwrnod canlynol, y 27ain o Fehefin, cyhoeddodd *The North Wales Chronicle* fod y Torïaid yn sicr o ennill yr etholiad yn wyneb cenedlaetholdeb eithafol Lloyd George:

> Mr Lloyd George stands foremost as the spokesman of the wildest and most revolutionary proposals and his escapades in the House of Commons have filled his moderate supporters with alarm and disgrace. The electors of the Caernarfon Boroughs have the chance of substituting a dreamer and mere talker of the Lloyd George type by a man of standing and a practical politician like Ellis Nanney. We have confidence in the electors they will choose wisely.

Yn ddi-ddadl, wynebai her fawr ac roedd hi'n amlwg o sylwadau'r wasg fod ei gysylltiad â Chymru Fydd wedi peryglu ei ddyfodol gwleidyddol. Cred yr hanesydd John Grigg (gweler *The Young Lloyd George*) fod ei safiad rebelgar wedi ei gwneud hi'n haws iddo ymladd yr etholiad:

> The fact that he was branded a rebel against the Liberal leadership was a positive advantage to him. In the circumstances of the last year or so rebelling had become the key to electoral success. That was why he had done it.

Mae hyn yn gamarweiniol a gor-syml. Mewn etholaeth fel Bwrdeistrefi Caernarfon, nid oedd llwyddiant etholiadol yn debygol o ddeillio o wneud safiad mor eithafol a chefnogi cenedlaetholdeb milwriaethus. Nonsens hefyd yw awgrymu, fel y gwna Grigg, mai '*electoral survival*' oedd wrth wraidd ei wrthryfela a'i grwsâd dros hunanlywodraeth. Yn hytrach, roedd hwnnw'n safbwynt didwyll a goleddai, wedi ei gymell hefyd gan rwystredigaeth lwyr â system wleidyddol Brydeinig yr oedd am ei gweddnewid.

Pan ddaeth yr etholiad cyffredinol a chyhoeddi ei faniffesto (gweler *Carnarvon and Denbigh Herald*, Gorffennaf 18, 1885), safodd ynddi fel cenedlaetholwr Cymreig, heb liniaru dim ar ei radicaliaeth lafurol na'i ymlyniad wrth Gynghrair Cymru Fydd. Roedd y maniffesto, ac yn wir ei ddatganiadau yng nghwrs yr ymgyrch, yn feiddgar ac arloesol ac yn eithriadol fentrus o gofio ei gyfaddawdu amlwg mewn sedd

ffiniol, gosmopolitaidd bum mlynedd ynghynt yn is-etholiad 1890. Ffwlbri yw honiad Grigg (*op. cit.*, tud. 167) mai rhethreg wag oedd y galwadau ganddo yn yr etholiad am hunanlywodraeth.

Pwysleisiodd ar ddechrau'r maniffesto na fyddai Cymru byth yn sicrhau ei dyhead am ddiwygio cymdeithas hyd nes y câi lywodraeth a statws '*second to none among civilised nations*' gan ychwanegu:

> If we today love our country, our foremost desire is to see our country free—free from the tyranny of aristocracy, free from unjust laws, from ignorance, from drunkenness and immorality, from every oppression that falters the nation.
>
> In a word, I am a Nationalist because I am a Liberal and a Liberal because I am a Nationalist . . . I believe the future of Wales would be safer in the hands of her own sons and daughters who are attached to their country than in the hands of those who for the past 50 years have refused to listen to her appeals and redress her grievances. That is why I would give to Wales the right to manage such affairs as are distinctively her own, leaving to the Imperial parliament full control appertaining to the Empire at large . . .

Pwysleisiai hefyd bwysigrwydd hunanlywodraeth Gymreig er mwyn hwyluso diwygiad cymdeithasol a llafurol:

> In my opinion this [self government] is the easier and most effective way to secure Disestablishment for Wales, a measure of land reform to protect Welsh agriculturalists and labourers, a measure dealing with Leasehold Property which would prevent the landlord depriving businesses and working men of houses they have built at the cost of their own hard won earnings, a measure which would put the control of the liquor traffic in the hands of the people: such adequate provisions for the old and disabled amongst the honest and industrious workers as would please them beyond the fear of poverty or want when their physical powers fail either through age or sickness and a number of other measures calculated to elevate the people and for which Wales has long become ripe, could be mentioned.

Yn amlwg, rhagwelai Senedd Gymreig yn delio nid yn unig â materion arloesol fel rhyddfreinio'r prydlesoedd, ond hefyd yn darparu pensiwn, a buddiannau i'r gwael a'r methedig yn ogystal ag i'r henoed.

Clodd ei faniffesto drwy honni nad oedd y cenedlaetholdeb a bregethai yn elyniaethus tuag at y mewnlifiad o Saeson, Gwyddelod ac Albanwyr a drigai yng Nghymru. Ystyriai hwy yn Gymry

mabwysiedig—'*the adopted sons of Cambria*'; wedyn, yn ei eiriau olaf, ailaddunedodd ei flaenoriaeth waelodol o sicrhau Senedd Gymreig bwerus:

> I earnestly appeal to you in the name of principle and conscience to put aside all personal and minor considerations and to record your votes in support of those exalted ideas which have always distinguished Wales as true to the cause of freedom and justice.

Roedd maniffesto Lloyd George yn arddel safbwynt cenedlaethol cryf ynghlwm â diwygiadau Anghydffurfiol a mesurau llafurol. Prin y gellir cytuno â B. B. Gilbert yn ei gyfrol, *David Lloyd George, A Political Life*, pan gyfeiria at Etholiad 1895:

> The only matter of substance in Lloyd George's election and speeches and, indeed, the only interest he showed in conventional social reform, until he became a minister was a demand for old age provisions.

I'r gwrthwyneb, ym maniffesto 1895 roedd cyfeiriadau llafurol pendant, yn ogystal â'r pensiwn, ac yn ystod yr ymgyrch rhoddodd slant llafurol cryf yn ei areithiau a'i ddatganiadau gan ddadlau bod Cymru'n llawer mwy aeddfed na Phrydain i ddeddfu ar faterion llafurol.

Er enghraifft, dengys adroddiad y *Carnarvon and Denbigh Herald*, iddo leisio'n gryf yng Nghaernarfon (Gorffennaf 5) o blaid trethi ychwanegol ar y cyfoethog, yn arbennig cynyddu'r dreth farwolaeth yr oedd y Rhyddfrydwyr eu hunain wedi ei chychwyn. Meddai:

> Sir William Harcourt in his last budget, which was one of the best if not the very best introduced to the House of Commons, imposed a death duty of 10% on the property of millionaires . . . It was but right that such property should be taxed for the benefit of the state, that has enabled the millionaire to acquire their property. Suppose that death duties were increased towards the formation of Old Age Pensions what would Mr Ellis Nanney say—or rather what would his Paymaster, the Duke of Westminster say, who had become possessed of about 10 to 20 millions—not through his own exertions but as a result of the labour and lives of miners? What would be wrong in charging that property for the benefit of the people and not to have it squandered on racehorses and hounds? My principle is People first, horses after.

Yn yr un araith, cysylltodd y galw am hunanlywodraeth ag anghenion y gweithiwr gwledig, y gwas ffarm a'r gweithwyr trefol:

> Had Wales had a national council, the land would have been freed from the tyranny of bloated game preservers and their puffed up agents and set free to be farmed by tenants and farm labourers . . . if Wales had had *Home Rule* we would have had a thorough system of national education . . . it was also heartrending to notice how certain working class constituencies in England sent Tory blockheads to parliament to vote against the dearest interests of the Welsh common people.
>
> Wales would demand the right to manage her own affairs without reference to outside opinion.

Wedyn, mewn cyfarfod arbennig ar y Maes yng Nghaernafon, a drefnwyd ar gyfer gweithwyr y dref, yn ôl *The North Wales Observer and Express* (Gorffennaf 12), galwodd am drethu'r cyfoethog trwy godi treth farwolaeth uwch, trwy drethu elw ar dir a diwydiant ac ar freindaliadau cwmnïau ac unigolion ar fwynau, er mwyn darparu ar gyfer y llai breintiedig mewn cymdeithas, gan fynnu y gallai llywodraeth Gymreig wneud hynny, lle roedd llywodraeth Brydeinig wedi methu.

Camarweiniol yw barn B. B. Gilbert (*op. cit.*, tud. 137) iddo ymladd etholiad 1895 hefyd ar themâu is-etholiad 1890 o ymosod ar landlordiaid Seisnigedig ac ar gyfoeth yr Eglwys. Er iddo gyfeirio at y materion hyn, a chyfeirio ar yr un pryd at Ellis Nanney, roedd ei ymgyrch drwyddi draw yn un a oedd wedi ei chymell gan bolisi cenedlaethol Cymru Fydd. Roedd hunanlywodraeth yn ganolog i'w ymgyrch ar adeg dyngedfennol yn ei hanes pan oedd y farn gyhoeddus o blaid Torïaeth. Roedd yn barod i beryglu'r cyfan er mwyn ceisio mesur cryf o hunanlywodraeth. Mae hyn yn groes i farn haneswyr fel K. O. Morgan a John Grigg a ddadleuodd mai mudiad oedd Cymru Fydd i adeiladu i Lloyd George ganolbwynt grym yng Nghymru er mwyn pwyso yn uchelfannau'r blaid Ryddfrydol yn Llundain am ddiwygiadau Cymreig. Roedd ei weledigaeth ef yn llawer ehangach na hynny a'i alwad am hunanlywodraeth wedi ei mynegi mewn etholiad anodd ac mewn etholaeth lle nad oedd hynny'n ymddangos yn bolisi poblogaidd.

Roedd ei alwad am Senedd Gymreig bwerus yn deddfu'n gymdeithasol yn un herfeiddiol ac eithafol. Wrth gwrs, roedd ganddo gryn fanteision yn yr etholiad. Roedd Ellis Nanney, er ei natur fonheddig, yn ymgeisydd gwan ac yn areithydd tila, ac yn gorfod cael llu o wahoddedigion fel T. Marchant Williams i annerch yn rymus drosto. Ar y llaw arall, er i J. Bryn Roberts wrthod helpu Lloyd George yn yr ymgyrch am y casâi ei safbwyntiau cenedlaethol ac am i Lloyd George wrthod addo iddo y byddai'n troedio'r llinell swyddogol yn yr ymgyrch, llwyddodd i gael siaradwyr fel Thomas Gee a Tom Ellis i'w gefnogi, ac yr oedd hynny ar un wedd yn syndod ar ôl i Lloyd George fod mor anufudd at Tom Ellis fel cyn-Chwip Rhyddfrydol. Yng nghwrs yr ymgyrch hefyd, dioddefodd y Torïaid yn lleol ergyd enfawr pan ganfuwyd yr asiant Torïaidd yn farw, wedi cyflawni hunanladdiad. Dim ond tri deg a naw oed oedd George H. Owen, Caernarfon, ysgrifennydd Cymdeithas Amddiffyn Eiddo Gogledd Cymru, ac ystyrid ef yn drefnydd disglair iawn. Roedd yn ddigwyddiad a ysigodd y Ceidwadwyr yng nghanol yr ymgyrch.

Fodd bynnag, er y ffactorau hyn, roedd Lloyd George yn nerfus ac yn bryderus iawn, yn breifat, ar ei ffordd i'r cownt ar yr 20fed o Orffennaf, yn arbennig oherwydd bod y llanw Torïaidd yn codi drwy Gymru a chanlyniadau drwy Brydain i gyd, cyn y pôl yng Nghaernarfon, yn dangos colledion Rhyddfrydol mawr. Nododd ei frawd William yn ei ddyddiadur am y daith:

> D. Maggie and I left Cricieth by the Mail—6 a.m. The journey was the most anxious time of all. D. was agitated, poor chap. The Tory reaction throughout the country, and the Tory confidence here, has made him feel depressed and anxious.

Roedd y wasg Dorïaidd a'r blaid Geidwadol yn hyderus iawn hefyd a barnu wrth *The North Wales Chronicle* (Gorffennaf 20) ar drothwy'r pôl:

> It is not impossible that the tide of Unionist success, which has swept the country during these last few days will assist our local candidates in North Wales. In any case, the winning of the Carnarvon Boroughs ought to be a dead certainty for Mr Nanney.

Nid felly y bu. Ar ddydd y cownt, roedd Lloyd George wedi ennill 2,265 o bleidleisiau gan sicrhau 194 o fwyafrif. Digwyddodd hyn mewn etholiad cyffredinol lle roedd mwyafrif helaeth gan y Torïaid yn Brydeinig, a hyd yn oed yng Nghymru, lle collodd y Rhyddfrydwyr chwe sedd. Felly, roedd gan bapurau'r *Genedl*, ei gwmni ef, le i ddathlu ym muddugoliaeth Lloyd George ym Mwrdeistrefi Caernarfon gyda *The North Wales Observer and Express* (Gorffennaf 23) yn honni:

> In the return of Mr Lloyd George, Welsh nationality has triumphed, despite the anti-Welsh element which exists in the constituency.

Wedyn, wrth iddo ddiolch i'w etholwyr yn Nefyn ar yr 16eg o Awst, wythnosau ar ôl y canlyniad, yn ôl *The North Wales Observer and Express* eto, pwysleisiodd mai ei ymgyrch dros hunanlywodraeth fu sail ei lwyddiant yn yr etholiad. Meddai:

> My argument in placing self government for Wales in the forefront of the programme was strengthened from day to day.

Heb amheuaeth, credai ef i'w safbwynt cenedlaethol yn 1895, yn ei etholaeth, gael ei gyfiawnhau. Yn ddiamau, bu'n gymhelliad iddo barhau wedyn i ymgyrchu yr un mor danbaid dros Gynghrair Cymru Fydd a cheisio trawsnewid yr ymdrechion yr oedd D. A. Thomas a'i Ffederasiwn Deheuol wedi eu gwneud i atal Lloyd George rhag creu mudiad pwerus Cymreig.

Fodd bynnag, ar ôl yr etholiad, roedd ganddo fynydd i'w ddringo os oedd am lwyddo i sicrhau hynny. Yn ystod dyddiau olaf ymgyrch etholiadol 1895, tra oedd yn annerch cyfarfod yn Amlwch, Sir Fôn, llewygodd a bu'n rhaid iddo gymryd seibiant ac wedyn wyliau yn yr Alban.

Roedd arwain Cymru Fydd ac ymladd etholiad pryderus iddo'n bersonol wedi bod yn straen anferthol arno. Cyn ei seibiant yn yr Alban, fodd bynnag, ailymddangosodd ar y llwyfan gwleidyddol ym mis Medi er mwyn lansio ymgyrch newydd ar ran Cymru Fydd. Wedyn ar ôl dychwelyd o'i wyliau, aeth ati i roi arweiniad ymfflamychol i'r mudiad—arweiniad a ddangosai fod ganddo wir ymrwymiad i *Home Rule* i Gymru—ond arweiniad hefyd, er mawr siom iddo, fyddai'n disgyn ar dir caregog yn wyneb gwrthwynebiad o fewn ei blaid ac o gyfeiriad y blaid Dorïaidd, a hynny o fewn llai na chwe mis.

PRIF FFYNONELLAU

Carnarvon and Denbigh Herald, 1892-95; *Y Genedl Gymreig*, 1892-95; *The Western Mail*, 1892-95; *The South Wales Daily News*, 1892-95; *Seren Cymru*, 1892-95; *The North Wales Chronicle*, 1892-95; *The North Wales Observer and Express*, 1892-95; *Baner ac Amserau Cymru*, 1892-95; *Y Goleuad*, 1892-95; *The Liverpool Mercury*, 1893; *Young Wales*, 1895-6.

Llyfrgell Genedlaethol Cymru: gweler y cyfeiriadau at y llawysgrifau yn y penodau blaenorol.

DARLLEN PELLACH

K. O. Morgan, *Wales in British Politics 1868-1922* (Caerdydd, 1963).

PENNOD 10

Methiant Cymru Fydd, Lloyd George a Gwleidyddiaeth Cymru

Cafodd Lloyd George, cyn iddo lansio chwe mis olaf a mwyaf cynhyrfus mudiad Cymru Fydd ar ôl etholiad 1895, fis Awst rhyfeddol ar ôl ymgyrch etholiadol Gorffennaf. Wedi iddo lewygu yng nghyfarfod etholiadol Ellis Jones Griffith yn Sir Fôn ddiwedd Gorffennaf oherwydd straen a gorweithio, bu'n rhaid iddo gymryd pythefnos o seibiant. Ond ni chafodd seibiant rhag y beirniadu llym a fu arno ar ôl yr etholiad am arwain mudiad milwriaethus Cynghrair Cymru Fydd. Daeth hynny o blith ei blaid ei hun ac o du'r Torïaid.

J. Bryn Roberts, Aelod Seneddol Eifion, oedd canolbwynt y beirniadu ffyrnig a fu ar Lloyd George ddyddiau'n unig wedi etholiad 1895. Yn ystod y trafodaethau ar y mesur Datgysylltiad, ym mis Mai, roedd wedi cwyno wrth yr Arweinyddiaeth Ryddfrydol yn San Steffan mai bwriad Lloyd George wrth alw am Gyngor Cenedlaethol Cymreig i weinyddu'r degwm oedd cael hunanlywodraeth drwy'r drws cefn; roedd hefyd wedi gwrthod cefnogi Lloyd George yn etholiad 1895, er nad oedd ganddo ef ei hun wrthwynebydd Torïaidd yn etholaeth Eifion. Yna daeth y ffrwydrad geiriol cyhoeddus, unwaith yr oedd yr etholiad drosodd, pan gyhoeddodd lythyr o'i eiddo yn *Baner ac Amserau Cymru* (Gorffennaf 30), yn cyfiawnhau ei amharodrwydd i gefnogi Lloyd George yn etholiad 1895, gan ddatgan bod aelod y Bwrdeistrefi 'wedi cydweithredu efo'r Parnelliaid a'r Torïaid i ddinistrio y llywodraeth Ryddfrydol'. Ychwanegodd mai dyma'r 'prif ffactor dros ddinistrio'r weinyddiaeth'. Honnodd hefyd iddo ofyn, yn breifat, i Lloyd George yn ystod etholiad 1895 addunedu y byddai'n deyrngar i'r llywodraeth, ond iddo yntau wrthod gwneud hynny.

Ymatebodd Lloyd George i'r cyhuddiadau mewn cyfweliad arbennig â'r *Carnarvon and Denbigh Herald* (Awst 2). Ymosododd yn chwyrn ar Ryddfrydiaeth geidwadol a chlaear J. Bryn Roberts. Meddai:

> The best reply to Mr Bryn Roberts's attack upon me is what a leading Conservative in Caernarvonshire said about him. The Conservative was asked, 'Why did you people not oppose the return of Bryn Roberts?'

> The reply was, 'Why should we? He is doing our work'. I very much regret this attack by him because he and I have always been the best of friends, apart from politics.

Ymhyfrydai'r wasg Dorïaidd yn y gwrthdaro rhwng Roberts a phrif seren Cynghrair Cymru Fydd. Atgynhyrchodd *The North Wales Chronicle* (Awst 10), yn faleisus, rannau o lythyr blaenorol Bryn Roberts i *Baner ac Amserau Cymru* a'i ymosodiad chwyrn ar Lloyd George:

> He joined the Tories and Parnellites to upset the Liberal Ministry . . . I and many others believe the fall of that Liberal government was due to his conduct.

Dyma'r ergydion cyntaf a saethwyd mewn saga o gecru cyhoeddus ac ymosodiadau ffyrnig gan Bryn Roberts, yn arbennig trwy gyfrwng y papur Methodistaidd dylanwadol, *Y Goleuad*, o fis Medi tan fis Tachwedd. Saethwyd yr ergydion cyntaf ym mis Medi pan oedd Lloyd George ar ei wyliau yn yr Alban.

Cyn mynd i'r Alban, fodd bynnag, roedd Lloyd George wedi lansio ymgyrch genedlaethol newydd mewn cyfarfod Cymru Fydd yn Llandrindod, i ddyrchafu Cynghrair Cymru Fydd unwaith eto i frig yr agenda wleidyddol yng Nghymru. Awgrymodd yno roi un cyfle arall i geisio cael cydweithrediad Ffederasiwn Rhyddfrydol y De a D. A. Thomas i ffurfio Cynghrair Cenedlaethol cryf, canolog, ag Ymreolaeth Gymreig yn waelodol i'w amcanion, er gwaetha gwrthwynebiad blaenorol Thomas i fudiad canolog. Ffafriai Thomas, wrth gwrs, fudiad Cymreig llac, ffederal a gadwai rym i'w Ffederasiwn ef. Ond meddai Lloyd George yn Llandrindod (*The South Wales Daily News*, Medi 6):

> Let us proceed this day to arrange an elaborate campaign for the winter . . . I am convinced Wales is with us. We have six years in front of us . . . Let us fight if we must. It will breed backbone. I move that we meet the South Wales Federation, but that in the meantime we fight.

Bu ymateb ffyrnig yn y wasg Dorïaidd gyda *The North Wales Chronicle* (Medi 14) yn difrïo apêl Lloyd George a Chymru Fydd a thaflu baw ar ei ymdrechion i greu plaid annibynnol Gymreig:

> Mr Lloyd George has a new organization he wishes to thrust down the throats of the people and like a good quack doctor he has a programme

> which will be a complete panacea for all the ills of Wales . . . a Welsh Independent Party is to be formed to thrust self government down the throats of the people.

Cytunodd y Gynhadledd yn Llandrindod i'r Cynghrair gyfarfod â'r Ffederasiwn Deheuol yn Amwythig, ar y 25ain o Fedi. Yn ôl adroddiad *Baner ac Amserau Cymru* (Hydref 2), fodd bynnag, bu anghytuno chwyrn yno ar sut Gorff ddylai reoli Cynghrair Cymru Fydd—Corff canolog fel y dymunai Lloyd George, neu Gorff llac, â'r grym yn aros yn rhanbarthol, fel y dymunai D. A. Thomas. Bu dadlau chwyrn hefyd a ddylid cael trefnydd llawn amser i'r Cynghrair Canolog fel y dymunai Lloyd George. Roedd y gwrthdaro'n parhau rhwng y ddwy garfan fel y dangosodd J. Graham Jones yn ei erthygl, 'Lloyd George, Cymru Fydd and the Newport Meeting of January 1896'. Fel y dengys ef, hefyd, gwrthododd Ffederasiwn y De gyfaddawdu ar y materion hyn, gan wrthod mynychu cyfarfod arall a drefnwyd yn ddiweddarach yn Amwythig ar y 7fed o Dachwedd.

Roedd ymateb Lloyd George i'r gwrthdaro a fu yn y cyfarfod yn Amwythig ym mis Medi yn ffyrnig, fel y nododd ei bapur ei hun, *The North Wales Observer and Express* (Medi 23):

> Lloyd George was fed up with the South Wales Liberal Federation for dilly-dallying so long before joining the Cymru Fydd League.

Wedi'r methiant a'r gwrthdaro hwn, penderfynodd Lloyd George fod rhaid iddo ef arwain ymgyrch herfeiddiol, yn arbennig yn ne Cymru, i sefydlu llu o ganghennau lleol o Gynghrair Cymru Fydd yn hydref 1895; byddai hefyd yn creu trefniant i'r mudiad wedi ei ganoli'n bennaf ar Gwm Rhondda, a fyddai'n herio'r Ffederasiwn Rhyddfrydol Deheuol ac yn ei orfodi i ymuno â Chynghrair Cenedlaethol Cymru Fydd.

I'r pwrpas hwn, trwy gyfrwng erthygl yn rhifyn mis Hydref *Young Wales*, pwysleisiodd mai'r unig ffordd ymlaen i Gymru oedd mudiad i sicrhau hunanlywodraeth ffederal—'*Home Rule All Round*'—i holl genhedloedd y Deyrnas Unedig. Dadleuai hefyd mai dyna'r unig ffordd i ddatrys problem Iwerddon.

Dan y pennawd '*National Self-Government for Wales*', manylodd ar amcanion yr ymgyrch. Ar ddechrau'r erthygl gwadodd honiadau J. Bryn Roberts yn *Y Goleuad*, ei fod wedi dymchwel y llywodraeth Ryddfrydol flaenorol, gan ddatgan bod llywodraeth fregus Rosebery ar ei gliniau beth bynnag.

Byrdwn a chanolbwynt ei erthygl oedd galw am Gorff Cymreig pwerus, Cynghrair Cenedlaethol Cymru Fydd, a ymladdai am Senedd Gymreig, ochr yn ochr â seneddau cyffelyb i'r Alban ac i Iwerddon. Meddai:

> The Celt and the Englishman are at cross purposes. This diversity of opinion on political, social and religious questions, instead of disappearing, widens as the years go by while it has at last produced a state of things intolerable to the Celt and inimical to the goodwill which ought to exist between the various nationalities constituting this United Kingdom . . .
>
> When the Imperial Parliament is Conservative the demands of the Celt are voted down. When it is Liberal, England must be attended to and the Celt who has so many arrears to dispose of, finds that England is not ripe on those questions, or before their turn for treatment arrives, she has changed her mind and either rendered impotent or dismissed the Liberal Ministry before a tithe of the poor Celts' wrongs have been even so much as looked at . . .

Wedi iddo gyfeirio at fethiant Cymru ers degawdau i sicrhau deddfau cymdeithasol, cynigiodd mai'r unig ffordd ymlaen iddi hi a'r Alban ac Iwerddon oedd seneddau a ddeliai â materion cartref, gan adael amddiffyn a pholisi tramor ac imperialaidd i Senedd Llundain:

> . . . The only practical remedy left is . . . a system of Federalism which confers upon each separate nationality the right to manage its own domestic affairs . . . Neither foreign policy, nor the hostility of other nationalities, nor the necessity of dealing with the affairs of colonial empire . . . can possibly interfere with the work of a local legislature engaged only with its domestic concerns.

I'r perwyl hwn, ac i sefydlu Cynghrair Cenedlaethol Cymru Fydd i ymladd am hunanlywodraeth, byddai Lloyd George yn ystod y misoedd canlynol yn arwain ymgyrch genedlaethol wedi ei chanoli ar dde Cymru. Cyfaddefodd beth oedd ei amcanion mewn llythyr at Thomas Gee ar y 9fed o Hydref, pryd y galwodd am 'one great agitation for national self government' ac ychwanegu, 'For heaven's sake, let something be done this winter . . . we need something to show for all this controversy'.

Lansiodd ei ymgyrch tra parhâi'r cythrwfl mawr cyhoeddus yn y wasg, yn arbennig yn *Y Goleuad*, o gylch cyhuddiadau J. Bryn

Roberts. Parhâi ef i honni bod Lloyd George yn fradwrus, a'i fod wedi dymchwel llywodraeth Rosebery ac wedi peri colledion mawr i'r Rhyddfrydwyr yn etholiad 1895. Fel y dangosodd J. Graham Jones, cafodd Lloyd George gefnogaeth Tom Ellis i'w amddiffyn rhag y cyhuddiadau: fe ysgrifennodd i'r *Times* ar ei ran a thaflu mwy o anfri ar D. A. Thomas, a oedd hefyd wedi herio'r llywodraeth Ryddfrydol ym mis Mai. Apeliodd J. Bryn Roberts ar H. H. Asquith i gefnogi ei fersiwn ef o'r cythrwfl ac i gondemnio'r hyn a alwai Roberts yn 'ddulliau Gwyddelig' Lloyd George o wleidydda. Canlyniad y cyfan, yn ôl erthygl J. Graham Jones, oedd i Asquith beidio â gwneud sylw cyhoeddus ar y mater ond iddo feirniadu Ellis, yn breifat, am 'wyngalchu Lloyd George'.

Daeth ei bapur ei hun hefyd i warchod Lloyd George rhag cyhuddiadau J. Bryn Roberts a'r wasg Dorïaidd a ymhyfrydai mewn ailadrodd cyhuddiadau Aelod Eifion. Meddai *The North Wales Observer and Express* (Hydref 18):

> The 'Goleuad' has deigned to hold Mr Lloyd George up as an upstart who has betrayed his friends, wrecked his party and blighted the hopes of his country for a generation . . . the whole business is a scheme to drive Mr Lloyd George out of political life . . . but the attempt will fail miserably.

Nid oes amheuaeth bod elfen o wirionedd yn honiad papur Lloyd George, bod ymgyrch hir J. Bryn Roberts yn hydref 1895 yn rhannol wedi ei chymell i ddinistrio gyrfa Lloyd George, heb sôn am ei ymgyrch dros Gymru Fydd. Roedd Roberts hefyd mewn cytgord â D. A. Thomas yn cynllunio i danseilio ei ymdrechion i weddnewid y trefniant Rhyddfrydol yng Nghymru ar adeg pan oedd Lloyd George â'i fryd ar '*one great national agitation for national self government*'.

Bu sawl gwedd i'r ymgyrch, a Lloyd George yn ei chanol hi, yn cael ei gefnogi gan ddau yn unig o'r aelodau seneddol Cymreig: J. Herbert Lewis a'r aelod newyddetholedig dros Arfon, William Jones—areithydd disglair a elwid '*William Jones, the silvery tones*' gan ei edmygwyr. Roedd absenoldeb mwyafrif helaeth yr aelodau seneddol Cymreig Rhyddfrydol o'r ymgyrch yn dangos pa mor arloesol a beiddgar oedd y mudiad. Roedd yn gorfod dibynnu ar bersonoliaethau fel y gweinidogion J. Towyn Jones ac Elfed Lewis, ar ddeallusion Cymreig fel John Morris Jones a W. Llewelyn Williams ac ar gymeriadau cwicsotig ac annibynadwy fel Beriah Gwynfe Evans, a ddaethai dan lach Lloyd George am ei aneffeithiolrwydd trefnyddol yn hydref 1895. Roedd ymdrechion mawr wedi eu gwneud gan Lloyd George hefyd i ennill cefnogaeth y wasg yn ne Cymru, er enghraifft, trwy ennill cefnogaeth cyn-gyfaill iddo yn y gogledd, John Owen Thomas, golygydd newydd *The Merthyr Times* a phapurau eraill megis *The Glamorgan Free Press* a *Seren Gomer*. Poenai'n fawr hefyd ynglŷn â chefnogaeth *The South Wales Daily News* i D. A. Thomas.

O fis Awst 1895 hyd yr hydref, bu'n ceisio cael Samuel Storey, Aelod Seneddol Sunderland, cyfaill iddo a feddai ar gyfoeth mawr, i sefydlu papur newydd dyddiol o blaid Cymru Fydd yn y de, ond methiant fu'r trafodaethau. Roedd gan ei bapurau ei hun, papurau'r Genedl, fersiwn deheuol o'r *Genedl Gymreig*. Hefyd yr oedd *Baner ac Amserau Cymru* o'i blaid. Fodd bynnag, heb bapur Saesneg grymus yn ei gefnogi, mewn cymdeithas a oedd yn prysur Seisnigo yng nghymoedd dwyreiniol y de, roedd anawsterau mawr yn ei wynebu.

Serch hynny, ym misoedd Hydref a Thachwedd 1895, trefnodd ymgyrch herfeiddiol, wedi ei chanoli ar y Rhondda ond heb anghofio cymoedd glofaol eraill i'r dwyrain ac i'r gorllewin o'r Cwm. Fel y gwelir yn y llythyrau a anfonodd o'r de at ei wraig a'i frawd, cynhaliodd gyfarfodydd niferus lle teimlai ef ei hun ei fod yn cael derbyniad gwresog a chefnogol i'w ymgyrch.

Er enghraifft, mewn llythyr at ei wraig ar yr 21ain o Dachwedd, roedd yn llawn gorfoledd ac optimistiaeth ar ôl cyfarfod yn Nhreorci, y Rhondda:

> Last night's demonstration was simply immense—that is the word. Nothing like it in the Rhondda—not in the memory of the oldest inhabitant has anything to equal it been seen. Crowds from all parts of the Rhondda came down. Hundreds of D. A. Thomas's own colliers amongst them. Mabon looked blue. I talked Home Rule for Wales and all the nationalist stuff which the Mabon crew so detest—but the people cheered to the echo. The Rhondda has been captured.

Roedd ei optimistiaeth yn nodweddiadol ohono. Datgelai'r llythyr hwn ei gred a'i wendid bod ei ddawn areithio ddiamheuol yn golygu bod pobl wedi troi at ei achos, pan nad oedd hynny'n sicr. Datgelai'r llythyr hefyd wrthwynebiad Mabon ac Undeb y Glowyr i'r mudiad erbyn hydref 1895, pan oedd Mabon wedi cefnogi'r mudiad yng Nghaerdydd ym mis Ionawr 1895, lai na blwyddyn ynghynt. Nid oes dwywaith fod Lloyd George wedi pregethu'r angen i fudiad cenedlaethol Cymreig gyplysu'r galw am hunanlywodraeth â materion llafurol, gan gynnig pensiynau a'r diwrnod gwaith wyth awr i lowyr. Fodd bynnag, yr oedd ymdeimlad ymhlith amryw o'i feirniaid bod yr hen faterion anghydffurfiol fel dirwest a Datgysylltiad yn cael gormod o sylw gan gefnogwyr Cymru Fydd, er i Lloyd George yn ystod y blynyddoedd hyn leisio'r farn bod mater fel Datgysylltiad a meddiannu arian yr Eglwys yn gyfrwng i gael cyllid i'w ddefnyddio at bwrpasau cymdeithasol i helpu'r anghenus.

Bu gwrthwynebiad iddo annerch ar lwyfannau swyddogol Rhyddfrydol yn ystod ei daith drwy'r de hefyd, yn arbennig yn etholaeth y Rhondda yn yr hydref. Cafodd wahoddiad i siarad yno, ond ar yr amod nad oedd yn lleisio syniadau Rhyddfrydol answyddogol—gwahoddiad a wrthododd. Yn wir, bu'n rhaid iddo drefnu taith y de drwy smalio mai cyfres o ddarlithoedd ar Llywelyn Fawr oedd ei areithiau neu, yn eironig, sgyrsiau ar weithgareddau Tŷ'r Cyffredin. Hefyd, er iddo gyhoeddi yn ei lythyrau at ei deulu fod y cyfarfodydd a gynhaliai'n niferus a llwyddiannus, bu'n rhaid iddo gyfaddef ar adegau na châi yr un derbyniad yn rhai o gymoedd mwyaf dwyreiniol a Seisnigedig y rhanbarth ag y câi mewn cymoedd mwy Cymraeg eu hiaith. Er enghraifft, ar y 19eg o Dachwedd, ysgrifennodd at ei wraig o Dredegar:

> Got a capital meeting last night, altho' the audience in these semi-English districts are not comparable to those I get in the Welsh districts. Here the people have sunk into a morbid footballism.

Credai mai rygbi oedd opiwm y bobl. Daeth ei ymgyrch gyntaf yn ei amcan i droi Deheudir Cymru i'w achos i ben ym mis Rhagfyr, a'i optimistiaeth ei fod yn llwyddo ar ôl sefydlu nifer o ganghennau yno. Croniclodd hynny mewn llythyr at J. Herbert Lewis ar yr 31ain o Ragfyr:

> I do not think the tide is running strongly against us in any quarter. What we have to contend against is not active opposition but apathy. When the people are roused to the point of interest, they are with us.

Byddai'n ailymweld â'r de—a'r Rhondda yn neilltuol—ym mis Ionawr, gan wybod y byddai Cynhadledd Flynyddol Ffederasiwn Rhyddfrydol y De yn cyfarfod yng Nghasnewydd ar yr 16eg o Ionawr, lle byddai'n gorfod argyhoeddi'r cynrychiolwyr bod angen—yn groes i farn D. A. Thomas—Cyngor Cenedlaethol, un pwerus a chanolog, ar fudiad Cymru Fydd. Fodd bynnag, tasg anodd fyddai cael cefnogaeth i fudiad o'r math hwnnw.

Cyn hynny, bu'n annerch cyfarfod mawr dros Gynghrair Cymru Fydd ym Mangor, yn ei etholaeth ei hun, ddechrau Ionawr. Mewn araith danbaid yno, yn ôl *The North Wales Observer and Express* (Ionawr 5), lleisiodd o blaid '*Home Rule All Round*'. Dengys ei araith yno hefyd slant lafurol gref i'w gyfiawnhad dros Ymreolaeth Gymreig. Meddai:

> You may depend upon it that the working classes will not tolerate the system much longer. Every hour of delay means suffering and increasing destitution for thousands of them. They have on one hand the Tory scheme for transferring the power of Parliament to the Cabinet. On the other hand, they have Mr Keir Hardie's proposals for social revolution. They have oligarchy on one hand and anarchy at the other extreme offered to them. The progressive part of this country offers the more moderate, but, I venture to think the more rational alternative of all round devolution which will enable all their grievances to be dealt with in reasonable time.

Roedd hi'n amlwg, felly, ei fod yn rhag-weld y byddai hunanlywodraeth Gymreig yn galluogi trefn seneddol Gymreig i ddeddfu, lle methai San Steffan, er mwyn hyrwyddo anghenion y dosbarth gweithiol. Adleisiai'r hyn yr oedd wedi ei ddweud dros Ymreolaeth Ffederal ar sawl achlysur er 1890. At hynny, yn yr araith hon ym Mangor, lleisiodd yn ei berorasiwn apêl ar i Gymru gyfan frwydro am hunanlywodraeth er mwyn sicrhau dyfodol gwell i'r dosbarth gweithiol, gan sylweddoli bod plaid newydd Lafur yn datblygu a allai gynnig ffordd ymwared arall i'r dosbarth gweithiol:

> I would make these local parliaments so many searchlights to flash into all the dark places of our land so as to shame oppression, wretchedness and wrong out of their lurking places. I repeat the present system of things cannot long endure. The contrast is too acute between the wealth and luxury of one class and the destitution and degradation of others . . . that system which macadamises the road to luxury for a few out of the hearts of the many is doomed and I, for one, advocate so strongly the scheme of devolution, because I believe it is the surest method of expecting that happy day.

Dychwelodd Lloyd George i'r Rhondda erbyn yr 16eg o Ionawr, ar ôl traddodi'r araith hon, er mwyn ymladd Ffederasiwn y De a pharatoi ar gyfer y cyfarfod tyngedfennol yng Nghasnewydd. Mewn cyfres o lythyrau at ei wraig nododd fraslun o'i ymdrechion i ennill y Rhondda a pharatoi at gyfarfod Casnewydd. Meddai wrthi ar y 12fed o Ionawr:

> We have decided to swamp the Rhondda with letters for the meeting of delegates . . . a good deal will depend on it. If we carry the Rhondda it will mean the turning of the scales at Newport on Thursday. Dyma fi eto yng nghanol y rhyfel.

Wedyn, y diwrnod canlynol, nododd y byddai'n cymryd rhan yn y cyfarfod yng Nghasnewydd, ac ar drothwy'r cyfarfod hwnnw roedd mewn hwyliau optimistaidd gan ddisgwyl y byddai cynrychiolwyr y Rhondda yn y cyfarfod yn cefnogi Cymru Fydd. Meddai:

> Heard from Rhondda that the Cymru Fyddites scored a grand victory here last night and that all the delegates to vote for us tomorrow at Newport. That cripples Mabon's mischievousness.

Roedd y cyfarfod tyngedfennol hwnnw yng Nghasnewydd nid yn unig yn un o'r cyfarfodydd mwyaf tymhestlog a chynhennus yn holl hanes cythryblus Cymru Fydd er Mai 1894 ond, efallai, yn un o'r cyfarfodydd mwyaf tymhestlog a chroes yn hanes modern gwleidyddiaeth Cymru.

Gan ymhyfrydu yn yr ymgecru a fu yno, bedyddiodd *The Western Mail* (Ionawr 17) ef: 'The Radical Bear Garden—Outbreak of Anti-Welsh Feeling in Newport'. Roedd papur Lloyd George, *The North Wales Observer and Express* (Ionawr 24), yn amlwg wedi ei siomi'n ddirfawr gan y canlyniadau echrydus i obeithion Cymru Fydd yn sgil y tryblith fu yno:

> The meeting of the South Wales Liberal Federation at Newport has made all Welshmen who are jealous of the good name of their country hang down their heads in shame.

Roedd yr holl wrthdaro a fu rhwng Cymru Fydd Lloyd George a Ffederasiwn y De, dan arweinyddiaeth D. A. Thomas, wedi cyrraedd penllanw o ddicter ac emosiwn yn y cyfarfod hwn. Dan gadeiryddiaeth Albert Spicer, Aelod Seneddol Bwrdeistrefi Mynwy, gŵr a aned yn

Brixton, ac un o'r gwrth-Ddatganolwyr mwyaf milwriaethus ymhlith aelodau seneddol Cymru, gwelwyd, yn ôl yr adroddiad syfrdanol yn *The South Wales Daily News* (Ionawr 17), olygfeydd i ryfeddu atynt.

Bu cyhuddiadau fod y Ffederasiwn, dan arweiniad D. A. Thomas a'i ysgrifennydd Morgan Thomas, wedi llenwi'r cyfarfod â chynrychiolwyr a oedd yn elyniaethus tuag at Gymru Fydd. Dywedid hefyd fod aelodau a oedd â chydymdeimlad â Chymru Fydd wedi eu hatal rhag mynd i mewn i'r Neuadd a bod yr Ysgrifennydd heb anfon tocynnau at amryw o gynrychiolwyr o Benfro a'r cymoedd, a oedd o blaid sefydlu Cynghrair Cenedlaethol cadarn i Gymru a diddymu grym yr hen Ffederasiynau Rhyddfrydol.

Bu gwrthdaro mawr wedyn ar fater canolog i ddyfodol Cynghrair Cymru Fydd, sef a ddylid cael Ysgrifennydd proffesiynol, cyflogedig, llawn amser i'r Cynghrair ai peidio. Roedd Lloyd George o blaid hynny, gan siarad ar y mater a galw am fudiad pwerus i hyrwyddo achos hunanlywodraeth. Nid yn annisgwyl, cafodd ei wrthwynebu'n ffyrnig gan D. A. Thomas. Wedyn bu trafodaeth gynhennus ynghylch a ddylai'r mudiad fod yn un llac ai peidio, â phedwar Ffederasiwn Rhanbarthol yn ei reoli, a'r grym yn aros yng ngharfan D. A. Thomas yn y de-ddwyrain; ynteu a ddylid cael, fel y dymunai Lloyd George, un Ffederasiwn Canolog pwerus a fyddai'n rhoi arweiniad grymus i'r mudiad newydd. Cynigiwyd hynny gan y gweinidog amlwg, y Parchedig Elfed Lewis, ond condemniwyd ef gan Robert Bird, Henadur o Gaerdydd, a honnodd mai mudiad eithafol oedd gan Lloyd George dan sylw. Ychwanegodd,

> We will not submit to the domination of Welsh ideas . . . Throughout South Wales, from Swansea to Newport, there were thousands of Englishmen, as true Liberals as yourselves, who would object to the ideas and the principles which Mr Lloyd George had enunciated.

Adlewyrchai ymosodiad Bird deimladau gwrth-genedlaethol Rhyddfrydwyr Seisnigaidd y rhanbarth masnachol hwn o Gymru. Hefyd ymhlyg yn ei feirniadaeth roedd yr ofnau a ganfuasai Lloyd George eisoes, mewn llefydd fel Llandudno yn 1894, mai mudiad '*Wales for the Welsh*' oedd ei Gynghrair yng ngolwg ei elynion, er iddo ef ei hun fynnu droeon nad oedd yn cau allan y Saeson, y Sgotiaid a'r Gwyddelod a drigai yng Nghymru.

Gwrthodwyd apêl Lloyd George i gael ateb honiadau Bird ond fe'u hatebwyd gan Morgan Walters o Bontllanfraith, a fynnai un corff pwerus i Ryddfrydiaeth Cymru. Fodd bynnag, gorchfygwyd cynnig Elfed o 133 o bleidleisiau i 70. At hynny, gwrthododd y mwyafrif gynnig i alw Confensiwn Cenedlaethol i drafod ymateb ymhellach ac, yn wir, yng nghanol tyndra mawr, ymadawodd cynrychiolwyr Ffederasiwn y De â'r neuadd i ddathlu eu buddugoliaeth dros Lloyd George mewn cinio, a hynny ar gost D. A. Thomas.

Ychwanegwyd ymhellach at y golygfeydd o anarchiaeth wrth i gynrychiolwyr Cymru Fydd, yn ôl *The South Wales Daily News*, ymosod ar agwedd Robert Bird a'i gyd-Ffederasiynwyr. Galwodd Lloyd George hwy, yn ffyrnig, 'a small coterie of English capitalists who have come to Wales and made their fortunes here'. Ychwanegodd hefyd:

> Wales belongs to the Welsh people and the Welsh people have a right to have their policy directed in accordance with Welsh views, as the English people have to have England governed according to English principles.

Yn ei bapur ei hun, *The North Wales Observer and Express* (Ionawr 24), dan y pennawd 'Strife and Contention at Newport', taranai'r erthygl olygyddol yn erbyn penderfyniad Ffederasiwn y De. Mynegodd, yn sicr, ymateb Lloyd George i gyfarfod Casnewydd:

> It was fairly hoped and believed that it could settle all questions in dispute as to the machinery of Welsh politics and unite Wales in one strong and solid organisation. This hope has been bitterly disappointed.

Mynegodd Lloyd George yr un siom enbyd mewn llythyr at ei gyfaill a'i gyd-genedlaetholwr Cymru Fydd, J. Herbert Lewis, ar ôl y cyfarfod. Meddai: 'Yr ydym wedi ein trechu heddiw. The meeting was packed with Newport Englishmen.'

Mewn llythyr at ei wraig, Margaret, lleisiodd yr un siom ond gan ddangos hefyd barodrwydd i barhau â'r frwydr:

> The majority present were Englishmen from the Newport district. The next step is that we mean to summon a Conference of South Wales and to fight it out . . . I am in bellicose form . . .

Credai y gallai adfer y sefyllfa yn fuan wedyn mewn cyfarfod yn Abertawe. Ar gyfer y cyfarfod hwnnw, paratôdd nodiadau manwl sydd wedi eu cynnwys yng nghyfrol W. R. P. George, *Lloyd George:*

Backbencher. Ynddynt mae'n gwadu'r cyhuddiadau mai mudiad personol i hyrwyddo ei uchelgais ei hun oedd Cynghrair Cymru Fydd. 'I am neither President, Vice President, nor any kind of office holder in the new organisation', meddai, gan ychwanegu na fedrai ddeall beth oedd gwrthwynebiad D. A. Thomas i fudiad a oedd wedi derbyn, fe gredai, 'the enthusiastic support of the official organs of the press, of the two largest denominations in South Wales, of Labour and other leaders of undoubted influence'.

Ni ddeilliodd dim o gyfarfod Abertawe, fodd bynnag, ac i bob pwrpas bu cyfarfod Casnewydd yn ddiwedd y daith i'w obaith o sefydlu mudiad annibynnol pwerus a chenedlaethol a fyddai'n uno i sicrhau senedd ffederal i Gymru.

Nid dyma, wrth gwrs, ddiwedd ymdrechion Lloyd George yn y 90au i newid y trefniant Rhyddfrydol yng Nghymru. Rhwng 1896 ac 1898, fel y dangosodd K. O. Morgan mor dreiddgar yn ei gyfrol, *Wales in British Politics 1868-1922*, ar lefel seneddol ac mewn cyfarfodydd eraill bu'n parhau i fynnu '*Home Rule All Round*' ac i geisio newid y drefn Ryddfrydol yng Nghymru ond heb fawr o lwyddiant ac, efallai, heb yr un arddeliad, ac yn sicr heb yr un egni ac emosiwn ag a nodweddodd ei ymgyrch hir a dadleuol dros Gynghrair Cymru Fydd rhwng 1894 ac 1896.

I bob pwrpas ymarferol, roedd y gwrthdaro a welwyd yng Nghasnewydd wedi rhoi'r ergyd farwol i fudiad Cymru Fydd. Roedd yn garreg filltir yn hanes Lloyd George fel cenedlaetholwr Cymreig ac yn benllanw ar ei ymdrechion diflino fel arloeswr ac arweinydd Cymru Fydd. Roedd y mudiad gwir boliticaidd cenedlaethol Cymreig cyntaf yn hanes modern Cymru wedi methu, ar ôl bodoli am lai na thair blynedd. Beth oedd i gyfri am y methiant hwn?

Gor-symleiddio fyddai cyfeirio at y gwahaniaethau personol rhwng D. A. Thomas a Lloyd George fel ffactor sylfaenol ym methiant y mudiad, er nad oes amheuaeth fod y ddau ohonynt yn bersonoliaethau cryf, emosiynol a phenderfynol. Yn ddiamau, gwelai Thomas y Cynghrair fel erfyn personol i Lloyd George greu peirianwaith grym iddo'i hun, ac ni rannai ei ymlyniad emosiynol dros hunanlywodraeth ffederal. Byddai Ffederasiwn y De hefyd yn colli dylanwad o dan gynlluniau canolog Lloyd George dros Gynghrair Cymru Fydd. Yn ogystal, credai Thomas yn gydwybodol ei fod yn gwarchod Rhyddfrydiaeth gosmopolitaidd wahanol de-ddwyrain Cymru wrth ymladd dros batrwm ffederalaidd i'r Cynghrair Cymreig. Ond, yn sicr, ei brif gymhelliad oedd cadw canolbwynt grym iddo'i hun oddi mewn i unrhyw ad-drefniant ar Ryddfrydiaeth Gymreig.

Gor-symleiddio, hefyd, oedd y duedd ymhlith haneswyr i honni mai rhaniadau (de a gogledd) fu wrth wraidd y methiant. Gwir fod y dosbarth canol masnachol, cosmopolitaidd yn ne Cymru wedi rhoi ergyd farwol i'r mudiad yng Nghasnewydd. Ar y llaw arall, roedd Lloyd George wedi canfod—yn ôl ei deimladau ei hun, beth bynnag—ymateb ffafriol i'r mudiad yng nghymoedd mwyaf Cymreig y de ac roedd nifer o ganghennau wedi eu sefydlu yno. Yn y gogledd, er iddo gael cefnogaeth y Ffederasiwn Rhyddfrydol a sefydlu rhwydwaith o ganghennau yno, daeth gwrthwynebiad cryf, o Fangor a Llandudno er enghraifft yn 1894, i asio cymdeithasau Rhyddfrydol â Chymru Fydd. O Fangor hefyd, o ganolbwynt ei etholaeth, y saethodd J. Bryn Roberts ei ergydion yn ei erbyn. Bu'r gwrthwynebiad o du 'cyfalafwyr Seisnig' Caerdydd a Chasnewydd, fodd bynnag, yn ffactor gref.

Mae tystiolaeth hefyd fod yr iaith Gymraeg wedi bod yn ffactor negyddol ac yn rhwystr i'r mudiad. Yng Nghasnewydd, lleisiwyd gwrthwynebiad i '*Welsh domination*' ac yn 1894 roedd Lloyd George wedi gorfod pwysleisio ar daith yng Nghaerdydd ac yn Llandudno nad mudiad '*Wales for the Welsh*' oedd Cymru Fydd, fel y gwnaeth yn ei Faniffesto Etholiad yn 1895. Yn sicr, roedd ei elynion wedi defnyddio bwgan yr iaith i ddifrïo ei ymgyrch ac yn ddiau, yn ei ddatganiadau seneddol a chyhoeddus er 1890, roedd Lloyd George, yn groes i farn sawl hanesydd, wedi rhoi pwyslais ar gyfiawnder cyhoeddus i'r Gymraeg.

Ffactor arall a gyfrannodd at fethiant y mudiad oedd natur fregus ei drefniadaeth. Cwicsotig oedd gallu trefnyddol Beriah Gwynfe Evans, y trefnydd cenedlaethol, fel y cwynodd Lloyd George mewn llythyr at Herbert Lewis ar yr 11feg o Ragfyr, 1895. Meddai: 'I fear you have been a victim of Beriahism . . . he really must go', gan gondemnio'i aneffeithiolrwydd yn trefnu cyfarfodydd y Cynghrair. Nid oedd gan y mudiad, chwaith, wasg bwerus yn gefn iddo—mater a barodd i Lloyd George geisio sefydlu papur dyddiol Saesneg yn ne Cymru, er bod ganddo Wasg y Genedl yng Nghaernarfon a chefnogaeth Thomas Gee a'r *Faner*. Cafodd gefnogaeth golygyddion a newyddiadurwyr fel Llewelyn Williams ac Ap Ffarmwr, ond roedd y prif gyfryngau Saesneg yng Nghymru'n elyniaethus tuag ato.

Ni chafodd chwaith gefnogaeth gan yr aelodau seneddol Cymreig, ac eithrio cymorth gan Herbert Lewis a William Jones, Aelod

Seneddol Arfon, ac i raddau llai Alfred Thomas, Aelod Seneddol Pontypridd. Efallai, hefyd, fod gormod o ddeallusion a gweinidogion oddi mewn i'r mudiad, er i arweinyddion y glowyr, William Abraham AS, a William Brace gefnogi'r ymgyrch, ond dros dro yn unig. O safbwynt trefnyddol hefyd, er i'r mudiad sefydlu canghennau Cymreig o fewn cyfnod o ddwy flynedd, nid oeddent wedi llwyddo i ddisodli'r Cymdeithasau Rhyddfrydol lleol. Roedd amheuaeth hefyd, fel y mynegodd J. Bryn Roberts, i ba raddau yr oedd Ffederasiwn Rhyddfrydol y Gogledd yn wirioneddol gefnogol i'r mudiad—mudiad y galwodd Roberts ef yn ddirmygus yn '*paper organization*'.

Efallai mai un o'r ffactorau mwyaf allweddol ym methiant Cymru Fydd oedd y gwrthwynebiad iddo gan arweinyddiaeth a 'sefydliad' swyddogol Rhyddfrydiaeth Gymreig a Chymdeithasau Rhyddfrydol etholaethol Cymru. Roedd Dr E. O. Price wedi amlygu hynny ym Mangor yn 1894 a gwrthwynebiad J. Bryn Roberts wedi tanlinellu hynny hefyd. Daeth seiniau anghytûn o'r etholaethau, yn ogystal, o Feirionnydd i'r Wyddgrug, i foddi cri Lloyd George dros blaid annibynnol a Senedd i Gymru. Roedd y dosbarth canol Gladstonaidd, sobr a phwyllog, a barhâi'n asgwrn cefn Rhyddfrydiaeth swyddogol, yn ofni bod Cymru Fydd â'i fryd ar hollti'r blaid a dinistrio'r berthynas glòs a chref yr oedd gwleidyddion fel Stuart Rendel wedi ei meithrin â hierarchiaeth y blaid yn Llundain. Roedd y sefydliad Rhyddfrydol Cymreig, at ei gilydd, wedi bodloni ar fesurau megis Deddf Cau'r Tafarnau ar y Sul 1881, Mesur Addysg Canolraddol 1889, Y Comisiwn Tir 1893, Siarter y Brifysgol, a'r grym yr oeddynt wedi ei feddiannu'n lleol. Nid oeddynt am beryglu'r gorchestion hyn trwy weld torri'r cysylltiad agos â'r blaid Ryddfrydol Brydeinig.

Yn sicr, dyma oedd byrdwn neges erthygl o waith Jenkyn Thomas yn rhifyn mis Mawrth 1895 o *Young Wales*, cylchgrawn Cymru Fydd ei hun. Ynddi cyfiawnhâi gadw'r berthynas glòs â Rhyddfrydiaeth swyddogol. Meddai Thomas, yng nghanol ffrwgwd Cynghrair Cymru Fydd:

> The question of a separate Welsh party, independent of the Liberal Party and all other political combinations, is being more and more discussed in the Principality . . . In this article, therefore, I propose to point out that I consider grave objections to the proposal to sever the historic connection between Wales and the Liberal Party . . . the best way to promote Welsh interests in parliament is to leaven the Liberal Party from within and not to form a Welsh party distinct from and independent of that organisation.

Crynhoai hyn wrthwynebiad Rhyddfrydiaeth swyddogol Cymru i gynlluniau Lloyd George. Credai ef mai briwsion a gafodd Cymru oddi ar fwrdd y blaid Ryddfrydol a bod angen plaid annibynnol a Senedd Gymreig Ffederal i weddnewid cymdeithas yng Nghymru.

Nid oes amheuaeth, chwaith, i'r weledigaeth y meddai Lloyd George arni, y gallai Senedd Gymreig ddeddfu ar faterion radicalaidd llafurol beri anesmwythyd mawr i Ryddfrydwyr *laissez-faire* cefnog, dosbarth-canol fel D. A. Thomas a 'chyfalafwyr Casnewydd', er bod amryw o haneswyr yn amau ymrwymiad Cymru Fydd i faterion llafurol. Dywed K. O. Morgan mai 'vaguely conceived labour policies' oedd gan y mudiad (gweler pennod 9); honna J. Graham Jones, 'the movement was, indeed, light years removed from the labour industrial and social questions which increasingly dominated life in South Wales', a dywed B. B. Gilbert amdano:

> The common mistake is the assumption that there was in his make up a species of left wing reformism associated with South Wales and that somehow he was, or should have been, an ordinary labour-oriented social reforming, anti-capitalist radical.

Er bod elfen o wirionedd yn y gosodiadau hyn, fodd bynnag, a bod ffigurau fel Mabon wedi troi yn erbyn y mudiad ar ôl ei gefnogi ar y dechrau, ni ellir gwadu i Lloyd George fynnu mewn areithiau a datganiadau, fel y gwnaeth ym Mangor yn 1896, y gallai Senedd Gymreig ddeddfu er lles y dosbarth gweithiol ac ail-ddyrannu cyfoeth. Hefyd, roedd wedi rhoi gwedd lafurol i Gymru Fydd yn ei alwadau cyson rhwng 1894 ac 1896 am godi trethi ar landlordiaid a diwydianwyr cyfoethog, treth uwch ar farwolaeth, diwrnod gwaith wyth awr i lowyr, rhyddfreinio'r prydlesoedd a phensiwn i'r henoed a'r anabl. Yn sicr, erbyn y cyfnod hwn, roedd yn ymbalfalu am raglen o radicaliaeth newydd a gynhwysai ddeddfau llafurol cryf. Fel yr honnodd ym Mangor yn 1896, rhagwelai Senedd Gartrefol yn gweithredu polisïau blaengar, felly, yn hytrach na bod gweithwyr yn dilyn chwyldro cymdeithasol Keir Hardie.

Yn ddi-ddadl hefyd, fel yr awgrymodd Emyr Wyn Williams (gweler pennod 9), roedd D. A. Thomas, y perchennog glofeydd, yn ofni slant lafurol Lloyd George a Chymru Fydd ac yr oedd Lloyd George yn ei araith yng Nghasnewydd, ym mis Ionawr 1896, wedi galw D. A. Thomas a'i gyfeillion yn '*English capitalists*'. Wrth gwrs, trodd arweinydd y glowyr, Mabon, yn erbyn Cynghrair Cymru Fydd erbyn diwedd 1895, ac yn ddiamau dangosai hynny wendid yn apêl lafurol y mudiad. Gellir dadlau bod Lloyd George wedi disgyn rhwng dwy stôl: bod y mudiad ar un wedd yn annigonol yng ngolwg Mabon a'i debyg, ond bod D. A. Thomas a'i garfan yn gweld y mudiad yn symud i dir llafurol peryglus. Felly, ni phlesiai'r naill garfan na'r llall. Ond nid yr hen raglen Anghydffurfiol Ryddfrydol o ddirwest, datgysylltu a thir oedd yr unig ddiwygiadau y rhagwelai Lloyd George Senedd Gymreig yn eu hyrwyddo.

Beth bynnag oedd slant lafurol Cynghrair Cymru Fydd, nid oes amheuaeth fod pwnc llosg hunanlywodraeth ffederal yn elfen ddadleuol yn rhaglen Cymru Fydd a bod hynny ynddo'i hun yn anochel yn mynd i arwain at ymateb ffyrnig. Yn naturiol, daeth hynny o blith y Toriaid Unoliaethol a'r wasg Geidwadol ymosodol yng Nghymru. Yn fwy arwyddocaol, fodd bynnag, bu carfan o'r wasg Ryddfrydol Gymreig yr un mor ffyrnig eu hymosodiadau arno. Roedd yr alwad am hunanlywodraeth ffederal yn filwriaethus o newydd a bygythiol yng ngolwg cynifer o'r sefydliad Rhyddfrydol Cymreig. Nid oedd chwaith yng Nghymru fawr o gefndir na gwreiddiau dwfn i'r math hwn o athroniaeth arloesol a bregethid yn y 90au cynnar.

Yn sylfaenol, roedd yn braenaru tir nad oedd ond lleiafrif bychan fel Michael D. Jones a rhai unigolion eraill eisoes wedi ei drin, heb sôn am fudiad blaenorol aflwyddiannus Cymdeithas Cymru Fydd yn yr 80au. At ei gilydd, roedd trwch y boblogaeth yn ddi-hid ynglŷn â'r cwestiwn, fel y mynegodd Lloyd George yn 1895 mewn llythyr at Herbert Lewis, o'r Rhondda, 'What we have to contend against is . . . not active opposition but apathy'. O du Rhyddfrydiaeth Gymreig swyddogol, fodd bynnag, eu blaenoriaeth hwy, fel y tanlinellai erthygl Jenkyn Thomas yn y cylchgrawn *Young Wales*, oedd cydraddoldeb cenedlaethol i Gymru a mesurau i hyrwyddo hynny o San Steffan, nid mesur o arwahanrwydd ffurf Senedd ffederal.

Roedd y ffactorau hyn i gyd wedi cyfrannu at fethiant mudiad dadleuol Cymru Fydd. Ond beth am rôl gythryblus Lloyd George ei hun fel arweinydd mudiad y trodd oddi wrtho'n gymharol sydyn ar ôl 1896? I ba raddau yr oedd ef yn arwain gwir fudiad cenedlaethol annibynnol, a pha wir arddeliad oedd gan Lloyd George dros hunan-lywodraeth? Yn wir, a oedd y mudiad, fel y mae amryw o haneswyr wedi ei awgrymu, yn bennaf yn ddim ond cyfrwng i Lloyd George adeiladu peiriant grym iddo'i hun yng Nghymru, ac onid yr unig flaenoriaeth ganddo oedd pwyso'n fwy grymus ar Lundain am ddeddfau Cymreig?

Dyma'n sicr ddehongliad K. O. Morgan o'r mudiad. Meddai yn ei erthygl, '*Welsh Nationalism, the Historical Background*', wrth drafod Cymru Fydd:

> It was in large measure a bid for power by Lloyd George, an attempt to redirect and redefine Welsh Liberalism now that the Liberal government had been swept away.

Wedyn, yn ei erthygl, '*Lloyd George and Welsh Liberalism*' dywed:

> . . . He saw it primarily as a political instrument for uniting Welsh constituency parties and thereby putting pressure on the Liberal Party leadership and the London based party machine.

Gwêl J. Graham Jones, hefyd, yn ei erthygl ar Gymru Fydd y mudiad fel un a ffurfiwyd, yn bennaf, i wireddu'r nod hwn—'*the temporary vessel for his ambitions*'. Aeth John Grigg gam ymhellach yn ei gyfrol ef am y Lloyd George ifanc trwy honni bod y mudiad ymhell o fod yn ymdrech i greu plaid annibynnol ond yn hytrach yn un yn unig i greu canolbwynt grym i Lloyd George ei hun:

> He had never, of course, intended to be the 'Parnell of Wales' in any sense but one—that he wanted to control the Welsh MPs and to make use of their corporate power.

Mae B. B. Gilbert, fodd bynnag, yn ei gyfrol yn gweld Cymru Fydd fel '*an Irish style political machine in Wales*'. Mae'n pwysleisio hefyd yn ei ragair fod gan Lloyd George ymrwymiad cyson ac arddeliad dros hunanlywodraeth Gymreig: 'He had views on every topic but commitments to none, save land reform and Welsh nationalism'. Fodd bynnag, mae Gilbert yn gweld ei arweiniad o Gynghrair Cymru Fydd yn bennaf fel cyfrwng i bwyso ar y Blaid Ryddfrydol yn Llundain am ragor o sylw i Gymru.

Wrth gwrs, ni ellir gwadu nad oedd elfen o hunanoldeb ac uchelgais bersonol yng nghymhellion Lloyd George wrth arwain Cymru Fydd a'r awydd i'w ddefnyddio i roi pwysau yn Llundain am ddeddfau Cymreig. Nid oedd Lloyd George, chwaith, yn genedlaetholwr unplyg ac uniongred. Eto i gyd, fel yr awgryma Gilbert, roedd *Home Rule* yn ymrwymiad cyson ganddo yn ei yrfa er 1886, gyda'r alwad am hunanlywodraeth yn ddolen gyswllt drwy gydol ei yrfa gynnar o 1886 i 1896. Roedd wedi cefnogi cynllun '*Home Rule All Round*'

Chamberlain yn 1886: roedd wedi galw ei hun '*The Nationalist candidate for the Boroughs*' yn 1888 ac wedi ennill yr Ymgeisyddiaeth honno ar docyn cenedlaethol. Wedyn, yn 1889 ac 1890 yn arbennig, mewn ymgyrch filwriaethus yn ne a gogledd Cymru, mewn rihyrsal ar gyfer Cynghrair Cymru Fydd, roedd wedi ceisio gweddnewid trefniadaeth Ryddfrydol Cymru i ymladd am Senedd ffederal. Gwir iddo gyfaddawdu ar *Home Rule* yn is-etholiad 1890, ond wedi hynny, yn y Senedd a thu allan, rhwng 1890 ac 1892, er mai ei brif flaenoriaeth oedd Datgysylltu'r Eglwys (gan bwyso ar yr un pryd am Gorff Cenedlaethol Cymreig), roedd ganddo hefyd agenda gudd am Senedd Gymreig a ddeddfai dros ryddfrydiaeth golectifistaidd, lafurol.

Daeth uchafbwynt ei ymrwymiad cyson i hunanlywodraeth Gymreig rhwng 1894 ac 1896. Er bod yna elfennau tactegol yn ei wleidydda wrth arwain Cynghrair Cymru Fydd, ni ellir gwadu iddo ddangos dewrder, egni a phenderfyniad wrth arwain yr ymgyrch. Gwir y gallai ei dwyllo ei hun bod yr ymgyrch yn llwyddo'n ysgubol oherwydd ei allu diamheuol i anfon ei gynulleidfaoedd i berlewyg emosiynol, ac y gallai gymryd hynny fel arwydd o dröedigaeth ymhlith y cynulleidfaoedd mawr a anerchodd yn hydref 1895. Ond, o ddadansoddi ei ddatganiadau cyhoeddus a'i sylwadau cyfrinachol mewn llythyrau at ei gyfeillion a'i deulu yn y cyfnod, ni ellir amau ei ymroddiad i Gymru Fydd na chwaith i Senedd Gymreig.

Ni ellir chwaith—a barnu yn ôl ei lythyrau a'i areithiau yn y cyfnod hwn—fychanu ei weledigaeth o Gymru ymlywodraethol yn achub y blaen ar senedd Lundeinig wrth ddarparu agenda o ddiwygiadau blaengar a modern i newid cymdeithas yng Nghymru, na chwaith ei awydd i ffurfio plaid annibynnol Gymreig.

Er y gwyddai na allai sicrhau hunanlywodraeth yn y tymor byr yn 1895 ac 1896, ei fwriad oedd gosod seiliau cadarn i hynny yng Nghymru trwy sefydlu mudiad grymus i sicrhau'r nod hwnnw ymhen amser. Yn sicr, roedd arwain Cynghrair Cymru Fydd yn fwy nag ymdrech i greu canolbwynt grym iddo'i hun, fel yr honnai cynifer o'i elynion gwleidyddol pennaf ar y pryd.

Fel y dangoswyd eisoes yn y bennod hon, parhaodd Lloyd George ar gyfnodau drwy gydol y 90au i gefnogi achos *Home Rule* i Gymru a'r angen i weddnewid trefniant y Rhyddfrydwyr yng Nghymru er mwyn cyrchu at y nod hwnnw. Ond, yn ddiamau, gwyddai fod uchafbwynt yr ymgyrch wedi ei gyrraedd yn 1895 a dechrau 1896. Gwyddai hefyd fod cyfarfod Casnewydd wedi bod yn ergyd aruthrol i'w obeithion. Trodd fwyfwy, fel yr aeth y 90au heibio, oddi wrth ei grwsâd Cymreig gan greu gyrfa Lundeinig iddo'i hun. Erbyn 1906, roedd yn aelod o'r Cabinet, a'i gyd-genedlaetholwr Cymru Fydd, J. Herbert Lewis, hefyd yn cael swydd yn llywodraeth Campbell-Bannerman.

Rhoddodd heibio amcanion a dyheadau Cymru Fydd yn bur swta ar ôl ergydion Casnewydd yn 1896, gan ddod i amlygrwydd mawr ym Mhrydain fel diwygiwr cymdeithasol yn llywodraethau Campbell-Bannerman ac Asquith wedi 1906. Yn wir, ymylai ar y Duwdod, yng ngolwg corff helaeth o Gymry yn y cyfnod hwnnw, fel y nododd W. J. Gruffydd, y llenor a'r golygydd sardonig, yn ei gyfrol, *Hen Atgofion*, wrth sôn am agwedd cwbl anfeirniadol cenhedlaeth ei dad at Lloyd George:

> Pe clywsai fy nhad i sicrwydd fod Mr Lloyd George wedi lladd ei nain, buasai mwrdro neiniau ar unwaith yn llai o ysgelerder yn ei olwg. Canys Mr Lloyd George oedd Pab Rhyddfrydiaeth ac y mae popeth a wna'r Pab yn gyfreithlon ac yntau ei hunan yn anffaeledig.

Yn wir, roedd llwyddiant Lloyd George ar y platfform Prydeinig wedi troad y ganrif, a'i allu i hyrwyddo newidiadau cymdeithasol pell-gyrhaeddol yn gyfiawnhad i'r Cymry mai oddi mewn i'r system wleidyddol Brydeinig y gallai'r Cymry a Chymru lwyddo. Bu hynny'n ergyd farwol am ddegawdau i obeithion rhai a gredai y gallai symudiad gwleidyddol cenedlaethol Cymreig lwyddo, a bu'n rhwystr drwy'r ugeinfed ganrif i unrhyw fudiad neu symudiad cenedlaethol sicrhau llwyddiant sylweddol.

Cafodd Lloyd George ei farnu'n hallt am hynny gan amryw—gan gyfoeswyr iddo, a Chymry eraill yn ddiweddarach—am iddo roi'r gorau i Gynghrair Cymru Fydd mor swta ac, yn ymddangosiadol o leiaf, heb fawr o alaru. Bu cyfoeswyr a chyd-aelodau Cymru Fydd—rhai fel Beriah Gwynfe Evans a W. Llywelyn Williams yn arbennig—yn hallt eu condemniad ohono am iddo gefnu ar ei genedlaetholdeb gynnar. Roedd Llywelyn Williams, yng ngolwg Gwynfor Evans yn ei gyfrol, *Seiri Cenedl*, yn wahanol iawn i Lloyd George; roedd Williams 'yng nghysondeb ei safiad dros Gymru yn unigryw ymhlith yr aelodau Seneddol Rhyddfrydol'.

Yn 1937, cyhoeddodd y Rhyddfrydwr, W. Hughes Jones, gyfrol dan y teitl, *Wales Drops the Pilots*, yn edrych yn ôl yn hiraethus ar y cyfle a gollwyd gyda Chynghrair Cymru Fydd ac yn beio'r Cymry am hynny. Ond, fel y mae K. O. Morgan wedi dangos yn dreiddgar yn ei erthygl, 'Lloyd George and Welsh Liberalism', roedd W. Hughes Jones hefyd yn ymosod ar Lloyd George am ymwrthod â delfrydau ei ieuenctid yn fuan ar ôl 1896. Yn 1932, yn y cylchgrawn *Welsh Outlook*, beirniadodd Saunders Lewis—arweinydd cyntaf y Blaid Genedlaethol—Lloyd George a Chynghrair Cymru Fydd yn hallt, fel pedlerwyr cenedlaetholdeb ffug. Yn ei gyfrol, *Seiri Cenedl*, er i Gwynfor Evans ganmol Lloyd George a'i arweiniad o Gynghrair Cymru Fydd fel un a wnaeth 'gyfraniad allweddol tuag at wneud Cymru'n realiti gwleidyddol', gwêl ef Lloyd George hefyd fel un a gefnodd ar Gymru a delfrydau Cymru Fydd yng nghanol y 90au gan adael 'ei genedlaetholdeb Cymreig ymhell ar ôl ac o hyn allan gellir ei gymharu â Henry VII yn ei effaith ar Gymru'.

Bu beirniadu mawr, felly, ar Lloyd George am droi ei gefn yn gymharol ddisymwth ar Gymru Fydd, yn arbennig o du cenedlaetholwyr Rhyddfrydol y cyfnod ei hun a chenedlaetholwyr mwy diweddar, gan godi'r cwestiwn i ba raddau yr oedd ei ffyddlondeb i'r achos yn gadarn.

Wrth bwyso a mesur cyfraniad Lloyd George a'i berthynas â Chymru Fydd, hawdd yw bychanu a difrïo ei rôl yn y mudiad hwnnw a'r modd y trodd ei gefn arno. Yn wir, hawdd y gellir ei weld fel cyfnod o fethiant a'i ystyried hefyd fel rhywbeth arwynebol, dros-dro, a mympwyol yn hanes Lloyd George—carreg lam i'w alluogi i foddhau ei uchelgais a chyrraedd penllanw grym a nerth yng ngwleidyddiaeth Prydain.

Yn ei bryd a'i amser, fodd bynnag, er mai realydd gwleidyddol oedd Lloyd George, roedd ganddo yn negawd cyntaf ei yrfa wleidyddol arddeliad dros Senedd Gymreig a gweledigaeth o'r hyn a olygai Cymru ymlywodraethol. Roedd ganddo ymlyniad arbennig at drefn lywodraethol ddatganoledig a ymgorfforai gonsýrn am y dosbarth gweithiol, cyfiawnder cymdeithasol a lle blaenllaw i'r Gymraeg fel cyfrwng swyddogol, modern.

Ni pharhaodd y weledigaeth o bosibiliadau ymarferol hunan-lywodraeth yn hir yng nghyd-destun gyrfa Lloyd George drwyddi draw, ond mae deng mlynedd yn amser hir iawn mewn gwleidyddiaeth. Hefyd, wedi methiant y mudiad yn 1896, nid oedd ganddo mewn gwirionedd—fel gwleidydd ymarferol â'i fryd ar newid cymdeithas—ond un opsiwn yn unig, sef cefnu ar *Home Rule* a chanolbwyntio ar yrfa Lundeinig ar ôl i garfan helaeth o'i blaid ac, i bob pwrpas, ei gyd-Gymry ei wrthod. Oni welai wedi ei holl ymdrechion rhwng 1886 ac

1896 mai trwy'r drefn Brydeinig yn unig y gallai'n ymarferol barhau i wasanaethu'r Cymry a Chymru?

Er i Gymru Fydd gael ei lorio yn 1896, ni fu'r cyfan yn ofer yng nghyd-destun gyrfa Lloyd George ei hun ac effeithiau tymor-hir y mudiad ar wleidyddiaeth Cymru. Wedi iddo esgyn i rym llywodraethol Prydeinig, ac er i'w ymlyniad wrth *Home Rule* gilio, parhaodd i arddel ei Gymreictod, er i hwnnw ymddangos yn fwyfwy sentimental fel yr âi'n hŷn. Yn boliticaidd, fel Gweinidog Cabinet ac fel Prif Weinidog, bu'n ddylanwadol yn y broses o sicrhau datganoli gweinyddol i Gymru, yn arbennig gyda sefydlu Adran Gymreig y Bwrdd Addysg yn 1907 a'r Bwrdd Iechyd Cymreig yn 1919. Fel Canghellor y Trysorlys, sicrhaodd grantiau sylweddol i'r Amgueddfa a'r Llyfrgell Genedlaethol ac i golegau Prifysgol Cymru. Bu'n ffigur o ddylanwad yn yr Eisteddfod Genedlaethol ac yn sicrhau'r datblygiad yn Eisteddfod Genedlaethol Machynlleth 1935, a arweiniodd ar ôl ei farwolaeth i 'Reol Gymraeg' y Brifwyl (gweler pennod 6).

Gwir hefyd iddo gefnogi ymgyrchoedd byrfyfyr dros ddatganoli ar ôl y Rhyfel Byd Cyntaf, er mai achlysurol ac arwynebol fu'r pethau hynny. Ond nid oedd o blaid annibyniaeth i Gymru. Yn ddiddorol, ar ôl i'r Blaid Genedlaethol gael ei sefydlu yn 1925 a Lloyd George yn ffigur damniedig yng ngolwg ei harweinydd, Saunders Lewis, dangosodd sylfaenydd Cynghrair Cymru Fydd atgasedd at y blaid newydd.

Oddi ar lwyfan Eisteddfod Genedlaethol Aberteifi yn 1936, galwodd y blaid yn amherthnasol a honni y byddai 'fel cicaion Jona yn codi mewn noswaith ac mewn noswaith yn darfod' (gweler *Seiri Cenedl*, tud. 264). Rai misoedd yn ddiweddarach, fodd bynnag, dangosodd gydymdeimlad mawr â'r protestio yn erbyn y penderfyniad i anfon y tri chenedlaetholwr, Saunders Lewis, D. J. Williams a'r Parchedig Lewis Valentine, i sefyll eu prawf yn yr Old Bailey, mewn llys Seisnig, ar gyhuddiadau o losgi'r Ysgol Fomio ym Mhenyberth, Llŷn. Mewn llythyr a ysgrifennodd at ei ferch, Megan, ar y 1af o Ragfyr, 1936 tra oedd ar wyliau yn Jamaica, condemniodd y penderfyniad i gynnal yr achos yn Llundain, er na chytunai â gweithredoedd 'Y Tri'. Meddai:

> This is the first government that has tried Wales at the Old Bailey . . . It is a supremely foolish thing to have done: the majority of the Jury were in favour of a verdict and they might at any rate have had a second trial, or removed it to some other part of Wales, but to take it out of Wales

> altogether and, above all, to the Old Bailey, is an outrage which makes my blood boil. It has nothing to do with the merits of the case.

Er y geiriau hyn yn cydymdeimlo ag 'Achos y Tri', geiriau a sbardunwyd yn bennaf gan deimlad o anghyfiawnder cymdeithasol yn hytrach na chydymdeimlad â'r tanio, ni fu gan Lloyd George fawr i'w ddweud wrth y Blaid Genedlaethol yn y 30au, mwy nag y bu gan Saunders Lewis fawr o gariad at Gynghrair Cymru Fydd Lloyd George yn yr 1890au.

Er i'r Cynghrair fethu erbyn 1896 ac er i Lloyd George erbyn degawdau olaf ei oes ymbellhau oddi wrth Gymru'n llythrennol-gorfforol i Churt yn Surrey—ac ymbellhau hefyd o ran ei ymlyniad wrth ddelfrydau ei grwsâd cynnar dros Senedd Gymreig—ni ellir bychanu dylanwad y mudiad ar Gymru yn ystod ei oes ef ei hun. Yn bwysicach, ni ellir diystyru chwaith ddylanwad Cymru Fydd ar wleidyddion ac ar wleidyddiaeth Cymru wedi i Lloyd George ei hun gilio i'r cysgodion, ac ar ôl ei farwolaeth yn 1945.

Yn arwyddocaol iawn, bu'r dylanwad hwnnw i'w weld yn neilltuol yng ngyrfa ei hoff blentyn, ei ferch Megan, a fu'n cadw'r fflam genedlaethol Gymreig ynghynn yn y blaid Ryddfrydol, dan amgylchiadau anodd yn y 30au a thrwy ei galwadau cyson am Ysgrifennydd i Gymru a Senedd Gymreig. Yn y 40au hwyr hefyd, pan oedd cryn ymrafael rhwng y datganolwyr a'r gwrth-ddatganolwyr yn y blaid Ryddfrydol, bu'n gefnogwraig Senedd Gymreig, yn arbennig felly yn ei harweinyddiaeth o'r mudiad Senedd i Gymru aml-bleidiol rhwng 1951 ac 1956. Yng nghwrs ymgyrch hir ond aflwyddiannus, cyfeiriai'n aml yn ei hareithiau at Gynghrair Cymru Fydd ei thad, fel sylfaen i'r mudiad hwnnw ar y pryd.

Ymhlith aelodau blaenllaw y mudiad Senedd i Gymru yn y 50au, gyda rhai eraill o'r blaid Lafur a'r blaid Ryddfrydol, roedd Emlyn Hooson, a ddaeth yn ddiweddarach yn Aelod Seneddol Maldwyn, 1962-79, a Cledwyn Hughes, Aelod Seneddol Môn ac Ysgrifennydd Cymru, 1966-68. Fel y dangosodd David Roberts yn ei bennod 'The Strange Death of Liberal Wales' yn y gyfrol *The National Question Again*, bu Emlyn Hooson yn ceisio adfer lle canolog i'r blaid Ryddfrydol yn y 60au a'r 70au gan greu plaid Ryddfrydol Gymreig gydag annibyniaeth sylweddol ar Lundain, a phlaid hefyd a roddai bwyslais cryf ar hunanlywodraeth ffederal i Gymru. Ni lwyddwyd i ailgynnau tân dyddiau Cymru Fydd nac adfer y blaid Ryddfrydol i amlygrwydd Cymreig, ond bu'n rhan o'r clytwaith a gyfrannodd at dwf 'ymwybyddiaeth Gymreig', pa mor fregus bynnag fu hwnnw, yn y 60au a'r 70au. Bu Emlyn Hooson hefyd yn rhan o'r symudiad a ddaeth â Datganoli i ganol y llwyfan Cymreig yn y 70au, gyda'r cytundeb *Lib-Lab* yn 1977-78 a chyda'r symudiad at sefydlu Cynulliad Cymreig erbyn 1979, er nad oedd ganddo ef gydymdeimlad â Mesur Datganoli'r llywodraeth Lafur yn 1978-79, oherwydd nad âi'n ddigon pell i roi grym llywodraethol i Gymru.

Bu dylanwad hir-dymor Cynghrair Cymru Fydd yn ddylanwad allweddol hefyd ar y grŵp o Lafurwyr cenedlaetholgar a gostrelir yng ngyrfa Cledwyn Hughes. Fel y ceisiodd yr awdur hwn ddangos yn ei gyfrol, *Cledwyn*, bu Cledwyn Hughes, fel Ysgrifennydd Cymru, yn gwthio'n galed am Gyngor Etholedig i Gymru rhwng 1966 ac 1968. Er i'w gynllun—a ragwelai'n datblygu'n raddol yn egin Senedd Gymreig—fethu oherwydd gwrthwynebiad chwyrn yn y Cabinet Llafur, llwyddodd Cledwyn Hughes i barhau i gadw Datganoli ar ganol yr agenda boliticaidd hyd y 70au. Cymerwyd awenau Datganoli i Gymru wedyn gan John Morris, Ysgrifennydd Cymru rhwng 1974 ac 1979, un arall a hanai o'r un cefndir Rhyddfrydol Cymreig. Ni chafwyd Datganoli yn 1979, wedi ymgyrch hir a checrus, a bu sawl adlais o'r gwrthdrawiad a brofwyd yng nghyfnod cythryblus Cynghrair Cymru Fydd i'w glywed yng nghwrs y cythrwfl hwnnw.

Yn 1997, fodd bynnag, wedi ymgyrch galed dan arweiniad Ysgrifennydd Cymru ar y pryd, Ron Davies, a'r Blaid Lafur, a chyda chefnogaeth Plaid Cymru a'r Rhyddfrydwyr, llwyddwyd i sefydlu Cynulliad Cymreig ganrif ar ôl methiant Cymru Fydd.

Daeth Cynulliad Cymreig i fodolaeth a gellir priodoli hynny, yn rhannol, i effaith bellgyrhaeddol y mudiad y bu Lloyd George yn ei arwain mor eofn ac unigryw dros ganrif yn ôl. Gwnaeth hynny'n gyson drwy ei yrfa gyn-seneddol a'i yrfa seneddol gynnar ac, yn arbennig, rhwng 1894 ac 1896.

Dyma'r cyfnod pryd y gwelwyd Lloyd George ar y naill law yn cael ei gystwyo fel y 'patriot mwnci' ac ar y llaw arall yn cael ei gondemnio a'i glodfori yn 'Parnell Cymru'.

Beth bynnag fu camp a rhemp, ffaeleddau a gogoniannau Cynghrair Cymru Fydd a chrwsâd Lloyd George dros hunanlywodraeth Gymreig, a beth bynnag yw'r farn ymhlith haneswyr am wir natur ei gymhelliad a'i ddiffuantrwydd dros yr achos, mae un peth yn gwbl sicr: ni ellir dianc rhag y cwestiwn parhaol a osododd Lloyd George a'i fudiad gerbron y Cymry, ganrif yn ôl, gan ei roi ar ganol yr agenda boliticaidd. Er mwyn i Gymru ddatblygu i'w llawn botensial fel cenedl fodern, ffyniannus gyda threfn gymdeithasol gyfiawn, a all hynny ddigwydd heb i Gymru sicrhau mesur sylweddol o hunanlywodraeth dros ei bywyd a'i thynged economaidd a diwylliannol?

Prin y gellir galw Lloyd George yn fradwr cenedlaethol wrth arwain mudiad Cymru Fydd. Yn wir, gwnaeth ymdrech arwrol ac arloesol i sefydlu patrwm o lywodraethu yng Nghymru a dynnai sylw at y ffaith mai ef, yn anad neb, oedd arweinydd a llais y mudiad cyntaf gwir wleidyddol yn hanes modern Cymru i geisio rhoi i'r genedl Gymreig statws cenedlaethol cyfiawn a grym llywodraethol ymarferol dros ei bywyd economaidd, cymdeithasol a diwylliannol.

PRIF FFYNONELLAU

Carnarvon and Denbigh Herald, 1895-96; *Y Genedl Gymreig*, 1895-96; *The Western Mail*, 1895-96; *The South Wales Daily News*, 1895-96; *The North Wales Chronicle*, 1895-96; *The North Wales Observer and Express*, 1895-96; *Baner ac Amserau Cymru*, 1895-96; *Y Goleuad*, 1895-96; *Young Wales*, 1895-96; *The Welsh Outlook*, 1932.

Llyfrgell Genedlaethol Cymru: Papurau J. Herbert Lewis yn ogystal â'r llawysgrifau yn y penodau blaenorol.

DARLLEN PELLACH

Gwynfor Evans, *Seiri Cenedl* (Llandysul, 1986).
Mervyn Jones, *Megan Lloyd George, A Radical Life* (Llundain, 1991).
W. Hughes Jones, *Wales Drops the Pilots* (Llundain, 1937).
John Osmond (gol.), *The National Question Again*, pennod David Roberts, 'The Strange Death of Liberal Wales', (Llandysul, 1985).
Emyr Price, *Cledwyn* (Bangor, 1990).
Emyr Price, *Megan Lloyd George* (Caernarfon, 1983).

Mynegai